BOKS
NA PTAKU

czyli

**każdy szczyt
ma swój**

CZUBASZEK i KAROLAK

MARIA CZUBASZEK
WOJCIECH KAROLAK

w rozmowie

z Arturem Andrusem

z ilustracjami
WOJCIECHA KAROLAKA

BOKS
NA PTAKU

czyli

każdy szczyt

ma swój

CZUBASZEK i KAROLAK

Prószyński i S-ka

Jarkowi – Wojtek
Małgosi – Artur

„Galia jako całość dzieli się na trzy części"

Juliusz Cezar

Prawdę mówiąc, wolę cytować Churchilla. Ale wśród wszystkich dostępnych wypowiedzi wybitnego brytyjskiego polityka nie znalazłem żadnej, która by mniej pasowała do tego, co w tej książce zostanie napisane. A próbuję zdobyć mistrzostwo świata w cytowaniu najmniej odpowiednich mott, złotych myśli, aforyzmów. Z braku dobrego Churchilla musi wystarczyć rzymski dyktator. A i tak podejrzewam, że ktoś kiedyś znajdzie w tym cytacie jakieś drugie dno, ukryty głęboko sens. Niech tam! Z ludzką złośliwością i tak nie wygram!

Maria Czubaszek się ucieszyła. Bo miała to z głowy. A Wojciech Karolak naprawdę się zmartwił, kiedy książka „Każdy szczyt ma swój Czubaszek" ukazała się w księgarniach. I nie chodziło o treść, ale raczej o proces twórczy. Podobno kilka tygodni po zakończeniu pisania odbyła się mniej więcej taka rozmowa między nimi:

Karolak: – Kiedy Artur przyjdzie?

Czubaszek: – A co ty się tak stęskniłeś?

Karolak: – No bo jak przychodził, to i mnie czasami coś skapnęło.

Chodzi o potrawy, które Marysia przygoto... kupowała w hinduskiej restauracji i podgrzewała na każde moje przyjście. Najpierw była kawa, stolik zastawiony słodyczami i owocami, potem wjeżdżało hinduskie danie, na koniec lody albo ciasto. A najczęściej i lody, i ciasto. I tak za każdym razem. Żeby tylko zająć się czymś innym, żeby nie pytał o wspomnienia z młodości. Przy okazji wyszło na jaw, że mówiąc o braku zdolności kucharskich, że jakoby potrafi tylko przygotować parówki, bezczelnie kłamie. Świetnie podgrzewa gotowe dania! Uważam, że powinna mieć swój program w telewizji, w którym uczyłaby perfekcyjnego podgrzewania potraw.

Druga część rozmowy, tym razem w rozszerzonym o Karolaka gronie, powstała więc z troski o kulinarny poziom życia jednego z najwybitniejszych polskich muzyków jazzowych.

Informacja dla tych, którzy czytają przez przypadek – bohaterami tej książki są:

Czubaszek, Maria – satyryczka i dziennikarka, jak sama siebie określa – autoɪka rozrywkowa, o której napisano już wiele w różnych miejscach, chociaż na przykład w „Encyklopedii Muzyki Popularnej – Jazz" nie ma o niej ani słowa. A mogłoby być pomiędzy: „Curson, Ted (trębacz)" a „Cyrille, Andrew (perkusista)".

Karolak, Wojciech – o którym w „Encyklopedii Muzyki Popularnej – Jazz" napisano prawie dwie strony, zaczynając od słów: „Ur. 28.05.1939 r. w Warszawie. Choć Karolak postrzegany jest głównie jako pianista i organista, dał się także poznać jako ciekawy kompozytor i aranżer oraz jako saksofonista…". Opublikowano nawet jego zdjęcie, w przeciwieństwie do następującego po Karolaku „Kawasaki, Ryo (gitarzysta)", o którym napisano dużo mniej i bez fotografii.

Przystępując do pracy nad tą książką, po raz kolejny przekonałem się, że materiałów nie można szukać po omacku. Na przykład w listach Johna Lennona i Yoko Ono nie znalazłem wzmianki na temat naszych bohaterów. Ale już we wspomnieniach Michała Urbaniaka pojawiają się częściej, na przykład: „Karolak był zakochany i chciał czym prędzej wracać do Warszawy, gdzie czekała na niego narzeczona – Maria Czubaszek" (A. Makowiecki „Ja, Urbanator"). A tak w ogóle to najlepiej zapytać ich samych. I tak się zaczęła druga seria gastronomiczno-towarzyskich spotkań na warszawskim Mokotowie. Kawa, słodycze, owoce, podgrzane danie (restaurację hinduską zamknęli, więc pojawiły się tradycyjne dania kuchni polskiej, na przykład de volaille), ciastka, lody. A właśnie! Okazało się, że talent kulinarny Marii Czubaszek bardzo się rozwinął. Po pierwsze potrafi chronić orzeszki przed kurzem. Przy okazji którejś wizyty, kiedy Marysia stała w kuchni i podgrzewała, Wojtek zapytał:

– A orzeszki odkurzyłaś?

– Przecież one stoją tam pod kwiatami, tam są zasłony… – odpowiedziała Marysia.

Wtedy uświadomiłem sobie, że nie wyjadam, za każdym razem, gdy u nich jestem, orzeszków, które w małej miseczce stoją zawsze obok lodów, kawy i ciastek. Zostają, więc czekają na następną wizytę. A żeby się nie kurzyły, trzeba je postawić „tam pod kwiatami, tam są zasłony…".

Po drugie Marysia – do wszystkiego dodaje koperek. De volaille z koperkiem, do tego ziemniaki z koperkiem i surówka z dodatkiem koperku. Musiałem szybko chwytać filiżankę kawy, żeby i tam nie dosypała. Uważam, że po zakończeniu show „Maria Czubaszek podgrzewa, co popadnie" powinna rozpocząć cykl programów telewizyjnych „Maria Czubaszek dosypuje koperek".

Podczas tych wizyt odkryłem również wynalazek kulinarny Wojciecha Karolaka. Mianowicie do truskawek, które od czasu do czasu pojawiały się jako deser po potrawach z koperkiem, podawana była zawsze mała buteleczka. Nie używałem, ale w końcu zapytałem, co to takiego. Marysia odpowiedziała, że Wojtek zawsze polewa truskawki sosem… truskawkowym. Moja sugestia, że w takim razie pomidory można by polewać przecierem pomidorowym, spotkała się z żywym zainteresowaniem Wojtka i nie zdziwiłbym się, gdyby została wprowadzona w życie.

W mieszkaniu panuje ciemność (bo nie lubią zapalać światła, a okna mają stale zasłonięte). I papierosy panują. I telewizor. Wielki. Na pewno ma tyle cali, ile centymetrów ma pół Karolaka. Telewizora właściwie nie wyłączają. Stale nastawiony na program informacyjny. Czasem udało mi się uprosić o przyciszenie głosu. Co zresztą też było okazją do żartu. Oto zapis pewnej rozmowy:

Czubaszek (do Karolaka przyciszającego pilotem telewizor): – Co ty robisz?

Karolak: – Przyciszam telewizor.

Czubaszek: – Ale komórką?

Karolak: – Oczywiście, że komórką. Ty nie potrafisz telefonem przyciszyć telewizora?

Czubaszek: – A moim też można?

Świadkiem powyższej sceny byłem osobiście, tę poniższą znam tylko z opowieści. Marysia przysnęła w fotelu przed telewizorem (tak zwany skrętek fotelowy), Wojtek potrzebował jakiejś kasety wideo leżącej gdzieś w pobliżu telewizora. Nie chcąc jej obudzić, podszedł po cichu, oświetlając sobie miejsce składowania kaset latarką. Marysia się budzi. Przestraszona.

Czubaszek: – Jezu! Co to?! Co ty robisz?!

Karolak: – Naświetlam kasety wideo.

Czubaszek: – Po co?

Karolak: – To ty nie wiesz, że kasety wideo trzeba raz na jakiś czas naświetlić latarką? Żeby nie zniknęły nagrania.

Marysia z pełną powagą przyjęła do wiadomości informację pochodzącą z tak pewnego źródła.

Telewizor podczas naszych rozmów był włączony stale. Później, podczas odsłuchiwania nagrań z dyktafonu, trafiałem czasem na jakąś wiadomość podawaną przez prezentera albo komentarz niemający żadnego związku z tematem rozmowy (najczęściej dotyczący polityka, którego twarz pojawiła się właśnie na ekranie). Najżywsze reakcje dotyczyły pojawiających się na ekranie zwierząt. „O, jaki piesek!", „O, jaki konik!", „O, jaki osiołek!" – gdyby ktoś postronny posłuchał tych nagrań, mógłby dojść do wniosku, że to odgłosy przedszkola albo ogrodu zoologicznego. A to mieszkanie satyryczki i muzyka jazzowego! Chociaż… Przecież tak naprawdę to mieszkanie Zająca i Zajączki. Tak się do siebie zwracają.

Spotykaliśmy się niezbyt często. Raz na tydzień, czasem rzadziej. Tylko wtedy, gdy udało się zebrać całą trójką. I kiedy cała trójka w miarę nie śpi. Czyli tak po 20.00, bo Karolak wstaje koło 18.00. Doszedłem do wniosku, że tylko takie wspólne rozmowy mają sens. Łatwo nie było. Wojtek jeździ po kraju i grywa albo nagrywa. Marysia, po sukcesie książki „Każdy szczyt ma swój Czubaszek", ruszyła w Polskę i odbyła setki spotkań autorskich w bibliotekach, domach kultury i przeróżnych klubach. W kilku jej towarzyszyłem. Przychodziły tłumy. Ludzie świetnie bawili się, słuchając jej opowieści. Zadawali pytania. Zazwyczaj na wszystkie potrafiła błyskotliwie odpowiedzieć. Ale pamiętam jedno, które wprawiło ją w osłupienie. Podczas spotkania w Łodzi opowiedziała o dziesiątkach par butów, które dostawała od męża w prezencie, a wielu z nich do dziś nawet nie włożyła i leżą w szafie. Na co jeden ze słuchaczy zareagował pytaniem:

– A nie myślała pani nigdy, żeby otworzyć boks na ptaku?

Z osłupienia wyszła dopiero kilka godzin później, kiedy w drodze powrotnej do Warszawy wyjaśniłem jej, że w tym przypadku „Ptak" należało usłyszeć z wielkiej litery. Że to nazwa znanego podłódzkiego centrum handlowego i bazaru. Mam trochę takich opowieści z podróży i stacjonarnych spotkań z Marysią. Trochę mniej związanych z Wojtkiem, bo z nim nie podróżuję. Te, które sobie przypomnę, będę co jakiś czas wtrącał. W formie krótkich notatek. Pomyślałem nawet, że na cześć zacytowanego wyżej pytania te historie nazwałbym „BOKS NA PTAKU". Umówmy się więc, że jeśli gdziekolwiek w tej książce znajdzie się hasło „BOKS NA PTAKU", to będą to luźne dygresje, opisy niewynikające bezpośrednio z naszej rozmowy, czasem tylko z lekka do niej nawiązujące.

Zastanawiałem się, jak nazwać ten gatunek literacki. Nie jest to biografia. Nie jest to dokument. Chociaż elementy i jednego, i drugiego niewątpliwie zawiera. „Rozmowa z elementami"? A może lepiej tego nie nazywać, nie zastanawiać się nad tym, co to jest, tylko napisać? I mam nadzieję, że z tego czegoś wyniknie, jakimi są dla siebie ludźmi, jaki rodzaj więzi jest między nimi. Dlaczego, mimo że ona ma do instytucji małżeństwa stosunek żartobliwy, a on nie jest w stanie jej do niczego zmusić, są ze sobą już kilkadziesiąt lat?

Zanim zacząłem wypytywać o prawdziwe życiorysy, poprosiłem o napisanie wymarzonych. Jak wyglądałoby ich życie, gdyby sami mogli o nim w pełni decydować? Oto efekt:

GODZ. 6⁰⁰ PLAN AMERYKAŃSKI.

Zajączka zamawia taksówkę (lata siedemdziesiąte XX wieku)

Maria Czubaszek
WYMARZONY ŻYCIORYS

Urodziłam się na wyspach Galapagos, gdzie moi rodzice zatrzymali się akurat podczas swej podróży poślubnej. Dookoła świata. Moje przyjście na świat zaskoczyło ich. Nie w ogóle, bo wszystko wskazywało na to, że poczęli mnie już w noc poślubną, ale ponieważ w podróży byli dopiero 7 miesięcy. Krótko mówiąc, urodziłam się o 2 miesiące za wcześnie. A według mnie o 50 lat za wcześnie.

Niestety. Daty urodzin się nie wybiera. Podobnie jak rodziny. Jeśli jednak chodzi o rodziców, nie narzekam. Matka była jedną z najbardziej wziętych (czyli najlepiej zarabiających) aktorek na Broadwayu, a ojciec prezesem jednego z największych banków na Wall Street. I wprawdzie w domu może się nie przelewało, ale na pewno biedy się nie klepało.

Pamiętam na przykład, że będąc małą dziewczynką, choć mieszkaliśmy na Manhattanie, byłam codziennie dowożona do parku Yellowstone, bo nie lubiłam Central Parku. Podobnie zresztą jak później pobliskiej szkoły. Zgodziłam się jednak do niej chodzić, ponieważ uczęszczał do niej Woody Allen. Był wprawdzie o 2 klasy wyżej, ale mimo to, a może właśnie dlatego, już wtedy byłam w nim zakochana. Bez wzajemności, jak dzisiaj, ale już wtedy mało mi to przeszkadzało.

A od trzydziestu lat, czyli od poznania Wojciecha Karolaka, nie przeszkadza mi w ogóle. Raczej wprost przeciwnie.

Zanim jednak spotkałam (na uniwersytecie w Harvardzie) Karolaka, Allen był moim księciem z bajki.

Na białym koniu, a może, ze względu na jego posturę, kucyku. Ale na pewno białym.

Jak pontiac, w którym pierwszy raz zobaczyłam Karolaka. Wychodziłam właśnie z uniwerku, a on podjechał. Zrobił na mnie piorunujące wrażenie, ale odjechałabym pewnie jak gdyby nigdy nic, gdyby nie okazało się, że w moim bentleyu nie ma benzyny. Karolak zaproponował, że mnie podrzuci do Nowego Jorku. Propozycja była nie do odrzucenia, bo nie lubiłam chodzić. Jechało i rozmawiało się nam tak wspaniale, że przejechaliśmy Nowy Jork i zatrzymaliśmy się dopiero w Warszawie.

Gdzie jakiś czas później się pobraliśmy i żyjemy długo i szczęśliwie do dzisiaj.

Wojciech Karolak
WYMARZONY ŻYCIORYS

Tekst zawiera lokowanie produktu

Urodziłem się 28 maja 1939 roku w samym środku Manhattanu. Moi rodzice byli zamożnymi nowojorczykami z dziada pradziada.
Utrzymywali się ze skromnych, ale wystarczających na eleganckie
życie zasobów, zgromadzonych w banku przez ww. przodków. Mieszkaliśmy na siódmym piętrze secesyjnej kamienicy przy Central Park
West w apartamencie z bajeczną panoramą na park i rozciągającą się
za nim Upper East Side. Nie wiem jak dla kogo, ale dla mnie bomba.
Chłodno w lecie, ciepło w zimie, a skręciwszy w 65 ulicę, można
wysikać pieska na Broadwayu. Czad!

Żyjąc w takim otoczeniu, trudno było nie wyrastać na zająca o ła-
godnym usposobieniu i niechęci do zbędnego wysiłku. Brak obowiązków i jakichkolwiek problemów sprawiał, że zabawiałem się, zadając
rodzicom typowo dziecinne pytania, np. skąd wziąłem się na świecie.
Prawdę mówiąc, było mi to dosyć obojętne, ale chciałem rozwikłać
zagadkę, ponieważ nie interesując się zbytnio sprawami rozrodczości,
podejrzewałem o to samo rodziców. W końcu mogli to po mnie odzie-
dziczyć. Oni jednak, zamiast zaspokoić moją ciekawość, ewidentnie
ściemniali. „Mamusię boli głowa, idź dziecko i nalej sobie szklaneczkę
jacka danielsa".

Od małego pijałem alkohol, ponieważ jestem miłośnikiem płynów,
a dobry burbon poprawiał mi krążenie. Dzięki temu mogłem unikać

Autoportret przy organach (jedna z pierwszych
etiud Wojciecha Karolaka na Photoshopie.
Oryginalne zdjęcie z 1937 roku przedstawiało
Laurensa Hammonda. Zając jest późniejszy.)

uprawiania sportu i innych nieprzyjemnych czynności, przy których można się było spocić.

Przyjaźniłem się raczej z dorosłymi. Bardzo lubiłem sędziego Kocia, entuzjastę kina, które uważał za podstawową rozrywkę. Niestety wtedy w kinach obowiązywał zakaz palenia papierosów, więc jeśli mimo tego decydowaliśmy się czasem pójść na dobry film, w ogóle nie wchodziliśmy na salę, tylko paliliśmy, stojąc przed wejściem. Cóż to była za ulga przypomnieć sobie (moknąc czasem na deszczu!), że przecież można pójść do domu i dać popalić, siedząc w przepastnych, skórzanych fotelach. Włączaliśmy wtedy radio i nawet słuchaliśmy go, jeśli nie nadawało muzyki z płyt kompaktowych.

Któregoś dnia usłyszałem w wiadomościach, że w Europie jest wojna. Podobno Polska napadła na Niemcy, czy coś w tym rodzaju. Bardzo chciałem to zobaczyć, a rodzice ulegli mi w chwili słabości, tak więc wsiedliśmy na transatlantyk i po kilkunastu dniach przybiliśmy do warszawskiej Wisłostrady.

Poszliśmy do SPATiF-u i tam dowiedzieliśmy się od pana Frania, że polska husaria rozpędziła się na autostradzie A2 i uderzyła, buch! w Niemcy, a z drugiej flanki kawaleria zaatakowała Rosję. Miał być to blitzkrieg, ale ponieważ wojny nie wypowiedziano (pewnie przez ten pośpiech), więc sąd uznał ją za nielegalną i Polska przegrała. Dzięki temu uzyskała jednak pomoc w ramach planu Marshalla i stała się potęgą gospodarczą.

Warszawa po klęsce militarnej piękniała z dnia na dzień, a ja wkrótce poznałem prawdziwą, stuprocentową warszawiankę, Marysię Czubaszek. Ciągle jeszcze nie byłem dorosły, mimo że już sypnął mi się zajęczy wąsik, ale nie zważając na to, wziąłem z nią ślub.

W pierwszym okresie naszego małżeństwa mieszkaliśmy nad Hortexem w Górach Świętokrzyskich, a potem przenieśliśmy się na wieś w samym centrum Warszawy (bo na tyłach ambasady francuskiej). Hodowaliśmy wielorasową suczkę Igę, przyjaźniliśmy się z kotami i myszkami polnymi, a wieczorami latały nam nad głowami nietoperze. Marysia nic sobie z tego nie robiła, bo odkąd jej powiedziałem, że nietoperz boi się wsi i pająków, wiedziała, że to jaskółki. Szczerze mówiąc, nie rozumiem, co za różnica... no, może trochę inna trajektoria. Ale skoro jej to bardziej konweniowało? Dla Marysi mogę nawet skłamać. Uważam, że mam czyste sumienie.

W ogóle życie uśmiecha się do mnie. Rządząca światem finansjera rzuciła niedawno hasło: „Bankierzy wszystkich krajów, łączcie się!" i zaczęto się nawzajem przejmować. Na końcu najwięksi przejęli tych mniejszych i popełnili samobójstwo, bo już nie mieli z kim konkurować. W liście pożegnalnym napisali, że utracili poczucie sensu istnienia. Przeczytaliśmy to i początkowo udawaliśmy nawet, że jest nam trochę przykro, ale ostatecznie, wstyd przyznać, poczuliśmy ulgę. Zrobiło się bardzo przyjemnie, bo opuściło nas uczucie niepewności jutra.

Długo ten stan nie potrwa, bo postęp to przykra konieczność, ale póki co jest mi to bardzo na rękę.

Będąc osobnikiem nieposiadającym zawodu, mogę teraz wygrać coś w życiu, oddając się np. brzdąkaniu, plumplaniu albo miauczeniu* na czymś, co się do tego nadaje. Niewiele z takich zajęć wynika dla gospodarki, ale na tym właśnie polega sens życia Zająca będącego dziedzicem fortuny dziadów Pradziada. Życzę wszystkim zwierzątkom, dobrym ludziom, mojej Zajączce i sobie, żebyśmy długo żyli i nigdy nie musieli się spieszyć ani pocić. Chyba że ktoś jest sportowcem i to lubi.

KOHEU**

---

* miauczenie – wg Agnieszki Osieckiej – dźwięk wydawany przez organy Hammonda. Z biegiem lat zaczynam coraz bardziej podzielać ten pogląd

** koheu, z rosyjskiego: „koniec" – wg Piotrusia Dąbrowskiego, kiedy miał jakieś 8 lat i oglądał u nas filmy z cyklu „Nu Pagadi!"

Artur Andrus: Marysiu, wiesz, gdzie Wojtek uczył się grać?
Maria Czubaszek: W Krakowie.

AA: A konkretniej?
MC: Na harmo... Na puzo?... Na saksofonie!
Wojciech Karolak: A widzisz! A widzisz! Teraz się ożywiłaś i strzelasz, bo nie chcesz się skompromitować. A kiedy sobie siedzimy tylko we dwoje, bez Artura, to... pełne désintéressement. Pomyśleć, ponad trzydzieści lat małżeństwa....
MC: A co, tak znienacka mam zapytać, na czym ty się uczyłeś grać?
WK: Mam cię informować o takich sprawach trzydzieści lat po ślubie? Nie zauważyłaś, że nigdy nic o tym nie mówię? Zupełnie jakbym miał coś do ukrycia...
MC: Bo ja tak nie dociekam, nie grzebię w twojej przeszłości.
WK: I nie zainteresowało cię, dlaczego ja ci tego nigdy nie powiedziałem?

AA: A dlaczego jej nie powiedziałeś?
WK: Bo wiem, że nie warto. Natychmiast pomyli albo zapomni.
MC: O, wiem! Dyrygentem miałeś zostać!
WK: Jeśli trzymamy się faktów, to nie ja miałem zostać, tylko moja mamusia wmówiła sobie, że zostanę. Mamusia wymyśliła sobie mnie jako skrzyżowanie Chopina z Toscaninim, Bogiem i Garym Cooperem. Zdolny, diabelnie przystojny, elegancki i najważniejszy ze wszystkich.

AA: Wysłała cię na dyrygenturę?

WK: Nie od razu. Nieszczęścia zaczęły się później, bo najpierw miałem zostać plastykiem. Jako dziecko plastyków, przesiadujące całymi dniami w pracowni ojca i naprawdę interesujące się tym, miałem oczywiście pójść do liceum plastycznego. Tam było już dla mnie przygotowane miejsce, a po liceum miała być Akademia Sztuk Pięknych. W wakacje, przed rozpoczęciem nauki, dali mi farby, blejtram i kazali namalować pejzaż, bo tego jeszcze nie próbowałem. Zawsze tylko rysowałem. Podobno pejzaż wyszedł bardzo dobrze, jeżeli chodzi o kompozycję i rysunek, tylko kolory się nie zgadzały. Zaczęli się zastanawiać, dlaczego las jest brązowy.

MC: A jaki jest?

WK: A skąd ja mam to wiedzieć? Widocznie tamten był inny. Okazało się, że jestem daltonistą i o malarstwie nie ma mowy. No to kazali mi chodzić do liceum muzycznego. Nie byłem tym zachwycony, bo muzyka nie interesowała mnie aż do tego stopnia, żeby się nią zajmować. Tymczasem mamusia wymyśliła sobie, że to jest świetna okazja, żeby jej syn został tym chopinotoscaninobogocooperem, czyli dyrygentem. I przy okazji oczywiście kompozytorem.

MC: To zapytam, bo bardzo mnie to interesuje – i na tym puzo… saksofonie się szybko nauczyłeś?

WK: Chwileczkę. Zacznijmy od tego, że tak naprawdę to nie nauczyłem się na niczym grać. Jeśli ktoś ma zostać prawdziwym pianistą czy skrzypkiem, powinien zacząć ćwiczyć od szóstego, siódmego roku życia. Inaczej nie osiągnie w wieku kilkunastu lat biegłości wymaganej w średniej szkole muzycznej, której odpowiednikiem było liceum. Poszedłem więc do liceum bez żadnego muzycznego przygotowania. Mogłem się tam uczyć, owszem, ale tylko czegoś, co można było zaczynać od zera. Jest trochę takich instrumentów, ale nie są już tak wytworne jak fortepian Chopina, który pasowałby do wizji mojej mamy. Ale nic. Od razu wybrałem sobie klarnet, bo to piękny przedmiot. Jako dziecko, jeszcze nie wiedząc, że będę miał cokolwiek wspólnego z muzyką, chodziłem do domu towarowego, na stoisko muzyczne, i patrzyłem na klarnety. Przepiękne – czarne hebanowe drewno, dekoracyjne ornamenty ze srebrnych, błyszczących klapek... Więc jeśli już muszę być muzykiem, to proszę bardzo – ja chcę grać na klarnecie! Przez rok na nim grałem i byłem szczęśliwy. To był jedyny rok w moim życiu, kiedy naprawdę ćwiczyłem na jakimś instrumencie. Ale potem mama zaczęła mi suszyć głowę: „A cóż ty sobie myślisz?! Chcesz siedzieć całe życie w piątym rzędzie orkiestry symfonicznej?! Ślina ci z tego kapie! Fuj! Wykluczone! Nie ma mowy!". Okazało się, że klarnet jest za mało eleganckim instrumentem dla jej genialnego, superprzystojnego syna, i... zabrano mi go. Mamusia wymyśliła, że będę grał na wiolonczeli. I to był początek koszmaru. Przypętała się jakaś znajoma pani, której mąż podczas wojny uciekł do Argentyny i została po nim wiolonczela. Nie dziwię mu się. Kiedy zacząłem piłować tę cholerną wiolonczelę, też zacząłem myśleć o ucieczce. Niechby była i Argentyna, byle nie było wiolonczeli. Ktoś, kto tego nie przeżył, nigdy się nie dowie, jak trudno jest udawać przez trzy lata, że się ćwiczy na wiolonczeli.

MC: Tego nie wiedziałam.

Wojciech Karolak gra na wiolonczeli (lata 1955–1956, to znaczy mniej więcej w tym okresie zostało zrobione zdjęcie. Żeby ktoś nie odniósł wrażenia, że Karolak grał na wiolonczeli dwa lata bez przerwy)

WK: A ja ci opowiadałem. Ale ty nie słuchasz. No nic. Rozumiem, bo moje opowieści są nudne i rozwlekłe. Po czterech latach w liceum zdałem sobie sprawę, że nie jestem w stanie go skończyć, bo nie umiem grać na tej wiolonczeli. A żeby skończyć, musiałbym zdać egzamin z czegoś na poziomie średniej szkoły muzycznej. W związku z tym w ciągu jednego roku przerobiłem pięcioletni kurs tzw. wydziału instruktorskiego, czyli uproszczonej dyrygentury i przygotowania do tego, żeby być belfrem. Skończyłem liceum i poszedłem do Wyższej Szkoły Muzycznej na kompozycję i teorię. Ani jedno, ani drugie kompletnie mnie nie interesowało, ale nie miałem innego wyjścia, bo nie umiałem grać na żadnym instrumencie. A musiałem studiować, żeby nie iść do wojska. Ot, i taka jest tajemnica mojej edukacji muzycznej. A jak już miałem odpowiednią kategorię zdrowia i wiedziałem, że mnie do wojska nie wezmą, to zwiałem ze studiów. Już było do czego uciekać, bo w moim życiu pojawił się JAZZ! Nawet drugiego roku nie skończyłem. Koniec.

AA: Dzięki studiom uniknąłeś wojska? Żadnych wspomnień? Żadnych kolegów?

WK: Takiego prawdziwego. Bo zajęcia ze studium wojskowego miałem na uczelni. Razem z plastykami i aktorami. To było niebywałe, co tam się działo. Mnie już wtedy było żal tych naszych wykładowców, a z perspektywy czasu to im po prostu współczuję konieczności cotygodniowego spotykania się z takim elementem. Byliśmy potworami, a oni poczciwymi ludźmi, którym rozwydrzeni artyści włazili na głowy. Na przykład Bogu ducha winien biedny major Siwak. W Krakowie obowiązywała jednostka inteligencji: jeden Siwak. Jedną z gwiazd tego studium był Jurek Bińczycki, później wybitny aktor. Kończyły się zajęcia, na których pan major tłumaczył, jak strzelać, jaka jest trajektoria lotu pocisku, jaką pozycję należy przyjąć do strzału. Na koniec padało tradycyjne: „Czy są jakieś pytania?". Zgłaszał się student Bińczycki: „Obywatelu majorze, ja chciałem zapytać, jakie jest samopoczucie strzelca, który nie trafi?". To był delikatny żarcik. Ale na przykład kiedyś Jurek założył się z kimś, że zje żabę. I zjadł. Przez to powtarzał rok w szkole aktorskiej.

AA: Przez co?
WK: No przez to, że zjadł żabę na strzelnicy.

AA: To na strzelnicy nie wolno było jeść żab? Straszny ustrój!
WK: Po prostu zgroza! Chyba dlatego trzeba go było zmienić.

AA: No to chyba jeden z ciekawszych powodów powtarzania roku studiów w wielowiekowej historii szkolnictwa wyższego. Ty, Marysiu, w wojsku nie byłaś?
MC: Nie, ale kontakt z bronią miałam. Wynajmowałam pokój w małym mieszkaniu na Marszałkowskiej. Od milicjanta i jego żony. Milicjant na trzeźwo był w porządku, ale po wódce dostawał małpiego rozumu. Kiedyś przyszedł i zaczął się z żoną awanturować, wykrzykiwać, że ją zastrzeli. Zobaczyłam, że pistolet zostawił w przedpokoju. To po cichutku, żeby zapobiec tragedii, zwinęłam mu ten pistolet i schowałam u siebie pod poduszką. Nagle słyszę, jak milicjant w drugim pokoju wrzeszczy do żony: „Mam cię dosyć. A nasza sublokatorka jest taka fajna! Idę do niej!". I wchodzi do mojego pokoju. No to wyciągam pistolet i krzyczę: „Stój, bo strzelam!".

AA: Strzeliłabyś?
MC: Nie wiem. Bałabym się, że nie trafię. W powietrze. Tylko w niego. Na szczęście facet się przestraszył i wrócił do żony.

AA: Może to jest jakiś sposób? Może więcej facetów wracałoby do żon, gdyby mieli sublokatorki z pistoletem?
MC: Nie sądzę, żeby przestraszył się pistoletu. Był przecież milicjantem. Przestraszył się, kiedy zobaczył mnie bez makijażu i ubrania. Był środek nocy.

WK: Mieliśmy w Krakowie takiego przyjaciela, bardzo dobrego pianistę jazzowego, który pracował w milicji jako oficer w wydziale przestępstw gospodarczych. Przychodził czasem do Piwnicy pod Baranami. Moczymorda taka jak ja, albo i jeszcze większa. Po wódce wyjmował pistolet i dawał do zabawy ludziom. Kiedyś nad ranem nie mógł znaleźć broni, nie pamiętał, komu dał. Pistolet się znalazł, ale bez amunicji. Ludzie sobie wzięli na pamiątkę, komuś gdzieś tam wpadł nabój do jakiejś szpary. Miał podobno jakieś nieprzyjemności. Ale znajomość z nim, w sensie „wybuchowym", przydała się jeszcze raz. W klubie jazzowym przy ulicy św. Marka odbywało się wspólne wesele Komedów oraz Andrzeja Trzaskowskiego i Teresy. Betonowe pomieszczenie, z Wieśkiem Dymnym przygotowaliśmy wystrój lokalu, to znaczy otynkowaliśmy słup na środku. Zaproszona była cała socjeta kulturalna Krakowa z redaktorem naczelnym „Przekroju" Marianem Eile na czele. Wszyscy sobie siedzą, piją wódkę, jedzą bigosik, ale ja już wiem, że za chwilę stanie się rzecz straszna. Otóż Andrzej Trzaskowski dostał w prezencie ślubnym od t e g o Leszka Sokołowskiego petardę, którą fantazyjnie umieściliśmy w kiblu, i ona w pewnym momencie miała wybuchnąć na cześć młodych par. Siedzę i czekam. Byłem jedną z trzech osób wiedzących o tym, co się ma wydarzyć, ale musiałem to zachować w tajemnicy. I nagle walnęło! Wywaliło wszystko! Poleciały drzwi od kibla, bigos wyleciał na ściany!

Po latach, wspominając krakowski Jazz Klub, napisałem, że: „To był pierwszy poważny huk, jaki usłyszałem od czasu, kiedy armia niemiecka rozpoczęła akcję przygotowywania centrum Warszawy pod budowę Pałacu Kultury i Nauki".

MC: Tak się kulturalnie Kraków bawił...

WK: Ale nic się nikomu nie stało. Tylko wszyscy się dziwili, dlaczego Eile się obraził.

MIĘDZYNARODOWA WOJSKOWA WYSTAWA FILATELISTYCZNA · 1973

POMNIK MAUZOLEUM
POLSKO-RADZIECKIEGO BRATERSTWA BRONI
MIEJSCE HISTORYCZNEJ BITWY STOCZONEJ
PRZEZ ŻOŁNIERZY I DP im. T. KOŚCIUSZKI
W DNIACH 12 — 13 X. 1943 R.

P.P.T.i.T. X. 73. 195.000 KARTKA POCZTOWA

W. Pani

Zajgerka

Jordów 5A/8

Warszawa.
i Junior.

POCZT. NR ADRESOWY

Kartka pocztowa z pozdrowieniami ze służby wojskowej

POCZTÓWKA Nr. 1.
PIERWSZY MOTOCYKLOWY MARSZBATALION W AKCJI
Pozdrowienia ze służby wojskowej!
Wrócę niedługo!

Maria Czubaszek
POLOWANIE

Siedziałem na ławce w parku. W pewnym momencie zauważyłem młodą kobietę zmierzającą w moim kierunku. Trochę mnie to zaniepokoiło, ponieważ kobieta trzymała pokaźnych rozmiarów dubeltówkę. Choć wszystkie ławki były puste, podeszła do tej, na której siedziałem.

– Można?

Zanim cokolwiek powiedziałem, usiadła i bez słowa zaczęła manipulować przy broni.

– Czy nie jest przypadkiem nabita?

– Oczywiście, że nie! To znaczy jest nabita, ale nie przypadkiem! Bo jadę na polowanie. Na zające. Przygruntowe zresztą.

– Przygruntowe bywają na ogół przymrozki.

– Zające też! Widział pan kiedyś zająca wysoko? Na przykład na drzewie?

– Nie!

– Czyli mam rację, niestety! Bo skoro zające żyją nisko, tuż przy ziemi, to są przygruntowe, nieprawdaż?

– Prawdaż, ale niezupełnie. Pani od dawna poluje?

– A skąd! Dopiero od dziecka.

– A ile ma lat?

– Kto?

– Pani dziecko.

– Ja nie mam dziecka. Ale sama byłam kiedyś dzieckiem. Kiedy byłam mała. I wtedy właśnie pojechałam z ojcem na polowanie. Na zające. I proszę sobie wyobrazić, w pewnym momencie jeden zając robi słupka, staje na nim...

– Na czym?

– Na tym słupku, który zrobił. Staje i wystawia!

– Co wystawia?

– Gucia. To był nasz pies myśliwski. Wylegawiec.

– L e g a w i e c.

– Gucio z natury był wylegawcem, niestety! Nic, tylko by się wylegiwał! Był za to znakomity do wystawiania. Nie było zwierzyny, która by go nie wystawiła! Do wiatru! Poza tym był bezbłędny, jeśli idzie o aport! Można go było aportować przez kilkanaście kilometrów!

– Jego aportować?!

– Tak! Przecież mówię! Ale... ja tak cały czas o polowaniu, a pana może to nie interesuje?

– Nie. To znaczy... nie...samowicie mnie to interesuje!

– Był pan kiedyś na polowaniu?

– Nigdy.

– To niech się pan ze mną zabierze! Będzie mi pan aportować zające! Jestem krótkowidzem i z daleka nigdy nie trafiam, niestety! Zobaczy pan, jak takie polowanie dobrze panu zrobi!

– Kiedy mnie i tak jest dobrze.

– To będzie panu jeszcze lepiej! Wszystkim powinno być coraz lepiej, nieprawdaż?

– Prawdaż... – potwierdziłem bez przekonania.

Jednakowoż na polowanie pojechałem. W miesiąc później pobraliśmy się. I żyjemy długo i szczęśliwie. Jestem pewny, że będziemy ze sobą aż po... rozwód. Poważnie!

AA: Wiem, że Marysię interesuje to coraz bardziej, więc w jej imieniu dopytam: a saksofon?

WK: Rzeczywiście. Zaniemówiła z wrażenia. Saksofon pojawił się dużo później. Sam się na nim uczyłem grać. W jazz wszedłem, grając na fortepianie, ale chciałem grać na saksofonie. I mógłbym to szybko opanować, gdyby mi kiedyś nie zabrali klarnetu. Przesiąść się z klarnetu na saksofon jest bardzo łatwo. Klarnecista, który chce grać na saksofonie, po pół roku ćwiczenia będzie zawodowym saksofonistą.

AA: Wiolonczelista ma trudniej.

WK: Ba! Wiolonczelista to ma już całkiem pod górkę. Nawet bez cieknącej śliny.

AA: Widziałem takich, którym ciekła.

MC: A ja widziałam takich, którym ciekła nawet bez klarnetu, saksofonu czy wiolonczeli!

AA: A ja przerwałem Wojtkowi.

MC: Całe szczęście! Że ty, a nie ja. Bo kiedy ja mu przerywam, strasznie się denerwuje.

WK: Strasznie zdenerwowanego to ty mnie jeszcze nie widziałaś.

MC: Bo strasznie się pilnuję, żeby ci nie przerywać!

WK: To mnie też denerwuje.

AA: Że strasznie się pilnuje?

WK: Że rozmawia ze mną tak, jakby pisała te swoje dialożki dla Kwiatkowskiej i Dobrowolskiego!

MC: Wprost przeciwnie! Tak pisałam dla nich, jakbym rozmawiała z tobą.

AA: No to porozmawialiście sobie.

WK: Ona się dopiero rozkręca.

AA: W porządku. Marysia się rozkręca, ty kontynuujesz. Matka zabrała ci kiedyś klarnet...

WK: Więc z konieczności sam się zacząłem uczyć gry na saksofonie. Uwielbiałem ten instrument. Ale znowu się tak ułożyło, że nie mogłem tego kontynuować. Z Andrzejem Kurylewiczem przez trzy lata prawie codziennie grywaliśmy w klubie Pod Jaszczurami. Kurylewicz grał wtedy na trąbce, a ja byłem potrzebny jako pianista. Jednak na każdy występ przynosiłem ze sobą saksofon, mając nadzieję, że uda mi się coś zagrać. Ale się nie udawało. A jak się przez kilka lat nie gra na instrumencie, to się potem znów nie umie. I przestałem. A to był etap, kiedy naprawdę dobrze grałem. Nawet namawiałem Kurylewicza, żebyśmy grali bez fortepianu. Ale z saksofonem. Nie dało się, bo „Kurylowi" granie bez fortepianu kojarzyło się z zespołem Gerry Mulligana, a to było wtedy passé. Błagałem go. Ale jak tylko brałem saksofon do ręki, to on, jakby zrezygnowany, siadał do fortepianu. I to już nie za bardzo pasowało. Tak więc musiałem zostać pianistą. A saksofon sprzedałem synowi pana Sztyca, woźnego z Piwnicy pod Baranami, który nie wpuścił Patachou na wieczór jej poświęcony.

AA: Zaraz, po kolei.

WK: Patachou, gwiazda francuskiej piosenki, przyjechała do Krakowa „w zastępstwie Édith Piaf". Piotr Skrzynecki zorganizował w Piwnicy specjalny wieczór na jej cześć. I jak to on, chodził po Krakowie i wszystkim rozpowiadał w tajemnicy, że coś takiego się wydarzy. I oczywiście każdemu mówił: „Tylko nikomu nie mówcie". Wieczorem pod Piwnicą zjawił się tłum ludzi. Uchyliły się drzwi i ukazała się w nich osmolona twarz pana Sztyca, który teoretycznie zajmował się kaloryferami, ale tak naprawdę to on decydował, kto wejdzie, a kto nie. Zazwyczaj wpuszczał tych, których znał. Na przykład mnie. Hi, hi. Wieczór trwa, pijemy winko, taki ciągły szmerek, bo za chwilę przyjdzie Patachou. A Patachou nie przychodzi. Potem się okazało, że była, ale pan Sztyc jej nie wpuścił. A syn pana Sztyca, który grał w Czerwono-Czarnych...

MC: To pan Sztyc był woźnym i grał w Czerwono-Czarnych?!

WK: Syn grał! I to właśnie on kupił ode mnie saksofon.

MC: Ale potem kupiłeś sobie nowy.

WK: To już tylko dla wspomnień, nie do grania.

AA: Masz teraz saksofon?

WK: Od kilkunastu lat leży u takiego pana w Poznaniu, który naprawia saksofony.

AA: Zagrałbyś teraz na klarnecie?

WK: Na klarnecie nie, ale na saksofonie... jeśli bardzo powoli, tobym zagrał.

MC: To jest marzenie Wojtka Pszoniaka, żeby zagrać wspólnie z Wojtkiem. Ile razy mnie spotka, to dopytuje, czy on kiedyś wreszcie zagra z Karolakiem.

WK: To nasze wspólne marzenie. I już stary numer. Od dwudziestu lat sobie obiecujemy, że zagramy kiedyś koncert na dwa saksofony. Gramy mniej więcej na tym samym poziomie.

AA: A na wiolonczeli byś zagrał?

WK: Nic!

AA: Nawet z Pszoniakiem?

WK: Hmm... Chyba że Wojtek zagrałby na drugiej... Kto wie? Chociaż chybaby nam nie wypadało. Po tych wszystkich niespełnionych zapowiedziach duetu saksofonowego? Jakoś głupio. Trzeba by najpierw załatwić kilka koncertów saksofonowych, a potem spróbować jakiejś „free form" na wiolonczelach. Można by grać muzykę kreatywną. Muszę z nim o tym porozmawiać.

AA: Marysia na pewno chciałaby zapytać, czy na fortepianie uczyłeś się grać od dziecka?

MC: Nie chciałabym przerywać.

WK: W ogóle się nie uczyłem grać na fortepianie.

MC: Ale fortepian mieliście w domu. Po śmierci twojej mamy udało mi się załatwić, żeby pan Jerzy Fedorowicz wziął go do Teatru w Nowej Hucie. W którym wtedy był dyrektorem.

WK: Natomiast fortepian nigdy nie był nasz. Tylko pożyczony od pewnej pani...

MC: O matko! Oddałam fortepian jakiejś pani?!?

AA: Zrozumiałem, że panu Fedorowiczowi.

MC: Ale fortepian nie Karolaków, tylko jakiejś pani.

WK: Spokojnie. Był pożyczony, to oddałaś. Wszystko się zgadza. A z fortepianem było tak, że nasza rodzina była dosyć zamożna. Ojciec w latach pięćdziesiątych dobrze zarabiał, naturalne więc było, że w domu na poziomie powinien być fortepian. Ale po cholerę kupować fortepian...

MC: Skoro w domu nie było panienki. Co tak patrzysz? Słyszałam, że grać na fortepianie uczyły się na ogół panienki. A ponieważ nie miałeś siostry..

WK: I sam nie byłem panienką.

MC: No właśnie. Więc po cholerę było kupować fortepian?

WK: Jak można było pożyczyć? I znajoma pani wstawiła ten fortepian do nas, a potem dwa razy w tygodniu przychodziła inna pani, która uczyła mamę, ojca i mnie. Najlepiej grał ojciec. Ja sobie to trochę odpuszczałem. Mama grała tak sobie, za to pięknie śpiewała. Pani przestała przychodzić i wszyscy przestali się uczyć. Idąc do liceum muzycznego, naprawdę nie potrafiłem grać. I dalej nie za bardzo

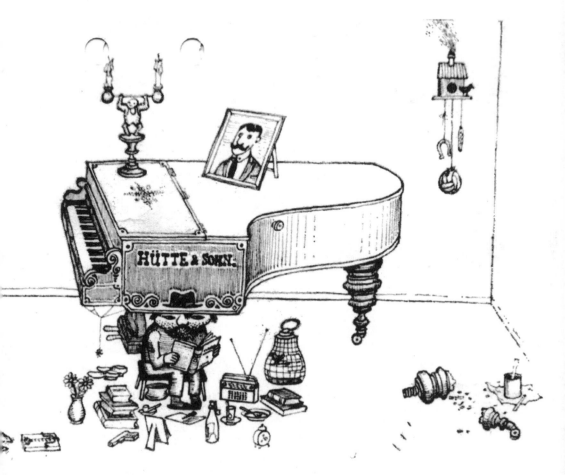

Rysunek do „Jazz Forum", druga połowa lat sześćdziesiątych

Wojciech Karolak na jednym z pierwszych Festiwali Jazz Jamboree
z jednym z pierwszych swoich saksofonów tenorowych (rok 1960)

potrafię. Jak sobie kilka lat temu złamałem rękę, to co jakiś czas ktoś dopytywał „jak tam ręka?". A ja odpowiadałem, że „jak na moje granie, to w porządku". I wszyscy traktowali to jako kokieteryjny żarcik. A ja to mówiłem całkiem serio. W jazzie jest jedna genialna rzecz – nie ma czegoś takiego, że musisz coś zagrać tak, jak jest napisane. W związku z tym można być muzykiem jazzowym, nie będąc ani trochę wirtuozem. Trzeba mieć tylko, a może aż, wyczucie tej muzyki. Tak zwany feeling. Ja to wykorzystuję. Nie mam zwyczaju chwalenia się swoimi dokonaniami, dziełami czy czymkolwiek, ale mogę się pochwalić, że mam nie najgorszy, bardzo jazzowy „feeling". A jazz można grać, nie mając jakiejś supertechniki. W muzyce klasycznej tak się nie da. Jak się gra Chopina, to trzeba zagrać dokładnie, każdą nutkę tak jak on napisał. I Bogu za to dzięki, bo to najpiękniejsza muzyka w historii ludzkości. Natomiast będąc jazzmanem, sam decyduję o tym, co zagram, bo wymyślam sobie to podczas grania. Nie muszą się girlandy sypać z klawiatury. Mogę zagrać niedużo, ale ze smakiem.

MC: O, i pamiętam, że jak cię jeszcze nie znałam, jak cię ktoś chwalił, to mówił, że przystojny, ładnie ubrany i że oszczędnie gra.

WK: To ja tylko dorzucę do zestawu tych komplementów, że ta oszczędność nie wynika z braku wirtuozerii. Nawet przy takiej technice, jaką mam, mógłbym grać dużo gęściej. Ale ja po prostu nie znoszę gadulstwa w muzyce, nie lubię nadmiaru dźwięków. Lubię muzykę, która jest selektywna i jest w niej bardzo dużo rytmu. A rytm eksponuje się wtedy, kiedy muzycy oszczędzają dźwięki. Zostałem jazzmanem, bo zachwyciła mnie wyrafinowana muzyka, mająca w sobie coś tanecznego. A nie jakaś imitacja filharmonii. Najbardziej irytują mnie pianiści, którzy od pewnego czasu uwielbiają grać solo, bo to winduje ich status. Nóż mi się w kieszeni otwiera, kiedy widzę natchnioną twarz faceta, próbującego „tworzyć" na estradzie jazzowej muzykę, jaką dawno temu, już w XIX wieku, pisali kompozytorzy muzyki klasycznej. I robili to dużo lepiej. Irytujący, hucpiarski narcyzm! I do tego bełtanie ludziom w głowach, bo są potem przekonani, że to jest właśnie jazz.

AA: Oprócz lekcji fortepianu byłeś edukowany muzycznie w dzieciństwie? Zabierano cię do filharmonii?

WK: Wysyłano. Mniej więcej od piętnastego roku życia rodzice zaczęli mnie wysyłać na koncerty. I biegałem do filharmonii, wybierając konkretne kompozycje. Nigdy nie chodziłem „na artystów", nie interesowało mnie, kto gra, kto dyryguje, tylko co grają. Do tej pory tak mam, że jestem kompletnie niewrażliwy na to, czy ktoś jest świetnym muzykiem lub dyrygentem, czy nie. Interesuje mnie konkretna kompozycja. Lubię muzykę symfoniczną, nie przepadam za kameralną, bo brzmi zbyt anemicznie jak na mój gust. Trochę tak, jakby była pisana, żeby można było sobie pograć w domu, albo jakby nie można było skompletować prawdziwej, dużej orkiestry. Każdy koneser muzyki uzna, że coś takiego może powiedzieć tylko debil. I będzie miał rację, ale nic nie poradzę, że tak to słyszę. A jeśli chodzi o muzykę symfoniczną, też mam bardzo konkretny gust, znawcy powiedzą, że kiczowaty. Uwielbiam romantyków. Najpiękniejsza muzyka, jaka istnieje, oczywiście oprócz jazzu, to dla mnie Chopin. A przede wszystkim jego dwa koncerty fortepianowe i inne utwory na fortepian z orkiestrą. Upiększone przez Grzegorza Fitelberga, który je potem jeszcze raz zorkiestrował, bo Chopin nie za bardzo umiał pisać na orkiestrę. Żaden kompozytor nie potrafił tak pięknie i z taką elegancją wędrować po różnych tonacjach jak Chopin. To jest muzyka, którą zabrałbym ze sobą na bezludną wyspę. Tak więc Chopin jest na pierwszym miejscu. A potem inni romantycy – Czajkowski i Rachmaninow. Nasz wspaniały, niedoceniany Mieczysław Karłowicz, Skriabin – to już bardziej ekspresjonizm. Poza tym impresjoniści – Debussy, Ravel… No i potem Szymanowski.

AA: A co myślisz o próbach jazzowego grania Chopina?

WK: Bardzo się nadaje. Gdyby Chopin żył dzisiaj, na pewno byłby jazzmanem. Jest w tym duże uproszczenie, ale naprawdę jest ogromne pokrewieństwo na przykład w sposobie budowania akordów u Chopina i w jazzie.

Wojciech Karolak przy pożyczonym fortepianie, który wiele lat później
Maria Czubaszek oddała. Ale nie właścicielce.
Zdjęcie z czasów liceum muzycznego

Wojciech Karolak na własnym rowerze, który Maria Czubaszek
też by na pewno komuś oddała. Zdjęcie z czasów liceum muzycznego
(lata 1954–1956)

AA: Nie korciło cię, żeby pograć Chopina na jazzowo?

WK: Nie, bo do tego trzeba być lepszym pianistą, a poza tym zrobił to już w sposób wręcz wzorcowy Andrzej Jagodziński. Fantastycznie, świetnie, zjawiskowo. Ja kiedyś zrobiłem jednego walca Chopina. Nie napracowałem się, bo to właściwie gotowa kompozycja jazzowa. Zrobiłem to na wyjazd z Jerzym Milianem i Andrzejem Dąbrowskim na nagranie w Brukseli. Ale za więcej się nie biorę.

AA: Marysiu, ty masz jakieś wspomnienia z dzieciństwa związane z muzyką?

MC: Jedno straszne. Rodzice dostali bilety do operetki. Pamiętam tytuł – „Miłość Szwejka". Chciałam uciekać w trakcie. To bardzo nie moje klimaty.

[Mimo krótkich i niezbyt dokładnych poszukiwań nie udało mi się trafić na ślad operetki pod zapamiętanym przez Marysię tytułem. Zatem proszę brać pod uwagę cztery możliwości:

1. Marysia rzeczywiście widziała w dzieciństwie operetkę pod tym tytułem, ale pod wpływem jej (Marysi) reakcji postanowiono nigdy więcej jej (operetki) nie wystawiać i zatrzeć wszelkie ślady.

2. Marysia widziała operetkę, ale pod innym tytułem. Było coś o miłości, na przykład „Cygańska miłość", a Szwejka sobie dodała, bo go nie lubi.

3. Chodzi o spektakl „Miłość szejka". Tyle że utwór ten miał swoją premierę w 1969 roku i jakoś trudno mi sobie wyobrazić, żeby trzydziestoletnia Marysia chodziła wtedy z rodzicami do operetki, bo dostali bilety.

4. Nie wiem

– przyp. AA.]

WK: Oj, ja też nie przepadam. Ani za operetką, ani operą. Co prawda, Jerzy Waldorff mawiał, że nie można mówić, że się nie lubi opery, tylko trzeba powiedzieć, której się nie lubi. I miał rację. Ale pan Waldorff nie żyje, to się nie obrazi, że powiem ogólnie, że nie przepadam. Mariaż muzyki z teatrem może być dosyć niebezpieczny.

Słuchając opery, odnoszę wrażenie, że często cierpi na tym i teatr, i muzyka. To oczywiście jeszcze jedno wyznanie debila.

MC: A ja nie cierpię. Opery.

WK: Jak mi ktoś na scenie umiera przez pięć minut, śpiewając: „Umieram! Umieeeram! Uuumieeeraaam!!!", to wcale nie jest mi smutno. Wręcz przeciwnie. Opera i operetka wymuszają dużo kompromisów. Często nie służy to ani tekstowi, ani muzyce, ani inscenizacji.

AA: A jak to jest w piosenkach?

WK: Już jest większa swoboda. I kompozytor może coś wymyślić, i autor tekstu. Chociaż zauważyłem, że tam, gdzie jest bardzo dobry tekst, zazwyczaj występuje banalna muzyka. Może tak musi być? Ale są wyjątki. Na przykład piosenki Wasowskiego i Przybory. Albo Grzegorza Turnaua. Turnau jest dla mnie fenomenem. Jak go usłyszałem pierwszy raz, pomyślałem sobie, że pięknie śpiewa piękne piosenki z doskonałymi tekstami i świetną muzyką. A jak się dowiedziałem, że on to zazwyczaj wszystko robi sam, to znaczy komponuje, pisze czasem, aranżuje i śpiewa, to mi szczęka opadła. To jest takie niezwykłe połączenie finezji muzycznej z tekstową i wykonawczą, że jestem naprawdę pod wielkim wrażeniem. Znam tylko jednego człowieka z artystów światowych, który robi coś na podobnej zasadzie – łączy fantasmagoryczne teksty z nieprawdopodobnie wyrafinowaną muzyką. Zresztą wywodzącą się z jazzu. To Amerykanin Donald Fagen. Turnau jest dla mnie zjawiskiem na takim samym, światowym poziomie.

AA: A takie zjawiska jak Wysocki? Okudżawa? Cohen?

WK: Wiem, że to nie zabrzmi dobrze, ale powiem szczerze, że mnie to w ogóle nie interesuje. Wiem, że śpiewają o ważnych sprawach, ale ta forma przekazu zupełnie mnie nie rusza. W ogóle nie lubię bardów. Irytuje mnie niby-śpiewanie czegoś, co można by po prostu powiedzieć, a nie wykrzykiwać czy mruczeć na tle potwornie prymitywnej muzyki. Mam na to alergię. Nawet na Boba Dylana.

Nigdy nie zatęsknię za Woodstockiem i hipisowskimi protest songami. To nie moja bajka.

AA: Sam tekst nie może cię porwać?

WK: Ja przestaję rozumieć tekst, jeżeli on się rymuje. A jeśli do tego jest w dodatku śpiewany, to już w ogóle tego tekstu nie rozumiem. Rozumiem tylko Kabaret Starszych Panów.

AA: A te, do których sam napisałeś muzykę? Przecież one się rymowały.

WK: Ale moja muzyka chyba nie pomagała tym tekstom. Za dużo wtedy kombinowałem. Nie zapomnę pewnej rozmowy z Władysławem Szpilmanem. Jego syn, Andrzej, kiedy dowiedział się, że Ewa Bem ma nagrać piosenkę „Deszcz" w mojej aranżacji, zaprosił nas na takie spotkanie towarzyskie, w trakcie którego toczyły się również poważne dyskusje na temat piosenek. Nie wiem, od czego ten fragment rozmowy się zaczął, ale pamiętam, że pan Szpilman strasznie się zaperzył i krzyknął: „Ale przecież, na miłość boską, w piosence nie można ciągle modulować!". A ja właśnie tak wtedy pisałem piosenki, że co dwa takty musiałem sobie zmodulować, bo mnie zaczynało nudzić. Tymczasem Szpilman miał rację. I dlatego jego piosenki są nie tylko piękne, ale również proste. Tak że nawet ja potrafię zrozumieć w nich rymowany tekst. Moje bywały często przekombinowane. Chyba przez to, że najpierw pisałem muzykę, a potem ta bidula siedząca tutaj obok i patrząca w telewizor, bo akurat zobaczyła w nim zwierzątko…

MC: Zobacz, jak podskakuje!

WK: No więc ona musiała się męczyć i do tych moich melodii dopisywać po literkach tekst. Ale, co ciekawe, najbardziej lubię taką naszą piosenkę, do której to ja musiałem dopisać melodię, bo tekst już był. Leżał na stole, przeczytałem i się nim zachwyciłem, więc go ukradłem. To było „Wyszłam za mąż, zaraz wracam".

MC: To prawda, napisałam to do jakiegoś programu telewizyjnego. Muzykę miał pisać Jerzy Andrzej Marek, ale zadzwoniłam do telewizji i powiedziałam, że Wojtek przez pomyłkę już skomponował. I tak zostało. W tym programie zaśpiewała Krysia Sienkiewicz, a potem przejęła ją…

AA: Krysię?
MC: Piosenkę! Przejęła Ewa Bem.

AA: A prywatnie rozmawiacie o muzyce? Czy Marysia należy do tych, o których jeden ze znanych mi muzyków mawiał, że „ich znajomość jazzu kończy się na Abbie"?
WK: Marysia nie zanurzyła się w jazzie aż tak daleko, żeby dojść do Abby. Przekonałem się, że ona w muzyce rozpoznaje dwie rzeczy: kiedy zespół zaczyna grać i kiedy kończy. Jak jej ostatnio zwróciłem uwagę, że jakiś facet śpiewa trochę jak Frank Sinatra, to zapytała krótko: „Murzynek?"…
MC: No bo ja wiem, że on tak tych czarnych kocha. A co, nie mógłby Sinatra być Murzynem, jak tak dobrze śpiewał?
WK: No właśnie! Tak się z nią rozmawia o muzyce. Choć tu przypadkowo strzeliła w dziesiątkę.
MC: Nie przesadzaj! Trochę wiem o muzyce. Gershwin…
WK: „Nasza szkapa"…
MC: Bardzo lubię Janis Joplin… Murzynka... Czy nie?
WK: W jakimś sensie Murzynka. Biała hipiska obdarzona taką muzykalnością, że przy tej energii i wyczuciu bluesa jest po prostu czarna. Bo tu nie chodzi o kolor skóry, tylko o duszę! O SOUL! Przepraszam za nadmiar patosu.

AA: A z polskich?
MC: Teraz to Maria Peszek. I głos mi odpowiada, i teksty. Jest czego posłuchać.
WK: A ja wprawdzie nie przepadam za estetyką, która opanowała tę muzykę, bo jest dla mnie obca i zimna, ale Maria Peszek to trochę inna historia. To jest muzyka, która z jednej strony mieści się w tej

estetyce, ale z drugiej, ona czy ktoś, kto się tym zajmuje od strony aranżerskiej, potrafi zrobić w ramach tych ograniczeń świetny klimat. Poza tym w jej przypadku muzyka doskonale służy tekstom. Na ogół mam problemy z tekstami, a u pani Peszek nie dość, że rozumiem, to jeszcze mi się podoba.

AA: Czyli że Murzynka.

„BOKS NA PTAKU". Rzeczywiście czasem trudno domyślić się źródła zaskakujących skojarzeń Marii Czubaszek typu: „Sinatra – Murzynek?". Przed drzwiami pokoju redakcji rozrywki radiowej Trójki stoi kartonowe pudło na makulaturę. Stoi tam już od kilku lat – Marysia, która jest częstym gościem moich audycji, musiała je widzieć wielokrotnie. Ale zdumiała mnie tym, co powiedziała niedawno, otwierając drzwi redakcji: „Myślałam, że was nie ma, bo tutaj stoi takie pudełko".

AA: A wracając do Marii, ale Czubaszek, nie Peszek, o nic związanego z muzyką nie pyta?

WK: Tylko jak jest jej to potrzebne do jakiegoś tekstu albo coś ma powiedzieć w telewizji. Ostatnio mnie zapytała, ile jest akordów na świecie. Bo jakiś pan od disco polo stwierdził, że żeby napisać przebój, wystarczą cztery akordy. I była ciekawa, czy Chopin używał ich więcej. I jak ja jej mam wytłumaczyć, że akordów jest nieskończona liczba? Zacząłem od tłumaczenia, że akord to jest każde współbrzmienie kilku dźwięków razem zagranych.

MC: Czyli jak brzdęknę w fortepian, to jest akord?

WK: Jak jednym palcem, to nie, ale jak siądziesz tyłkiem na klawiaturze, to tak. To będzie tak zwany – za przeproszeniem – klaster. Uwaga, będzie cytat: „mówię poważnie, bo czasem sobie żartujemy".

MC: A ile jest klastrów na świecie?

WK: O! Widzisz? Zresztą takie rozmowy są dużo fajniejsze niż gadanie o muzyce z muzykami, ale zdarzają się bardzo rzadko, bo jej ten temat jakoś nie wciąga.

AA: A ty zapytałeś ją kiedyś o jakieś sprawy związane z jej warsztatem? Jak się wymyśla takie rzeczy, które ona pisze?

WK: Nie, bo mniej więcej się orientuję. Najważniejsze jest to, że trzeba usiąść na podłodze.

AA: Podobno Chopin też siadał na podłodze podczas komponowania swoich utworów. Szczególnie dobrze z podłogi wychodziły mu mazurki. To nie jest powszechnie znany fakt. Dotychczas tylko ja i mój terapeuta wiedzieliśmy o tym...

MC: Ludzie często pytają, czy my tak sobie pokazujemy to, co zrobiliśmy, czytamy, czy Wojtek mi gra...

WK: Hi, hi, hi. To jest rewelacja! Przychodzę do niej rano i mówię: „Posłuchaj kochanie, co dzisiaj skomponowałem"... Chybaby się przeraziła, że coś mi się stało. Że zwariowałem i Zając jest myszygene kopf! Ale miałem coś takiego z Michałem Urbaniakiem. Przyjechałem ze Szwecji do Szwajcarii, żeby z nim grać, a warunkiem było to, że muszę przestać pić, bo on właśnie wytrzeźwiał... I to wyglądało tak, że ja koło czwartej po południu próbuję otworzyć oczy, a on już siedzi na moim łóżku i czeka, kiedy się obudzę, żeby mi zagrać swoją nową kompozycję. To, co napisał rano. W Szwecji czekał z butelką whisky, a teraz z twórczością, bo Misio jest z tych, co jak przestają pić, to ich rzuca w aktywność i zaczynają wstawać o szóstej. Rano oczywiście. Nie mógł się doczekać, kiedy otworzę oczy i posłucham.

AA: I naprawdę nigdy nie było takiej sytuacji, że siedziałeś na łóżku Marysi i czekałeś, żeby się obudziła, bo tak bardzo chciałeś się czymś pochwalić?

WK: Przestań mnie rozśmieszać! W życiu!... Ja się w ogóle nigdy niczym nie chwalę, a poza tym wiem, że nawet gdyby to, co skomponowałem, było genialne, nie zrobiłoby na niej żadnego wrażenia. Podobnie jak na muzykę, Marysia jest zupełnie niewrażliwa na sprawy wizualne. Kiedyś próbowałem jej opowiadać o urodzie różnych miejsc na świecie. O Manhattanie, Paryżu, o Wenecji, Barcelonie czy

Lata osiemdziesiąte XX wieku, Meksyk, Zihuatanejo.
Od prawej na pierwszym planie: Wojciech Karolak, waran
(nie mylić ze szwedzką świnką morską niezastrzeloną w Skellefteå – wyjaśni się
za mniej więcej 30 stron)

Brazylia, Macapá, linia równika,
Wojciech Karolak podczas
kilkukrotnego przechodzenia
z półkuli południowej
na północną i odwrotnie

Vancouver. Ale po jakimś czasie doszedłem do wniosku, że ona praktycznie nie odczułaby istotnej różnicy między np. Wenecją a Warszawą. Myślę, że można by ją było posadzić na placu św. Marka i jedyne, co zwróciłoby jej uwagę, to to, że tutaj też się można napić kawy. Początkowo wydawało mi się to niemożliwe. Sądziłem, że to przekora. Ale obserwując jej zerowe reakcje na bodźce, które mnie powalają, stwierdziłem, że to prawda. Trudna do uwierzenia, ale prawda.

AA: A gdybyś miał ją zabrać w jedno miejsce na świecie, to dokąd byś zabrał?

WK: Nie wiem. Oglądanie czegoś samemu to żadna radość, a świadomość, że do niej nie za bardzo dociera co i jak, to właśnie oglądanie samemu. Jest jedna stosunkowo ładna rzecz, którą zauważyła. Nazywa się to „srebrne fale". Zauroczyły ją w nocy nad morzem w Bułgarii. Rozkrochmala się, kiedy o tym wspomni. Może tam powinienem ją zabrać?

AA: Ale gdyby tobie miało to sprawić przyjemność? Bez względu na jej wrażenia?

MC: Nowy Jork?

WK: Tak. Ale nie cały Nowy Jork, tylko Manhattan. A właściwie centrum Manhattanu, które i tak jest większe od Warszawy i kilku polskich miast razem wziętych.

AA: Jak duże miasto, to mogłoby się jej podobać.

WK: Ale jej by się podobało pewnie dlatego, że tam mieszka Woody Allen. A Manhattan jest niesamowity sam z siebie. Przez secesję, art déco, rozmiary, rozproszone światło na ulicach, brzmienie klaksonów. Wszystko. Przede wszystkim to, że tam czujesz, że jesteś w centrum świata.

MC: Nawet w Białołęce tego nie czujesz, a w Nowym Jorku tak!

WK: Cholera, chwila nieuwagi i już! Nie można sobie pozwolić nawet na chwilę bycia patetycznym. I jak tej cholery nie kochać?

AA: To jest twoim zdaniem najpiękniejsze miejsce świata?

WK: Jedno z kilku. Ale absolutnie na pierwszym miejscu. Tam jest tak wspaniała secesja… Zupełne szaleństwo! Niby zrobiona z tych samych klocków, co w Europie, ale komiczna i wzruszająca przez to, że w Paryżu budowało się np. sześciopiętrowe domy, a na Manhattanie one są pięć razy wyższe! Manhattan jest tak wspaniały, że największe metropolie świata stają się prowincjonalne, kiedy je z nim porównać. Kocham to miasto. Mogłoby się wydawać, że na Manhattanie powinno być ciemno, bo przecież wszędzie są te wysokie budynki, a tymczasem tam jest jasno i w dodatku światło jest cudownie rozproszone, bo dociera do ziemi odbite przez tysiące okien. Nie ma tego paskudnego, oślepiającego słońca. Na drugim miejscu najpiękniejszych miejsc wymieniłbym Paryż, na trzecim, ex aequo, Barcelonę z „moją" Ramblas i Gaudím, no i Alaskę. Na której zresztą mieszkają najcudowniejsi ludzie świata. Dzielni, wspaniali, niezepsuci zbyt łatwym życiem i bardzo przyjacielscy. Przypłynąłem kiedyś, jak co tydzień, do miasteczka Sitka, idę sobie ulicą i raptem słyszę, że ktoś woła: „Hej, ty, Polak od pontiaca!". Odwracam się i widzę machającego do mnie faceta ze sklepu z częściami samochodowymi. Cały w skowronkach, bo załatwił mi serwisowy katalog części do trans ama [jeden z modeli pontiaca – przyp. AA], który wydawał się nie do zdobycia…

AA: Na Alasce byłeś w czasie grania na statkach?

WK: Niektóre kontrakty były tak zorganizowane, że co jakieś dziesięć dni wypływaliśmy z Vancouver na Alaskę. Potem był powrót po nowych pasażerów i z powrotem na Alaskę. Załoga chodziła wściekła, że nie na Karaiby, bo ludzie mają jakiegoś fioła na punkcie opalania się. A ja byłem szczęśliwy. Uwielbiałem Alaskę w pochmurne dni. Kupowałem sobie sześciopak piwa Michelob Dark, wchodziłem do fantastycznie pachnącego lasu, siadałem na jakimś pieńku, otwierałem butelkę, wypijałem łyk i słuchałem, jak trawa rośnie.

MC: Ciekawe, że słyszy, jak trawa rośnie, a jak ja coś do niego mówię, to nie bardzo.

Statek „Sea Goddess I" podczas wizyty w Bonifacio, Korsyka.
Fot. Wojciech Karolak

„Sea Goddess I" w Vancouver

„Royal Viking Sky" w Bordeaux

WK: Bo trawa na Alasce rośnie głośniej niż ty…

AA: Słyszysz, jak Marysia rośnie?
WK: Dajcie dokończyć zdanie!
MC: A po co? My sobie sami dopowiemy, co ty myślisz.
WK: Trawa na Alasce rośnie głośniej, niż ty mruczysz przed telewizorem na Mokotowie! Koniec kłótni, wracam do opowieści. Nie znam północnej Alaski, ale zachwyca mnie jej południowa część. Znam te wszystkie miasteczka, na przykład cudowne, bajkowe Skagway – ostatni punkt, do którego docierali ludzie idący do Klondike w poszukiwaniu złota. A jak już coś znaleźli, schodzili do miasta, gdzie z tego złota obdzierał ich niejaki „Soapy" Smith, który prowadził knajpę z panienkami i hazardem. Knajpa stoi, gdzie stała, i można w niej zobaczyć spektakl o tym wszystkim. W miasteczku są drewniane chodniki, stare pociągi, które dojeżdżały tylko tam, bo dalej już się nie dało… Słynny „Red Onion Saloon", w którym spotykaliśmy się z muzykami z innych statków, żeby razem pograć jazz i dostać kufel bursztynowego piwa Chinook. Dziewczyny za barem ubrane w stroje z epoki… To wszystko tam jest…
MC: To wiocha trochę?!
WK: Ja się zabiję… Jaka wiocha?! To, czy coś jest wiochą, czy nie, to nie kwestia wielkości miejsca, tylko estetyki. Skagway jest malutkie, ale piękne. Poza tym leży na końcu fantastycznego fiordu. Masz tam równocześnie góry i morze! Przypływasz i widzisz po prawej stronie ogromną skałę, na której są wymalowane logo statków, które tam bywały. Taka jest Alaska. Małe, skromniutkie miasteczka, fiordy, lodowce, skały, fantastyczne lasy, morze… Cudo!
MC: Ładnemu wszędzie ładnie. To znaczy… Eee… Chciałam powiedzieć, że ładnemu wszędzie się podoba. A mnie nic nie rusza. No może na Galapagos bym pojechała. I Rzym chciałabym zobaczyć.

AA: To może zaciągnij się na statek…
MC: Jeżeli, to wyłącznie jako kapitan.

AA: Dlaczego?

MC: Bo na chwilę nie warto byłoby się zaciągać.

AA: Możesz jaśniej?

MC: Gdybym zaciągnęła się w jakimkolwiek innym charakterze, to zanim statek by ruszył, dałabym z niego nogę. A kapitan schodzi zawsze ostatni. Więc chcąc nie chcąc, trochę czasu bym popływała. A poza tym, co wy mnie tak na te wyjazdy namawiacie? Drugi raz w życiu mi się to zdarza. Pierwszy był wiele lat temu, kiedy pracowałam w radiu. Wezwała mnie pani dyrektor Zarembina i pyta, co ja tak za granicę nie jeżdżę? Odpowiedziałam, że nie znam języków, to nie jeżdżę. Wolę sobie pojechać do Kazimierza nad Wisłą. Bo tam znam język. A ona dalej swoje, że gdybym się zapisała do partii, to pewnie bym paszport bez problemów dostała. Nie zapisałam się. I mogłabym spokojnie teraz snuć kombatanckie opowieści, że nie mogłam jeździć, bo do partii się nie zapisałam.

WK: Ja się też nie zapisałem, a jeździłem. Zresztą nikt nigdy ode mnie nie wymagał zapisania się do czegoś, nikt od tego nie uzależniał zgody na wyjazd. A jeździłem dalej niż do Kazimierza.

AA: Gdybyś policzył, ile czasu spędziłeś na statkach wycieczkowych…

WK: Nie jako kapitan, tylko muzyk, ale w sumie jakieś dziesięć lat.

AA: To można już cały świat zobaczyć.

WK: Prawie cały. Z wyjątkiem miejsc położonych na uboczu tradycyjnych tras wycieczkowych. Ja na przykład nie zobaczyłem z tego powodu Wysp Wielkanocnych. Niestety leżą, zupełnie samotne, tak daleko od czegokolwiek, że nie ma szansy. A żałuję, bo zawsze mnie fascynowały te głowy patrzące na morze i cała tajemniczość łącząca się z tym miejscem. Nie byłem również w Australii, ale tam mnie nigdy nie ciągnęło, bo nie przepadam za pająkami ani za skorpionami. A tak to

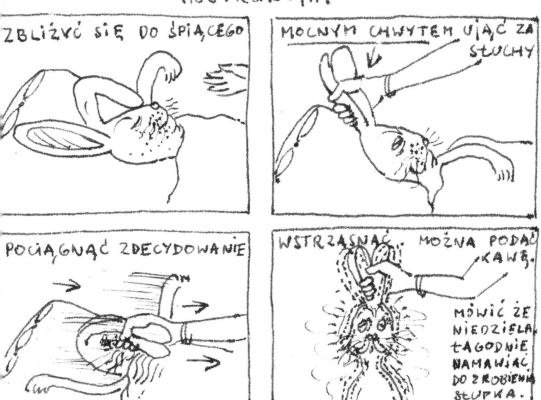

Instrukcja budzenia Zająca

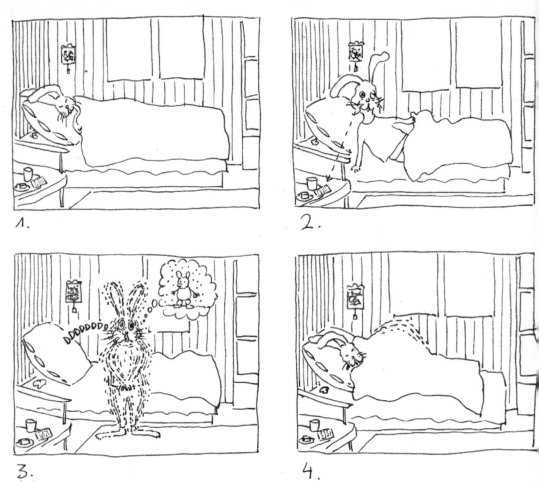

1. 2.

3. 4.

Zima w fińskich domkach na ul. Jazdów w Warszawie

Godzina Zająca.

Przyrząd do informowania śpiącej żony, o której godzinie ma obudzić męża.
Kartka wielokrotnego użytku – trzeba było tylko ołówkiem narysować
wskazówkę

prawie wszystko widziałem. Dwa razy odbyłem klasyczny rejs dookoła świata. Za pierwszym razem kiedy przekraczaliśmy linię daty, wyszedłem w nocy na pokład, żeby sprawdzić, czy nas nie robią w bambuko. Ale nic! Statek nie zawrócił. Wprawdzie linii na wodzie nie było, ale płynął dalej. Hi, hi. Za to płynąc Amazonką do Manaus, odwiedziłem brazylijskie miasteczko Macapá, przez które przebiega równik. Jest tam linia zrobiona z betonu, więc pobiegłem do niej, żeby sobie trochę pochodzić z północnej półkuli na południową, i tak mi się spodobało to przechodzenie, hop północna, hop południowa, że w końcu pomyliło mi się, która półkula jest która. Bardzo przyjemne zajęcie.

AA: W czasie tego pływania na statkach pewnie zaznałeś trochę luksusu?

WK: Owszem. Ale to był wyjątek od reguły. Na normalnych statkach muzycy żyją w bardzo skromnych warunkach. Natomiast my mieliśmy wspólnie z Andrzejem Dąbrowskim przyjemność i zaszczyt zainaugurować w 1984 roku rejsy bardzo nietypowego i eleganckiego statku, który nazywał się „Sea Goddess I". Był to właściwie superluksusowy jacht. Większy od normalnych, wymyślony przez Amerykanów z Miami dla zamożnych ludzi, którym znudziło się pływanie na własnych jachtach i chcieliby sobie popływać czymś podobnym, ale w większym towarzystwie. „Sea Goddess" była na tyle mała, że mogła dotrzeć do miejsc nieosiągalnych dla normalnych statków. Podczas inauguracyjnej podróży zacumowaliśmy najpierw w samym środku Londynu, na Tamizie koło Tower Bridge. Następnym miejscem było Monte Carlo, w którym ze statku wychodziło się prosto na miejsce, gdzie podczas Grand Prix Monaco jest charakterystyczna szykana. Zaraz po wyjeździe z tunelu. Zjazd w dół i ostry skręt w lewo. Potem statek wywołał sensację, przybijając do centrum Marsylii, tuż przy bulwarze Canebière. Pisały o tym gazety, były zdjęcia. Rewelacja! Giuseppe, zaprzyjaźniony barman, rozpieszczał mnie, serwując nieograniczone ilości szampana Dom Pérignon albo Veuve Clicquot, a następnego dnia byliśmy już w Saint-Tropez, gdzie

„Sea Goddess" służyła przez trzy dni magazynowi „Vogue" do sesji zdjęciowej. Na estradzie były organy Hammonda, a my z Andrzejem graliśmy po prostu jazz. Żyć nie umierać. Traktowano nas tak jak pasażerów i sugerowano, żeby udzielać się towarzysko. Dzięki temu dowiadywałem się mimochodem, że np. ten siwy pan z ciemnymi wąsami i piękną żoną, który zawsze przychodzi nas posłuchać, ma kolekcję sześćdziesięciu ferrari.

AA: A teraz prawie to pasuje do ciebie. Jesteś prawie siwy, masz ciemne wąsy, piękną żonę…
MC: Prawie piękną. A w tym przypadku „prawie" robi wielką różnicę.

AA: Powiedzmy. Ale jedyne, co się naprawdę nie zgadza, to to, że nie masz kolekcji sześćdziesięciu ferrari.
MC: I całe szczęście, bo nie zmieściłyby się ani w garażu, ani w naszym mieszkaniu. A wracając do statku…

AA: Raczej kończąc ten wątek. Wojtek, zacytuję ci fragment znanej żeglarskiej piosenki, a ty dokończ.
Gdyby tak ktoś przyszedł i powiedział:
– Stary, czy masz czas?
Potrzebuję do załogi jakąś nową twarz,
Amazonka, Wielka Rafa, oceany trzy,
Rejs na całość, rok, dwa lata – to powiedziałbym:
WK: Nie ma mowy!

AA: I nie interesuje cię, „Gdzie ta keja, przy niej ten jacht"?
WK: W ogóle. Już nie potrafiłbym znieść tak długiej rozłąki z siedzącą tutaj panią redaktor. Poza tym jest parę innych powodów. Pogorszyły się warunki życia na statkach. Wtedy, kiedy ja pływałem, od końca lat siedemdziesiątych do początku dziewięćdziesiątych, było na przykład możliwe, że muzyk ma oddzielną kabinę i mieszka sobie

Od lewej: Wojciech Karolak, Maria Czubaszek. Na statku „Royal Viking Sky",
wczesne lata osiemdziesiąte XX wieku

Witaj Zajączku,

Czuj się jak u siebie?

Na I-sze jedzonko po powrocie szefowa kuchni polecam **pierożki** (w opakowaniu na I-ej, górnej półce. Ochłonąć i podgrzać na parze. Skropić masłem.

Na piątek i sobotę – dania ciepłe to biała kiełbasa i parówki (w zamrażalniku) wyjąć, odgrzać na parze. Sprawdzić, czy w garnku jest woda.

Brzoskwinie – w szklanym pojemniczku, reszta w pudełeczku śniegowego.

KARTA DAŃ

Na ciepło:
Pierożki z mięsem
Parówki z szynki
Biała kiełbasa

Na zimno:
Pasztet
Jajucha
Kiełbasa z indyka

Desery:
Brzoskwinie (pokrojone)
Batoniki (zaklejające)
Śliwki suszone (zalewanie)

Pieczywo:
Bajzelki
Chleb gruboziarnisty
Maca

Napoje:
Gorące – herbaty
zimne – z lodówki

Jadłospis i instrukcja przygotowania pożywienia, pozostawione Wojciechowi Karolakowi (Zającowi) przez wyjeżdżającą na kilka dni Marię Czubaszek

ŚWIERDŁÓWEK POMORSKI
HOTEL ŚWIERDLANKA.
FOT. A. KURPOWICZ. C.A.F.

Ś-wek. 11.II.82

Kochanie!

Koncerty w Świerdłówku poszły znakomicie. Trasa jest rewelacyjna. Mieszkamy w hotelu który możesz zobaczyć na odwrocie kartki (którą kupiłem w recepcji) Zamów mi taksóweczkę na 13.50 (na Malczewskiego) Całuję mocno! Twój Z.

P.S. Zawołek jest b. dobry.

POCZTA POLSKA
POLSKA NA MORZU 8000zł

W. Pani
Maria Czubaszek
(Karolak)
02-516 Warszawa
ul. Starościńska 1/6

OSZCZĘDZAJ W PKO

HOTEL ŚWIERDLANKA

NIE DEPTAĆ TRAWY

Własnoręcznie narysowana, napisana i osobiście przez Wojciecha Karolaka wysłana z trasy koncertowej pocztówka do Marii Czubaszek

sam. Teraz to jest wykluczone. Mieszka się na pryczach, w dwu- albo trzyosobowych kabinach. A brak prywatności to jest coś, czego nie jestem w stanie znieść.

MC: I ktoś mieszkający z nim też by tego nie zniósł. Przecież on się kładzie rano, kiedy normalni ludzie wstają...

WK: Wieczorem też się czasem kładę. Raz się kładę rano, raz wieczorem... A tak w ogóle, to ja się głównie kładę. Bo jak wstanę, to się położę. Ale przede wszystkim nie popłynąłbym ze względu na rozłąkę.

MC: Bo co? Bałbyś się, że mnie w tym czasie szlag trafi?

WK: Bo nie chcę się budzić rano ze strachem, czy przypadkiem coś się w domu nie stało. Jak dwa, trzy dni nie mam kontaktu z tobą, to wpadam w panikę. A wypłynąć na rok? Nie ma mowy.

MC: Ja nie mam takich myśli, że od razu coś się musi stać.

AA: Ale też dzwonisz do Wojtka i upewniasz się, czy dojechał, czy zjadł...

MC: Bo taka jest umowa. Że w czasie wyjazdów dzwonimy do siebie w nocy. To jest taki stały punkt doby.

AA: I to nie z troski?

WK: Nawet gdyby tak było, to ona się nie przyzna. Za bardzo lubi grać chojraka. Że jej niby wszystko jedno, że jej nie zależy. I czasem opowiada takie rzeczy, że gdyby to była prawda, to musiałaby być potworem. A nie jest. No spójrz na tę poczciwinę. Czy te oczy mogą kłamać?

AA: A ty byś pojechała na rok na statek?

MC: Za duże pieniądze oczywiście! Nie wiem, co ja bym tam mogła robić. Ale nawet udawać pajaca czy wyciągać królika z kapelusza.

WK: No dobrze, a wieczorek autorski w Pakistanie dla talibów?

MC: Za duże pieniądze? Czemu nie?

WK: A jak by cię wysadzili w powietrze?

MC: Ważne, żeby wcześniej wypłacili honorarium. I żebym zdążyła ci wysłać. O, jaki piesek śliczny!

AA: Potraktujcie to pytanie, jak chcecie – poważnie albo niepoważnie…

MC: Mogę ci obiecać, że tak je potraktuję. Albo poważnie, albo niepoważnie.

WK: Ja odwrotnie – albo niepoważnie, albo poważnie.

AA: Czy małżeństwo coś wam dało, czy odebrało? W czymś pomogło? W czymś przeszkodziło?

WK: Niczego mi nie odebrało, a dało bardzo dużo. Na przykład to, że żyję. Gdybym nie był z Marysią, dawno bym się zapił.

MC: Ale pytasz o małżeństwo jako formalną instytucję czy bycie razem? Bo sam papierek nie ma dla mnie żadnego znaczenia. Chociaż gdybym nie wyszła za Wojtka, tobym nie zamieniła mieszkania na większe…

WK: Ona tak, a ja poważnie – małżeństwo dało mi to, że spędzam czas z ciekawym człowiekiem. Z tą kochaną drobinką. Cholera, znów się rozczuliłem. Chyba zaczynam ciumciać…

MC: No i dlatego, że jesteśmy w formalnym związku, możemy się wspólnie rozliczać. Dzięki temu płacę, to znaczy płacimy, mniejszy podatek.

„Z Marysią w jakiejś garderobie" (lata osiemdziesiąte)

Marysia z Niką i swoim oplem kadettem

Maria Czubaszek
ZAMIANA MIESZKANIA
/SKECZ NA KOBIETĘ I MĘŻCZYZNĘ/

[Próbowałem dociec, dlaczego w tym tekście „S" oznacza kobietę, „K" – mężczyznę. Marysia nie wie. Prawdopodobnie chodzi o nazwiska aktorów, dla których tekst był pisany, na przykład: Sienkiewicz i Kociniak. Ale niewykluczone, że chodziło o coś zupełnie innego. Przyjmijmy więc, że są to imiona bohaterów często wykorzystywane w tekstach Marii Czubaszek: S – Stegna, K – Kazio – przyp. AA.]

„Zamiana mieszkania"
/mężczyzna siedzi przy stoliku, przegląda ogłoszenie w gazecie/
S – Dzień dobry! Przepraszam, że się spóźniłam, ale pół godziny czekałam na trolejbus!

K – Przecież trolejbusy nie jeżdżą w Warszawie od dwóch lat!

S – Od dwóch lat?!? To i tak miałam szczęście, że czekałam tylko pół godziny! Zamówiłeś coś?

K – Kawę i ptysie.

S – Ptysie?! Nie dosyć, że mają mnóstwo kalorii, to jeszcze tuczą!

K – To ja zjem.

S – Aha! Czyli uważasz, że jestem za gruba!

K – Skądże!

S – Skoro nie chcesz, żebym jadła ptysie, bo są tuczące...

K – Przecież sam ci zamówiłem! Uważam, że przy twojej figurze możesz zjeść i cztery!

S – Aha! To znaczy, że jestem za chuda, tak?

K – Nie!

S – Skoro uważasz, że powinnam jeść tuczące ptysie, to znaczy, że chcesz, żebym przytyła! No więc jestem dla ciebie za chuda!

K – Jesteś w sam raz! Nic dodać, nic ująć!

S – Aha! Czyli nie powinnam ani jeść, ani n i e jeść!

K – Zrób, jak uważasz!

S – A ty co chcesz zrobić?

K – Przepraszam. Przejrzeć ogłoszenia o zamianie mieszkań...

S – Chcesz zamienić mieszkanie?

K – Tak. Na coś większego.

S – Mam znajomego w stoczni. Może mają jakiś stary, ale jeszcze duży okręt, który chcieliby zamienić na mieszkanie...

K – Chodzi mi o większe mieszkanie, a nie o coś w ogóle większego!

S – A, to ja nie zrozumiałam! Przepraszam... I znalazłeś coś w ogłoszeniach?

K – Nie. Jutro sam chyba dam... napisałem już nawet...

S – Pokaż!

/K wyjmuje z kieszeni kartkę, podaje S/

S – /czyta/ Mały pokój bez kuchni, na parterze, bez c.o., w starym budownictwie zamienię... No, nie! Kto będzie chciał takie mieszkanie?!? Trzeba to zmienić!

K – Kiedy to prawda, niestety!

S – Po pierwsze dobre kłamstwo lepsze jest od najgorszej prawdy, a po drugie nie musisz wcale kłamać! Możesz napisać to samo, tylko zupełnie inaczej! Daj długopis! „Mały pokój bez kuchni"... Po co „mały"? Skoro nie piszesz, że duży, to zrozumiałe, że mały! To samo o tej kuchni! Jeśli nie będzie „pokój z kuchnią" to oczywiste, że bez kuchni! A po co zaznaczać, że na parterze?! Wystarczy nie podać piętra!

K – Ale...

S – Czekaj! No więc będzie tak: „Pokój bez c.o."... Bzdura! Skoro nie będzie podkreślone, że z centralnym ogrzewaniem, to jasne, że bez! Czyli – duży pokój...

K – On nie jest duży!!!

S – Skoro zgodziłeś się, żeby wyrzucić słowo „mały", to znaczy, że można napisać, że jest duży!

K – Kiedy on nie jest duży! Ma 9 metrów!

S – 9 metrów kwadratowych to mało?! Mój przedpokój ma 6 metrów kwadratowych i wszyscy uważają, że jest duży!

K – Ale mój p o k ó j ma 9 metrów! A nie przedpokój!

S – Ja wiem. Dlatego nie piszemy, że chodzi o duży przedpokój, tylko o pokój. No więc... duży, słoneczny pokój...

K – Nie jest słoneczny.

S – Pomalujesz na żółto i będzie w kolorze słonecznym. No więc piękny pokój...

K – Piękny to już na pewno nie jest, niestety!

S – Jak to?! Duży, słoneczny pokój w starym budownictwie musi być piękny.

K – Ale...

S – Masz rację! Ja też zaczynam mieć pewne wątpliwości...

K – A widzisz!

S – Tak... Co za sens zamieniać piękny, duży, słoneczny pokój w starym budownictwie? Nie lepiej przedzielić go na dwa mniejsze!

K – Ale...

S – Myślisz, że dwa małe pokoje w nowym budownictwie są większe niż duży pokój w starym?

K – Może nie, ale...

S – Głupstwo byś zrobił, gdybyś zamienił! Nie dosyć, że byś na tej zamianie stracił, to jeszcze byś nie zyskał!

K – Myślisz?

S – Oczywiście! No, to mam u ciebie kolację. W końcu... w parę minut masz dzięki mnie piękny, duży pokój! I to za darmo!

Zając odsłuchujący wiadomości z sekretarki telefonicznej
(koniec lat siedemdziesiątych)

AA: A co ty wiedziałeś o Marysi, zanim ją pierwszy raz zobaczyłeś?

WK: Że pisze słuchowiska w radiu. Przyjechałem na kilka dni z emigracji i Małgosia Dąbrowska [żona Andrzeja – wokalisty, perkusisty i przyjaciela Wojciecha Karolaka – przyp. AA] opowiadała, że jest taka fajna audycja i tam pisze taka fajna Maria Czubaszek. Ale nie mówiła, że nie jest wielka i koścista. A ja sobie ją od razu wyobraziłem, nie wiem czemu, jako wielkie, kościste kobiecisko idące w góry z plecakiem i w skórzanych sandałach. Za małych. Takich, że pięty jej wystają. Usłyszałem o niej i pojechałem w cholerę.

MC: Z takim obrazem Czubaszka z wystającymi piętami wrócił do Szwecji.

WK: A co? Miałem rzucić emigrację dla łykowatej gidii w rozciapcianych sandałach tylko dlatego, że pisze świetne słuchowiska? Nie zostałbym wtedy w Polsce, nawet gdyby się okazało, że nic jej nie wystaje. Wszystko ma swój czas. Po kilku miesiącach spotkaliśmy się w słynnym „Szwabskim Kąciku" na imieninach Andrzeja Dąbrowskiego. I byłem mile zdziwiony, że nie jest duża ani koścista i pięty jej nie wystają z sandałów. To mnie do niej najbardziej przekonało. Te niewystające pięty.

MC: Naprawdę? A przecież tobie się Murzynki podobają.

WK: Bo podoba mi się ich całokształt. I oczywiście to, że są Murzynkami.

MC: Ja wtedy jeszcze nie byłam.

WK: Ale podobałaś mi się, pomimo tego że nie byłaś. Poza tym podejrzewałem, że jesteś zdolna do wszystkiego i może kiedyś będziesz Murzynką.

AA: A co to takiego „Szwabski Kącik"?

WK: To była część living roomu w mieszkaniu państwa Dąbrow-skich na ulicy Nowowiejskiej. Nazywaliśmy ją „Szwabskim Kącikiem", z powodu stylu, w jakim była umeblowana. Siedziało się na drewnia-nych, jakby góralskich ławach, a w środku był pasujący do nich stół. Taki gustowny, rustykalny komplecik. Bardzo mi to przypominało bawarską „Bierstube" z chóralnymi śpiewami i waleniem kuflami w stół. A ponieważ nasz wspólny przyjaciel, reżyser Stefan Szlachtycz miał na ten temat podobne skojarzenia, więc zaczęliśmy to nazywać „Szwabskim Kącikiem".

AA: Jeszcze jakieś obrazki z samego początku waszej znajomości przychodzą ci na myśl?

WK: Do końca życia nie zapomnę drzwi do łazienki w jej miesz-kaniu. Ponaklejała sobie na nich takie kalkomanie. Takie, jakie dzieci sobie naklejają. Piesek, którego bolą zęby, głowa misia. A na głowie miała taki czubaszek...

AA: Pogubiłem się. Na głowie misia naklejonej na drzwiach ła-zienki miała taki czubaszek?

WK: Na swojej głowie miała czubaszek. Taki lok jakiś. Dziwaczna konstrukcja.

MC: Żebym ja ci nie wypomniała twoich loków! Prawdę mówiąc, z tymi długimi włosami idealnie pasowałeś do „Szwabskiego Kącika".

AA: Nosiłeś długie włosy?

WK: Nienawidziłem ich! To była tragedia!

AA: No to dlaczego nosiłeś?

WK: Musiałem. To był rok 1974. Myśmy wtedy z Michałem Urba-niakiem grali w klubach w Europie Zachodniej. Zwłaszcza w Niem-czech. To był okres szalejącego hipizmu...

MC: Konno jeździliście?

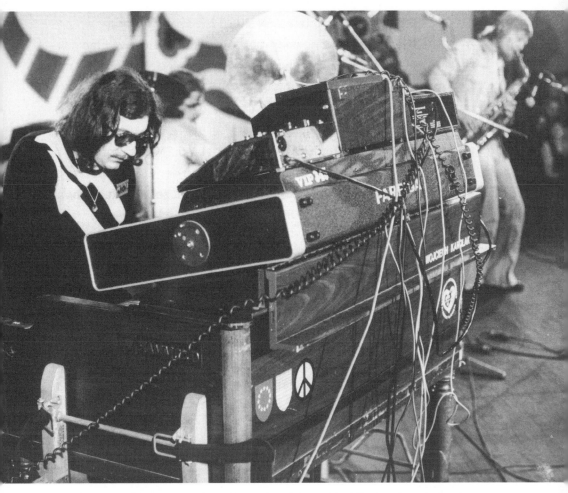

„Era hipizmu i free jazzu, połowa lat siedemdziesiątych. Długie włosy, których nie cierpiałem, i prawie 300 kilo sprzętu do noszenia. Było ciężko, ale te rzeczy naprawdę dobrze grały"

WK: Nie hippizmu, tylko hipizmu! Od hipisów. Wtedy nie do pomyślenia było, żeby muzyk miał krótko ostrzyżone włosy i był normalnie ubrany. Musiał mieć długie i ubrany być niedbale. Włosy kazał mi zapuścić Michał Urbaniak.

AA: To Urbaniak wtedy był stylistą?
WK: Szefem orkiestry, w której grałem. I mógł mi kazać.

AA: Ktoś, oprócz pierwszej żony Andrzeja Dąbrowskiego, opowiadał ci o Marysi? Prowadził coś na kształt zajęć „Przygotowanie do życia z Czubaszek"?
WK: Ale to już w czasach naszego małżeństwa. Na przykład Jonasz Kofta dużo mi o niej opowiadał.
MC: Ale dobrze? Bo jeśli chodzi o Jacka Janczarskiego czy Adama Kreczmara, to jestem prawie pewna, że mówiliby o mnie dobrze. Co do Jonasza już takiej pewności nie mam.
WK: Mówił bez wartościowania. Ja cię uważałem za pełnego szaleńca, a Jonasz przekonywał mnie, że ty w gruncie rzeczy jesteś bardzo mieszczańska.

AA: Ale w jakim sensie?
MC: Że na przykład kieruję się zasadą „co ludzie powiedzą".

AA: Kierujesz się?
MC: Nie.
WK: Pewnie, że nie zawsze, ale czasem się zdarza…

AA: Aha, to mam jasność. Co jeszcze ci opowiadał Jonasz?
MC: Opowiedz, jak cię przekonywał, że mężczyzna powinien zarabiać więcej od kobiety.
WK: Nie pamiętam takich szczegółów. Ale to też mieszczański stereotyp.
MC: W naszym przypadku się nie sprawdził.

AA: Narzeczeństwo było burzliwe?

WK: Bardzo. Ścieraliśmy się o głupoty…

AA: Na przykład?

WK: Na przykład ona sobie wymyśliła, że skoro jestem muzykiem, to muszę mieć mnóstwo panienek. I akurat tutaj się bardzo myliła, bo ja nigdy nie miałem skłonności do wdawania się w przelotne romanse. Nie interesowały mnie okazjonalne kontakty damsko-męskie, nawet z najpiękniejszymi dziewczynami…

AA: Nawet jak im pięty nie wystawały?

WK: Przecież nie można się pitigrilić z każdą dziewczyną, której nie wystają pięty! Poza tym wyobraź sobie, że potem panienka cię zapyta, „za co mnie najbardziej kochasz?", a ty jej odpowiesz, że za te pięty. Przepraszam, chwileczkę. Co wyście się uczepili tych pięt? O czym myśmy rozmawiali? Aha, o moich podbojach erotycznych. Muszę was rozczarować. Ten model tak ma, że musi się zakochać, a że mam skłonność robić to bardzo gruntownie, więc rzadko mi się to zdarzało. A Marysia sobie mnie wymyśliła jako faceta, który gdzie się ruszy, tam ma panienkę. Strasznie mnie to wkurzało, że nie dawało jej się tego wytłumaczyć…

MC: Bo mi się nie podobało, że on sobie tak na chwilę przyjechał i w przelocie, póki mu się nie znudzi, zajmie się mną. Zwłaszcza że koledzy opowiadali, jak tam za wami w Szwecji dziewczyny jeździły…

WK: Nie w Szwecji, tylko w Niemczech. Dwie młode damy przylgnęły do naszego kwartetu. Ale ja to tak sprytnie załatwiłem, że po koncercie my z Ptaszynem Wróblewskim uciekaliśmy do pokoju, gdzie czekał gramofon, płyty i flaszeczka. Słuchaliśmy muzyki i piliśmy brandy Scharlachberg, a w tym czasie koledzy musieli wykonywać te posługi erotyczne. I to był jeden z najlepszych interesów w moim życiu, że tak mi się udało to zorganizować. Oni się męczyli, rano niewyspani, a my z Ptaszynem napiliśmy się, posłuchaliśmy Quincy Jonesa, a na drugi dzień? Wypoczęci.

MC: Nie wierzyłam.

WK: Ptaszyn też tak miał, że musiał się zakochać, żeby do czegoś doszło. A jak się zakochał, to na zabój. Z Ewą, jego wieloletnią żoną, to właściwie ja go wyswatałem. Zresztą całkowicie niechcący. Byliśmy w Jugosławii, wracaliśmy przez Zagrzeb, w którym akurat był Festiwal Kultury Studenckiej. W centrum kultury studenckiej siedzimy sobie z Ptakiem przy barze…

AA: Jak to w centrum kultury…

WK: No jasne. W sali obok nasi jugosłowiańscy koledzy grają jazz, nagle wchodzi grupa Teatru 38 z Krakowa. Sami moi znajomi. Wśród nich Ewa, którą znałem, bo była koleżanką z akademikowego pokoju mojej późniejszej żony, pani Bożenki. No to posadziłem przy barze dwoje najważniejszych dla mnie w tym momencie ludzi – z jednej strony Ptaka, z drugiej Ewę…

AA: Ładny początek piosenki: „Z jednej strony Ewa, z drugiej strony Ptak…".

WK: Po jakimś czasie wstałem, przysunąłem jedno do drugiego i powiedziałem: „To wy się tu teraz zaprzyjaźnijcie, a ja pójdę pograć z Boško Petroviciem i Miljenko Prohaską".

MC: I tak się zaprzyjaźnili, że kilkadziesiąt lat są razem.

WK: Jak wróciłem po graniu, to ich już nie było przy barze. Poszedłem do domu pułkownika Petrovicia, ojca naszego kolegi, wspaniałego jugosłowiańskiego wibrafonisty. Istnego arystokraty. Tam mieliśmy rozłożone materace, można się było przespać. Ptaka nie ma. Rano się budzę, patrzę – wchodzi. Garnitur utytłany w błocie, oblicze zmięte, ale szczęśliwe. Powiedział tylko: „Kontroler mi wysiadł", po czym padł i zasnął. Jak widać, dobrze, kiedy czasami wysiada, bo z tego powstają fantastyczne małżeństwa. Zostałem świadkiem na ich ślubie.

MC: A Ptaszyn na naszym.

WK: Na ich wesele, które odbywało się w Krakowie, w piwniczce klubu Pod Jaszczurami, przyniosłem Ptaszynowi w prezencie pół litra soplicy. Ale nie doniosłem, bo wypiliśmy ją już na schodach prowadzących do barku, z kolegą, którego bardzo dawno nie widziałem, a bardzo lubiłem. To była jakaś dziwna godzina, typu pierwsza, druga po południu. Potem siedzieliśmy, gadaliśmy, było cudownie, aż raptem zrobiła się północ, a ja się złapałem za głowę i krzyknąłem: „Rany boskie! Przecież ja miałem dzisiaj o piątej zagrać matinée [w potocznym języku muzyków (być może tylko wtedy) popołudniowy koncert – przyp. WK] w Feniksie!". A on na to spokojnie: „Przecież byłeś. Grałeś". „Poważnie? Jak było?". „W porządku".

AA: To naprawdę materiał na piosenkę:
Z jednej strony Ewa, z drugiej strony Ptak,
To się zaczęło tak:
Byliśmy młodzi, piękni cudowni,
Jugosłowiański pułkownik...
Garnitur brudny, lecz miłość czysta...
Był jeszcze wibrafonista.

WK: Słyszysz?! Można o tym wiersze pisać! A ty podejrzewałaś niewinnego Zająca o Bóg wie co! I o to było całe pasmo awantur. Podczas jednego z takich starć po raz pierwszy złamała mi żebro...

MC: Jak to „po raz pierwszy"? Przecież ja ci tylko raz złamałam!

WK: Poważnie? Aaaa... Rzeczywiście. Drugi raz sobie sam złamałem. Na party w Sztokholmie. Tak mnie to rozbawiło, że od tego momentu piliśmy z Krzysiem Ścierańskim już tylko „żebrówkę".

MC: No! Więc straszne mi rzeczy! Raz ci złamałam. I tylko jedno.

AA: Podejrzewałaś, że miał wady. A miał jakieś zalety? Sprawdzałaś?

MC: Zwierzęta lubił. Miał jeża i świnkę. To znaczy mówił, że miał.

WK: Jeża spotkałem, wracając do domu podczas jednej z pięknych białych nocy w Szwecji. Siedział na środku drogi. Wziąłem go do domu, bo się bałem, że ktoś go rozjedzie. Pomieszkał ze mną parę dni,

ale potem pomyślałem, że długo tak nie damy rady. Po pierwsze ja
z tego mieszkania wkrótce wyjadę, po drugie jeż mógł mieć jakąś sprawę do załatwienia i może tylko na chwilę przysiadł sobie na środku
drogi. Odwiozłem go w to samo miejsce i tam zostawiłem. Tyle że
nie na środku drogi, ale na poboczu. A potem miałem jeszcze świnkę
morską. Jacyś państwo, u których mieliśmy bibkę, ewidentnie chcieli
się pozbyć świnki. Wprowadzali ją do towarzystwa.

AA: Jak się wprowadza świnkę morską do towarzystwa?
WK: Kładzie mi się ją na ramieniu. Ona sobie potem po mnie
chodzi, a ja jestem zachwycony, jakie to urocze. Jak się zsiusiała, to
już ją prawie pokochałem, a oni tylko czekali na ten moment i po-
wiedzieli: „Jest twoja!". Od razu się pojawił koszyczek dla świnki,
gospodarze byli wzruszeni tym, jak do siebie pasujemy. Ja i świnka.
Ale potem sytuacja stała się lekko niezręczna. Wiedziałem, że nie
mogę jeździć po świecie ze świnką. A czułem się za nią odpowie-
dzialny. Poszedłem do sklepu ze zwierzątkami, ale pan właściciel
zaczął krzyczeć, że jej nie weźmie, bo „świnki nie schodzą". Podobno same sobie były winne, bo roznosiły jakieś choroby. Doszedłem
do wniosku, że jedyne, co mi pozostało w tej sytuacji, to pójść
ze świnką na policję. W Szwecji, pod koniec lat sześćdziesiątych,
stosunek do zwierzątek był już taki sam, jak do ludzi. No i razem
ze świnką sparaliżowaliśmy niechcący działalność komisariatu policji
w mieście Skellefteå. A wyglądało to tak: wszedłem, przywitałem
się grzecznie, po szwedzku... A co? Pomyślałem, że tak będzie
lepiej. Niech wiedzą, że emigrant, wprawdzie niezupełnie trzeźwy,
ale porządny człowiek. Już prawie tutejszy, bo uczy się ich języka.
No więc po szwedzku zacząłem tak:
– Jag har en morsvin...
Co znaczy „Mam świnkę morską...". I tutaj mnie zatkało. Policjant,
który przyjmował zgłoszenie, widział, że brakuje mi słowa. W języku szwedzkim jest tak, że tymi słowami zacząłbym również zdanie
mówiące, że coś zrobiłem tej śwince. Gdyby tak było, powinno po

nich paść odpowiednie słowo. Policjant chciał mi je podpowiedzieć i pierwsze, które wpadło mu do głowy, brzmiało:

– Skjutit?

Czyli: „Zastrzeliłem?". Musiałem się opanować, bo obrazek przedstawiający dużego, chwiejącego się na nogach człowieka, celującego z karabinu do malutkiej świnki morskiej tak mnie rozbawił, że mogłem zawalić sprawę. Ale kiedy wyjaśniłem, że nie, że wręcz przeciwnie, świnka żyje, a ja chcę jej tylko zapewnić dobrą przyszłość, policjant zamknął komisariat, zwołał kolegów na naradę na pierwszym piętrze, po czym przyszedł i poinformował, że jeśli nie mam co zrobić ze świnką, oni się nią zajmą. Policja znajdzie jej nowego opiekuna. Wzięli koszyczek, a mnie podziękowali za to, że tak załatwiłem tę sprawę.

AA: Myślałem, że puenta będzie inna. Że będą ci kazali odwieźć świnkę tam, gdzie znalazłeś jeża. Coś jeszcze robiłeś w Szwecji oprócz opieki nad zwierzętami?

WK: Grałem z Urbaniakami. Ale w przerwach między graniem trochę nam się nudziło, więc bawiliśmy się.

MC: Ale nie zapałkami ani kalkulatorem?

WK: Nie, wymyślaliśmy na przykład, jaki by tu żarcik zrobić. Jednak pewnego razu okazało się, że z tym trzeba czasem uważać. Postanowiliśmy kiedyś napisać list do naszego kolegi z Warszawy, Gwidona Widelskiego. Gwidon był bardzo dobrym pianistą i przedziwnym człowiekiem. Miał duże poczucie humoru, ale chyba mu się z lekka zacierała granica między żartem a rzeczywistością. Rozmowa z nim wymagała czasem napiętej uwagi, bo facet był taki, że trochę niby jest obecny, a jakoby go nie było. I z tego zatarcia i tej nieobecności postanowiliśmy skorzystać. Nie chcieliśmy być okrutni. Sądziliśmy, że przy jego poczuciu humoru będziemy mieli wszyscy, łącznie z nim, świetną zabawę. Napisaliśmy po angielsku, na maszynie, długi list składający się z samych bzdur. Że niby pisze do niego agent, który chciałby go zatrudnić w orkiestrze międzynarodowej jako drugiego trębacza. A Gwidon był pianistą, przypomnę. Wymyśliłem nazwiska muzyków, którzy mieliby z nim grać. Takie prawdopodobnie brzmiące. Na przy-kład na instrumentach perkusyjnych Alberto Alvarez, na pierwszej trąbce Johan Svensson itd. Napisaliśmy, że może nam odpowiedzieć po polsku, bo to przecież międzynarodowy zespół, więc języki nie stanowią problemu, nie trzeba niczego tłumaczyć. Na koniec roz-bestwiliśmy się i polecieliśmy już na całość. Napisaliśmy, że melodie do jego tekstów może komponować nasz pianista...

MC: A on pisał teksty?

WK: Skąd! Pianista?! Przecież mówię, że to stek bzdur. OK. Na-pisaliśmy. Teraz koperta, adres i co? Przydałby się jakiś nadawca, żeby lepiej wyglądało. Gwidon przecież tego i tak nie użyje! Pod-pisałem list imieniem i nazwiskiem żony naszego przyjaciela: Simo-ne Kirschbaum. Jedyne co było prawdziwe to adres mieszkających w Sztokholmie Gucia i Simone. Wysłaliśmy kopertę do Warszawy i o wszystkim zapomnieliśmy. Bo i o czym było pamiętać? Gwidon pewnie przeczytał, uśmiał się i tyle. Pół roku później, był to rok 1968, może 1969, jesteśmy w Sztokholmie. Przychodzi Andrzej Dąbrow-ski, który tam wtedy z nami grał, i opowiada o aferze. Że Gwidon śle do Simone listy i depesze ponaglające, że się zgadza na jakąś współpracę i prosi o pilne wysłanie kontraktu do PAGART-u. [Polska Agencja Artystyczna „PAGART" – instytucja zajmująca się w PRL--u promowaniem polskich artystów za granicą, organizowaniem ich zagranicznych występów, sprowadzaniem do Polski artystów z in-nych krajów, współorganizowała m.in. festiwal w Sopocie – przyp. AA]. Do tego całego absurdu dochodzi jeszcze jedno – Gucio wynajął detektywa, który ma za zadanie odnaleźć w Sztokholmie agenta, nazywającego się Simon Kirschbaum, bo imię napisaliśmy bez „e". Piramida bzdur! Wyobraź sobie, że masz w Szwecji żonę Szwajcarkę, do której przychodzi list z Warszawy, od twojego kolegi, Gwidona, piszącego coś od rzeczy, więc wynajmujesz detektywa, żeby wyba-dał, co nabroił jakiś Simon Kirschbaum. Który w dodatku ma taki sam adres jak ty! Przecież w tym nie ma żadnej logiki!

AA: Może podejrzewał pomyłkę szwedzkiej poczty? I jak się spisał detektyw? Znalazł Simona K.?

WK: Nie uwierzycie! Znalazł szewca, który tak się nazywał.

AA: Ale szewc się nie przyznał do angażowania polskich pianistów jako trębaczy i autorów tekstów?

WK: Uważam, że w tej historii brakuje już tylko tego, żeby się przyznał! Niestety. Nie wykorzystał możliwości przesunięcia granicy absurdu w kosmos. W tym tkwi takie zapętlenie nonsensu, że niezależnie od tego, jak by się skończyło, nie miałoby puenty. A skończyło się tak, że Andrzej Dąbrowski powiedział Guciowi, że to był tylko taki żart Karolaka i Urbaniaka, a nasz kochany Gucio Dyląg poprosił, żeby nie mówić o tym Simone, bo ona się poważnie przejęła tą sprawą.

AA: A pan Gwidon?

WK: Nigdy go już nie spotkałem. To i jemu nie wyjaśniłem. W życiu byśmy sobie nie uzmysłowili, co uruchamiamy. Że będzie tak „straszno i śmieszno".

MC: O ile znam to towarzystwo, na pewno wydał pieniądze a conto przyszłego kontraktu. To wyście się tak tam zabawiali?

WK: No jeszcze z Ulą Dudziak, Michałem Urbaniakiem, Andrzejem Dąbrowskim i jego żoną Małgosią nagrywaliśmy słuchowiska. To była forma korespondencji z zaprzyjaźnionymi zespołami. Trochę jednostronna, bo wysyłając coś takiego, trudno się było spodziewać odpowiedzi. Marysia usłyszała kiedyś taśmę z tymi głupotami i spodobały jej się na tyle, że wykorzystała cztery fragmenty w swojej książce „Na wyspach Hula-Gula". Nazywało się to „Podwójny żywot Piotra F.", a tytuł wziął się stąd, że słuchowisko było przeznaczone dla zespołu naszego przyjaciela, Roberta Koniarza, w którym grał pianista i znany kompozytor, Piotr Figiel (również z nami zaprzyjaźniony).

Zając wieczny poszukiwacz (lata siedemdziesiąte)

Wojciech Karolak
PODWÓJNY ŻYWOT PIOTRA F.

(szum i trzaski z radia. Spikerka – Ula Dudziak – zapowiada program)

Nadajemy audycję literacką. Pierwszy odcinek powieści radiowej pod tytułem „Podwójny żywot Piotra F." przeczyta Przeździesław Dziergoń.

(radio dalej szumi i trzeszczy, a pan Dziergoń – Wojciech Karolak – czyta)

„WIOSNA"

Piotr F. wyszedł przed przód chałupy i rozpostrzegnął zgarbnięte do tej pory ramiona. Był maj. Dookoła pleniły się ożywki i jagonki, a dobiegający z oddali złowieszczy szczebiot uganiających się rehaków zdawał się unosić nad kołowrotkiem jego nieuczesanych skojarzeń. Piotr F. zaczerpnął górskiego powietrza z pobliskiej studni. Cięciwa jego zmysłów, szarpana czułym palcem wydarzeń, wydawała dźwięk ostry… choć nie za ostry… niski… choć niezbyt niski…

Dlaczego prowadzę podwójny żywot? – zadał sobie znienacka pytanie.

Dlaczego zadaję sobie to pytanie? – zapytał już w następnej sekundzie.

(…)

"LATO"

Piotr F. wyszedł przed przód chałupy i rozpostrzegnął zgarbnięte do tej pory ramiona. Był czerwiec. Lipcowe słońce leniwie pieściło rozpościerający się dookoła całokształt przyrody. Złociste promyki, lawirując wśród przyjaźnie nastawionych gałązek, strącając tu i ówdzie ożywkę czy jagonkę, spadały na obficie zatrawioną glebę, aby ześlizgnąć się w końcu w ciemnobrunatną glazurę szmaragdowego jeziora. Gdzieś tam spracowane ręce kończyły ugniatać ziarno, gdzieś odłożona na bok kosa zachybotała niezdecydowanie, jakby chciała powiedzieć: "I to by było na tyle, pora na spożywek!". Wszystko to działo się daleko od chałupy Piotra F., który choć zrośnięty przecie z tą ziemią jak przygłówek starego dębu, nie ogarniał jednak wielokształtu spraw. Był sobie sam. Pełną piersią zaczerpnął powietrza z pobliskiej studni... Cięciwa jego zmysłów, niezbyt napięta już od rana, trwała w sennym bezruchu i pewnie nic by nie zmąciło tego błogostanu, gdyby nie przelatujący nad modrzewiowym sadem ślepawy cipiór. Niewielki błąd krótkowzrocznego nawigatora wykrzywił niebezpiecznie parabolę, coś zamigotało, coś zaświrknęło i Piotr F. poczuł uderzenie w głowę. Wyrwany jakby ze snu, pojął, iż biedny cipiór zaplątał się w jego jasnych, krótko przystrzyżonych włosach, opadających w miękkich puklach na ramiona. Rozgarnąwszy je, wyswobodził ptaszynę. Cięciwa jego zmysłów zabrzmiała delikatnym szarpnięciem. To zdarzenie obudziło go.

Dlaczego prowadzę podwójny żywot? – zadał sobie znienacka pytanie, nurtujące go od pewnego czasu.

Dlaczego zadaję sobie to pytanie? – zadumał się już w następnej sekundzie.

(...)

"JESIEŃ"

Piotr F. wyszedł przed przód chałupy i rozpostrzegnął zgarbnięte do tej pory ramiona. Zauroczon mglistym zaświtem listopadowego poranka, zapomniawszy o cięciwie swoich zmysłów, stał jakoby dumny posąg, z kamionowej wapni ukuty – cichością piękny, w godności swej niewzruszony.

Była jesień. Kształtne uszy Piotra F., które stracił onegdaj wskutek odmrożenia, muskał delikatny szypot cipiórów odlatujących na południe. Zamilkły ukryte pod poszywką gleby ożywki i jagonki. Usłabł jakby złowieszczy szczebiot wszędobylskich rehaków. Już ci on nienatrętny, już mniej złowieszczy, z dala przez mgielną szarugę bieżąc, harmoniję pełną pauz tworzył. Raptem coś zmąciło tę symfonię...

Z oddali nadbiegło żużlenie nadjeżdżającej nowiny. Cięciwa zmysłów Piotra F. napięła się! Mógłże to być Leon? Tak!!! Nie mylił się! To on! Wierny niedźwiedź polarny powracał ręcznym zaprzęgiem z krainy wiecznego śniegu, by uwić swe gniazdo na chałupie Piotra F.

Na zimę idzie! – pomyślał rozbudzony Piotr F. i zupełnie nieoczekiwanie zdał sobie sprawę z tego, że nie zdawał sobie sprawy z tego, co go tak gnębiło.

Dlaczego prowadzę podwójne życie? – zadał sobie znienacka powracające jak bumerang pytanie.

Dlaczego nie potrójne? – zapytał niemal w tej samej chwili i olśniony tą zupełnie nową koncepcją, zaniechał szukania odpowiedzi na pytanie pierwsze.

(...)

„ZIMA"

Piotr F. wyszedł przed przód chałupy i zgarbnął rozpostrzegnione do tej pory ramiona. Skrzypienie białego brzydactwa zmroziło cięciwę jego zmysłów, która zamiast, jak zwykle, szarpanego dźwięku wydała z siebie suche kaszlnięcie.

Był styczeń. Ożywki i jagonki spały głęboko pod poszywką, a o obecności rehaków, jeszcze niedawno szczebioczących złowieszczo, dziś świadczyły jeno ślady czterolistnych raciczek odciśniętych w śniegu. Opustoszała i oszroniała stercząca w oddali wieża triangulowa, niegdyś miejsce spotkań odleciałych teraz cipiórów. Zamilkło wszystko. Nawet czworonożny przyjaciel Piotra F., stary azor imieniem Reks, zwinięty w swej budzie w kłębek, do którego by nie dojść i po nitce, zapadł w zimowy sen i już od tygodnia nie zagadał do swego pana... Jeno wierny niedźwiedź polarny Leon, od lat przylatujący tu na zimę, by uwić sobie gniazdo na chałupie Piotra F., o czym już wspominaliśmy, podśpiewywał teraz za tyłem chałupy o jakiejś Soplicy, rozgrzewając się co jakiś czas łykiem gorącej herbaty z kawą.

Proste, szczęśliwe zwierzę! – pozazdrościł mu Piotr F. – A ja?... Dlaczego prowadzę podwójne życie? – zadał sobie już niemal machinalnie dręczące go od wiosny pytanie.

Dlaczego od wiosny zadaję sobie, już niemal machinalnie, to pytanie? – zapytał w tej samej chwili i po raz pierwszy zastanowił się nad odpowiedzią. – Może... – kombinował w to zimowe, mroźne samo południe, przytupując dla rozgrzewki i chuchając w zgrabiałe, ale jak zawsze, silne, spracowane ręce – może zadaję sobie to pytanie z prostej ciekawości?

WK: Zabawa w nagrywanie tych słuchowisk to był świetny sposób na spędzanie czasu. Bo my byliśmy cały czas dyskretnie zaintoksykowani…

MC: Dyskretnie?

WK: Powiedzmy, że na tyle elegancko, żeby się za bardzo nie rzucało w oczy. Staraliśmy się. Po południu wstawało się na lekkim kacyku, to się dawało lekkiego klinika…

MC: A gdzie w tym wszystkim twoja żona była?

WK: Ze mną.

MC: Ale widywaliście się?

WK: Oczywiście. Mieszkaliśmy razem. Ale ona raczej nie przepadała za naszą dyskretną elegancją…

MC: A za tobą przepadała?

WK: Nie wiem. Teraz po latach podziwiam jej wytrzymałość. Czasem była z nami, czasem jej nie było, bo pracowała w Sztokholmie u pana Steinhorna, który bardzo ją chwalił i mówił, że jest szalenie rzetelna, bo jak się położy na stole 5 koron, to ona nie weźmie.

AA: Sprawdziłeś kiedyś? Położyłeś na stole 5 koron? A jak z większymi nominałami? Do ilu koron była rzetelna?

MC: Zanim odpowie, jedna uwaga. Przy mnie nie położył na stole nawet jednej korony. Bałeś się, że capnę?

WK: Po pierwsze, w naszym mieszkaniu nie ma stołu, po drugie, od kiedy jestem w Polsce, nie używam koron, a po trzecie, moje zarobki nie zachęcają do przeprowadzania takich testów, więc życie ze mną wymusza bezgraniczną rzetelność. Aha. Po czwarte, w życiu nie przyszłoby mi do głowy, żeby cię sprawdzać.

AA: A panią Bożenkę?
WK: Też nie.
MC: Pewnie tym bardziej nie. Ale zmieniając temat… A żona występowała w tych waszych słuchowiskach?
WK: Rzadko. Ale raz zrobiłem dla Michała [Urbaniaka] takie słuchowisko, w którym występowała pani Bożenka i Węgier, który mówił dobrze po serbsku.

AA: MC: ???
WK: Zrobiłem go narratorem mówiącym po polsku.
MC: Dlatego że dobrze mówił po serbsku?
WK: Właśnie dlatego. Świetnie nam się rozmawiało. I pani Bożenka tam też grała.

AA: Pani Bożenka to pierwsza żona?
WK: Tak
MC: Bardzo ładna. Tak od wszystkich słyszałam. I widziałam zdjęcie. Niestety, rzeczywiście piękna.

AA: Wojtkowi to chyba nie przeszkadzało?
WK: Zupełnie. Podobnie jak to, że była niegłupia.
MC: Jeszcze mądrzejsza ode mnie?
WK: Hmm… Aż się dziwię, że wytrzymała ze mną siedem czy osiem lat małżeństwa. Była bardzo zdolną plastyczką, studiowała scenografię na Akademii Sztuk Pięknych w Krakowie. Mogę o niej mówić tylko dobrze. Miała dużo lepszy charakter, niż się na początku wydawało. A wydawało się, bo była wtedy rozpuszczona. Chciało ją poderwać pół Krakowa. I drugie pół Warszawy. Kiedyś w czasie sylwestra w Stodole zaczął się do niej przystawiać Kobiela, a ja w pijanym widzie rzuciłem w niego krzesłem…

MC: Czyli ją musiałeś bardziej kochać niż mnie. W mojej sprawie chciałeś tylko palnąć Zapasiewicza. I to nie krzesłem, tylko „z liścia". Co zresztą skończyło się na dobrych chęciach.

WK: Przykro mi, że się nie wykazałem…

[Dla przypomnienia sytuacji – fragment z książki „Każdy szczyt ma swój Czubaszek". Marysia opowiada o „szlaku knajp", którym poruszała się po Warszawie: „…kończyło się na ogół w «Ścieku» – nocnej knajpie w Stowarzyszeniu Filmowców Polskich. I potem, kiedy już się znaliśmy z Karolakiem, oprowadzałam go nieraz tą trasą… Wchodzimy do «Ścieku», przy drzwiach mijamy Zbyszka Zapasiewicza, który na mój widok powiedział: «O, Ewa mojego życia!». Tak sobie chlapnął. Też nic nas nie łączyło, poza sympatią. Znaliśmy się z radia, lubiliśmy się. A Wojtek od razu pomyślał, że to nie wiadomo co znaczy. I nawet doszło do jakiejś wymiany zdań między nimi. Wojtek w ogóle nie miał intuicji. Był zazdrosny o tych, o których wcale nie miał powodu, a ci, o których mógłby, nawet mu na myśl nie wpadli. Mówię oczywiście o czasach narzeczeństwa, bo w małżeństwie już nie musiał być o nikogo zazdrosny…" – przyp. AA.]

MC: A Bożenka podobno bardzo ciebie kochała. Kiedyś opowiadała mi o tym Ania Seniuk. Byłyśmy razem na jakimś spotkaniu i w pewnym momencie Ania spytała: „A czy ty poznałaś żonę twojego męża?". Trochę się zdziwiłam, ale uściśliła, że nie chodzi o mnie, tylko o „żonę Bożenkę". One były koleżankami. I znała twoją mamę. To znaczy Ania znała. Twoja żona chyba miała okazję poznać mamę?

WK: Miała tę… Trudno to nazwać w tym kontekście przyjemnością… miała okazję poznać moją mamę. Mama nie przepadała za moimi kobietami. I nie była dla nich zbyt miła. Chyba zbyt poważnie traktowała wymuszoną na mnie w dzieciństwie obietnicę, że się z nią ożenię. Ilekroć pojawiała się obok mnie jakaś kobieta, nie mogła raczej liczyć na serdeczność mojej matki.

MC: Na nasz ślub nie przyjechała, a jak wysyłała listy do Wojtka, to na kopercie był zawsze dopisek: „Niech ta osoba nie czyta". Ja byłam „tą osobą". A kiedyś przed świętami przyszła kartka, więc ja z ciekawości...

AA: Ta osoba przeczytała?

MC: No! Chociaż na kartce, tzw. odkrytce, też był dopisek „Niech ta osoba nie czyta", to jednak nawet, nie tyle z ciekawości, co z przekory, przeczytałam. I na tej kartce było pytanie, czy może mu na święta przysłać trochę jedzenia, bo może „ta osoba" jeść mu nie daje.

WK: Dlatego zwlekaliśmy z waszym spotkaniem. Mimo że tuż po poznaniu się spędzaliśmy święta w Krakowie. Pojechaliśmy na tydzień do Hotelu Francuskiego, żeby wśród wielkiej ilości szampana, żytniej i śledzika po japońsku przeżyć niezapomnianą akcję pod tytułem „Państwo się bawią".

MC: Ten pobyt w hotelu załatwił nam Jurek Markuszewski. To było trudne przed świętami, a on miał jakieś znajomości. A „Państwo się tak bawiło", tak strasznie się kłóciliśmy, że chcieli nas wyrzucić z hotelu.

AA: Zdewastowaliście pokój?

WK: Nie, wprawdzie już w Sztokholmie grałem w rockowym zespole, ale nigdy nie dewastowałem pokoi hotelowych.

MC: On tylko przez wiele lat dewastował swój organizm. Nie biliśmy się. Ale wrzaski były straszne. I naskarżyli Markuszewskiemu, który urządził mi potem awanturę, że mu wstydu narobiłam.

WK: I jak tu w takich okolicznościach przedstawiać mamusi „tę osobę"?

„BOKS NA PTAKU". Współczesne przygody hotelowe Marii Czubaszek nie są już tak burzliwe. Pobyt w każdym tego typu miejscu zaczyna od próby załatwienia pokoju dla palących. Jeśli takiego w hotelu nie ma, co zdarza się coraz częściej, większą część nocy, bez względu na warunki atmosferyczne, Maria Czubaszek spędza na balkonie lub wychylona przez

Oświadczyny

okno. Wychylona bardzo, żeby dym z papierosa przypadkiem nie dostał się do czujnika przeciwpożarowego znajdującego się w pokoju. Marysia jest oryginalnym gościem hotelowym, ponieważ wzbogaca minibary. Często przywozi ze sobą napój energetyczny, wkłada go do lodówki w celu schłodzenia, po czym o nim zapomina. Wyobrażam sobie zdziwienie pani pokojowej, która po sprawdzeniu stanu minibaru stwierdza o dwie puszki więcej, niż było poprzedniego dnia.

MC: A ty się pani Bożence oświadczyłeś?

WK: Nie. Mój stosunek do takich ceremonii najlepiej ilustruje rysunek, który zrobiłem ponad dwadzieścia lat temu [patrz str. 89 – przyp. AA]. Poza tym i tak bym się nie odważył, bo wszystkie moje próby zaklepania sobie miejsca obok jakiejś pani kończyły się z reguły niepowodzeniem. Ja się zakochiwałem, a po chwili byłem wysyłany na drzewo. Pewnie dlatego, że zawsze podobały mi się wątłe, drobne, eteryczne panienki, a z mojego doświadczenia wynika, że one gustują w facetach typu spocony komandos.

MC: No ale przecież pocisz się trochę.

WK: Wtedy się jeszcze nie pociłem…

MC: To ja już miałam więcej szczęścia… Już się pocił…

WK: Nie ja sam z siebie, tylko dlatego, że zacząłem grać bluesa. Prawdziwy bluesman musi się pocić.

AA: Z panią Bożenką skończyło się gwałtownie czy łagodnie?

WK: Łagodnie i w atmosferze wzajemnego zrozumienia. Wyjechałem ze Szwecji do Szwajcarii, gdzie dołączyłem do Michała Urbaniaka. Potem Michał wyjechał do Stanów, a ja do Polski. Małżeństwo istniało tylko formalnie, ale już i ja, i pani Bożenka czuliśmy się ludźmi wolnymi. Rozwód odbył się korespondencyjnie za obopólną zgodą i radością.

AA: Spotkaliście się jeszcze kiedyś?

WK: Raz, w Sztokholmie. Była już panią Johansson.

MC: Wyszła za Szweda? Też za obopólną zgodą i radością?

WK: Nie pytałem, ale to chyba oczywiste.

MC: Reasumując, jest osobą zgodną i radosną.

WK: No właśnie. Jakiś czas potem dowiedziałem się, że rozwiodła się z panem Johanssonem i wyjechała do Francji.

AA: Marysia tak dobrze mówi o twojej pierwszej żonie, to może ty byś dobrze powiedział o jej pierwszym mężu?

WK: Uważam, że był bardzo przystojnym mężczyzną...

MC: A nie było widać.

WK: Kilka razy widziałem pana Czubaszka prowadzącego jakiś program telewizyjny i uważam, że miał klasę.

MC: Mamy inne gusta.

WK: Rzeczywiście, ale wcale mi to nie przeszkadza.

MC: Nie polubilibyście się.

WK: Sądząc po tym, co o nim opowiadałaś, mógłby być z tym problem.

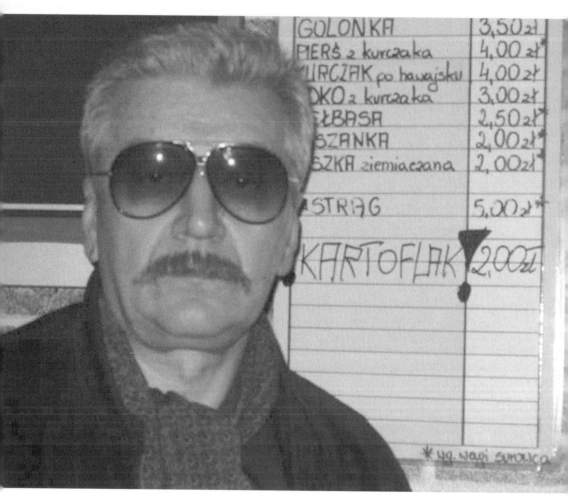

Z cyklu „Tanio i dobrze" – „Kartoflak 2 złote"

Maria Czubaszek
LATO Z RADKIEM

Na początku zadzwonił do mnie, telefonem zresztą, mój cioteczny wujek. Wujek jest leśniczym w Bieszczadach. I ma leśniczówkę. Jak to wujek. No więc zadzwonił do mnie na początku czerwca i zaproponował, żebym do niego przyjechała. Powiedziałam, że raczej nic z tego nie będzie, bo lato spędzam w mieście.

– Dlaczego? – zdziwił się.

– Bo nigdzie nie wyjeżdżam.

– To wyjedź! Raz możesz spędzić lato w lesie! Wspaniała leśniczówka, cudowne powietrze, woda...

– Gorąco też? – wolałam się upewnić.

– Woda letnia! Ale za to pełno w niej ryb! Przyjedź, to sama zobaczysz.

– Co to! – oburzyłam się. – Wuj myśli, że ryby nie widziałam?!

– Nie chodzi tylko o ryby! Są także sarny, jelenie, zające...

– W rzece? To ciekawostka przyrodnicza!

– Nie w rzece, tylko w lesie! – zdenerwował się wuj i tonem nieznoszącym zgody powiedział: – Nie daj się dłużej prosić i przyjeżdżaj! Na pewno nie będziesz żałować! Jak to się mówi, nie czas żałować róż, gdy czeka las!

Gdyby nie to, że kocham swego ciotecznego wuja jak rodzonego brata i nie potrafię niczego mu odmówić, oczywiście nigdy bym nie pojechała na tę leśniczówkę! Ale cóż... serce nie sługa, niestety! Jeszcze tego samego dnia ruszyłam w drogę!

Z nieodłącznym chlebaczkiem i maszyną do szycia, bez której nigdzie się nie ruszam, wsiadłam w pierwszy lepszy pociąg i po kilku godzinach wysiadłam na małej stacyjce w Bieszczadach. Wyjęłam ze stacyjki kluczyki, zamknęłam dobrze drzwi i poszłam, na azymut zresztą, do leśniczówki.

Żywiąc się leśnymi jagodami, pijąc wodę z górskich strumyków i sypiając w przydrożnych dziuplach, straciłam poczucie czasu... Nie mam pojęcia, kiedy dotarłam wreszcie do leśniczówki... Może minęło 15 minut, a może 20? Naprawdę nie wiem! Ale czy ja muszę wszystko wiedzieć? Wiem jedno. Kiedy zastukałam do drzwi leśniczówki, zamiast ciotecznego wuja odpowiedziała mi głucha cisza.

Gdzieś tylko zahukała sowa... Dreszcz przeszedł mi po plecach... Zahukałam, to znaczy zapukałam po raz drugi.

I po raz drugi, zamiast ciotecznego wuja, odpowiedziała mi głucha cisza. Gdzieś tylko zahukał puszczyk...

Przerażona, postawiłam swą nieodłączną maszynę do szycia na ziemi i zaczęłam walić do drzwi obiema pięściami.

Po raz trzeci, zamiast ciotecznego wuja, odpowiedziała mi głucha cisza.

Nad głową, w koronie drzew złowieszczo zakląskała kukułka... Nacisnęłam klamkę. Drzwi otworzyły się. Zajrzałam do sieni...

– Wuju! To ja! Stegna!

Po raz czwarty, zamiast... itd. odpowiedziała mi głucha cisza.

Na palcach prawej ręki weszłam do sieni... Zajrzałam do pokoju...

Na prostym, drewnianym stole z Cepelii zobaczyłam jedno nakrycie... i dwa kieliszki. Jeden pusty, drugi niemal pełny wina. Tknęło mnie złe przeczucie. Ktoś, niewykluczone, że morderca, przyszedł do wuja i zaproponował mu po kieliszku mistelli... Nieprzeczuwający niczego złego wuj wyjął szkło... Morderca napełnił dwa kieliszki. A kiedy wuj odwrócił się na chwilę... morderca nasypał do jednego z kieliszków cyjanku.

– No to chlup w ten głupi dziób! – zażartował, podsuwając mojemu ciotecznemu wujowi kieliszek z trucizną. Wuj, który nie przeczytał w życiu ani jednej książki kryminalnej, naiwny jak pijane dziecko we mgle wypił do dna. Tak musiało być!

Na wszelki wypadek zdjęłam odciski z obydwu kieliszków i zaczęłam szukać ciała...

W drugim pokoju zobaczyłam męską kurtkę... ale nie było w niej ciała wuja...

Brakowało również trzech guzików. Przyniosłam maszynę do szycia i przyszyłam je... Za oknem zawył zając... Zrobiło mi się nieprzyjemnie... Zastanowiłam się jeszcze raz, gdzie morderca mógł schować ciało... W szafie! Jasne!

Właśnie miałam ją otworzyć, kiedy w sieni skrzypnęła podłoga... Ktoś wszedł do leśniczówki. Morderca zawsze wraca na miejsce zbrodni! – przebiegło mi przez głowę i nie namyślając się dłużej, otworzyłam drzwi szafy i ukryłam się wewnątrz. Przez uchylone drzwi obserwowałam, co się dzieje na zewnątrz. Kroki, najwyraźniej męskie, zbliżały się. Jeszcze sekunda i do pokoju wszedł... niedźwiedź. Normalny, biały niedźwiedź. Podszedł na dwóch łapach do stołu, przeciągnął się i głośno ziewnął...

Serce biło mi tak głośno, że mógł usłyszeć. W tym momencie niedźwiedź zaczął... zrzucać skórę. Nie wierzyłam własnym oczom. Gdyby to był wąż, nie byłoby w tym nic nadzwyczajnego. Pamiętam ze szkoły, że węże zrzucają skórę... ale niedźwiedzie?! W dodatku białe?!?

Na wszelki wypadek uszczypnęłam się. Krzyknęłam z bólu. Niedźwiedź, potykając się o zrzuconą skórę, jednym skokiem znalazł się przy szafie. Otworzył drzwi...

– Co pani tu robi?!? – zapytał.

– Nic. Siedzę sobie. Jak to w szafie.

– Skąd pani tu się wzięła?!

– Z Warszawy. Właśnie dzisiaj przyjechałam. Weszłam do leśniczówki, zobaczyłam otwartą szafę, to sobie weszłam. Po prostu.

– I nie ma pani zamiaru z niej wyjść?!

– Dlaczego? Mam. – Co mówiąc, jak gdyby nigdy nic wygramoliłam się z godnością z szafy i na miękkich nogach stanęłam przed niedźwiedziem. Spojrzałam mu prosto w oczy. Słyszałam, że jest to niezawodny sposób speszenia zwierząt. Ale niedźwiedź nie wyglądał na speszonego. Nawet w najmniejszym zakresie. Zrzucił do końca skórę i wskazał mi łapą stół.

– Po podróży jest pani pewnie głodna. Proszę do stołu!

– Dziękuję. Przedtem chciałam się dowiedzieć, gdzie jest mój wuj? – zapytałam odważnie.

– Jaki wuj?

– Cioteczny. Nie ma go.

– Jego sprawa. Proszę usiąść, a ja muszę trochę się odświeżyć. Cholernie gorąco w tym futrze! – Wskazał łapą na zrzuconą skórę.

– A pan... – wydukałam. – Przepraszam... jak się do pana właściwie mówi?

– Radek.

– Stegna. Bardzo mi przyjemnie...

– A mnie będzie znacznie przyjemniej, kiedy się umyję! W tym futrze naprawdę spociłem się jak wszyscy diabli! Zaraz wracam!

Kiedy wyszedł, podeszłam do zrzuconej przez niego skóry. Dotknęłam białego futra. To było najprawdziwsze futro niedźwiedzia! Zwierzę trochę leniało... Na wszelki wypadek schowałam parę kłaczków do koperty. Niewykluczone, że będzie trzeba zrobić analizę... Teraz usiadłam przy stole. Powąchałam pozostałe w kieliszku wino. Odetchnęłam. Mam znakomity węch, ale nie poczułam charakterystycznego dla cyjanku zapachu migdałów. W tym samym momencie uświadomiłam sobie, że niedźwiedzie nie mają zwyczaju truć swych ofiar. Biedny wuj!!

– No! Czuję się jak nowo narodzony, słowo honoru! Napijemy się po kieliszeczku? – zaproponował, ręcznikiem wycierając głowę. Mówiąc precyzyjnie – proponował ustami, głowę wycierał ręcznikiem.

– Nie wypiję ani kropli, póki nie dowiem się, co jest z moim ciotecznym wujem! – Postanowiłam pokazać, że się go nie boję.

– A skąd ja mogę wiedzieć?!

– Nie był żylasty? – próbowałam go zaskoczyć serią pytań.

– A ile miał lat?

– 60. Ale świetnie się trzymał! Wyglądał najwyżej na 59!

– Pogratulować! To jak? Chlapniemy po dziobie?

– Pierwsze słyszę, żeby niedźwiedź miał dziób!

– Dobre! – Śmiech miał perlisty. – Słowo honoru, bardzo dobre! Podoba mi się pani!

– A mnie coraz mniej podoba się ta cała historia! Nie spocznę, póki nie znajdę wujka! Musiało coś chyba z niego zostać! To był kawał chłopa! Metr sześćdziesiąt pięć...

– Nie przesadzajmy! Wzrost raczej przeciętny jak na mężczyznę...

– Tak czy inaczej, nie wyobrażam sobie, że można go było... w całości... Nie! To straszne! Nawet nie mogę o tym myśleć!

– To zmieńmy temat. A przedtem napijmy się po maluchu. – Co mówiąc, napełnił czyste kieliszki i jeden mi podsunął. Po czwartym poczułam się raźniej. Radek był nawet całkiem sympatyczny... jak na niedźwiedzia, oczywiście.

– Pierwszy raz słyszę – wzięło mnie na odwagę – żeby... przepraszam za wyrażenie, zwierzę, mówiło ludzkim głosem!

– Jakie zwierzę? – udał zdziwionego.

– Niedźwiedź.

– Jaki niedźwiedź? – znowu udał.

– Normalny! Biały! Przecież mam oczy!

– To pani myśli, że ja jestem niedźwiedziem?!?

– A kim? Zającem? Kiedy wyszedł pan, obejrzałam dokładnie tę skórę, którą pan zrzucił! Mnie pan nie okłamie! Znam się na zwierzętach, niestety!!!

– A to dobre!!! Jestem niedźwiedziem!!! – Jego śmiech na pewno słychać było poza leśniczówką.

– Każdy jest, kim jest. Nie ma się czego wstydzić!

– Oczywiście! Tyle tylko że nie jestem akurat niedźwiedziem! Jeżeli to panią rozczaruje...

– A ta skóra?

– Jest prawdziwa! To mój strój roboczy! Dzieci robią sobie ze mną zdjęcia! W lesie, z niedźwiedziem!

– W Bieszczadach, z b i a ł y m niedźwiedziem?!

– Brązowego futra nie było akurat. To kupiłem białe. W końcu dla dzieciaków to żadna różnica!

Zrobiło mi się głupio. Jak mogłam tak się wygłupić?! Żeby normalnego mężczyznę wziąć za białego niedźwiedzia?!

A pan Radek okazał się wyjątkowo uroczym człowiekiem. Jego urok osobisty sprawił, że już po dwóch tygodniach zapomniałam o ciotecznym wuju, który zniknął, w sposób tyleż tajemniczy, co dziwny. Ale wakacje miałam cudowne! Chodziliśmy z panem Radkiem po lesie, łapaliśmy zające, tropiliśmy borsuki i borsamce, zbieraliśmy leśne runo i dla hecy pohukiwaliśmy na siebie, udając do złudzenia głos kukułki. Pan Radek, a po miesiącu po prostu Radek, nauczył mnie rozróżniać sarny od królików, jelenie od muchomorów i bobry od bobu... A kiedy zdarzyło mi się jeszcze pomylić dzika z bocianem, śmialiśmy się jak dzieci i dokazywaliśmy do świtu...

Po miesiącu nagle przypomniałam sobie o ciotecznym wujku.

– Radku! A teraz może powiedz mi wreszcie, co się stało z moim wujem?

– Słowo honoru, że nie mam pojęcia. Nie znam człowieka!

– Nie kłam! Dzień przed tym, kiedy tu przyjechałam, rozmawiałam z nim! Sam do mnie zadzwonił!

– Ale skąd?

– Z leśniczówki! Zaprosił mnie na całe lato! A przecież gdyby miał wyjechać, toby mnie nie zapraszał! Albo przynajmniej powiedziałby, że wyjeżdża. A tymczasem przyjeżdżam nazajutrz do leśniczówki, a wuja ani śladu! Byłeś natomiast ty!

– Rzeczywiście dziwne...

– A widzisz!

– Jesteś pewna, że wujek mieszkał w tej leśniczówce?

– Jak to – w tej??! A są w Polsce inne leśniczówki?!?

– Dobre!!! Uważasz, że w Polsce jest jedna, właśnie ta leśniczówka?!?

– A więc jest więcej?!? – zaczynałam wątpić.

– Słowo honoru, jesteś cudowna!!!

– Nie przesadzaj... Jestem, jaka jestem... To myślisz, że wujek może na mnie czekać w innej leśniczówce?!

– Oczywiście! Nie znasz jego adresu?!

– Wiedziałam, że mieszka w leśniczówce. W Bieszczadach. No więc kiedy zobaczyłam tę leśniczówkę, byłam pewna, że to jego...

– W Bieszczadach jest kilkadziesiąt leśniczówek!

– Aaa, to ja nie wiedziałam, przepraszam. Ale czy ja muszę wszystko wiedzieć? Wiem jedno! I tak spędziłam najcudowniejsze wakacje! – powiedziałam, patrząc Radkowi w oczy.

– Wiem, Stegno. Ale jeszcze nie wieczór. Lato jeszcze się nie skończyło! No, komu w drogę, temu w las!

I jak zawsze o tej porze, wzięłam swój nieodłączny chlebaczek i maszynę do szycia, bez której się nie ruszam, i poszliśmy z Radkiem na wspaniałą wycieczkę. Do rana biegaliśmy po lesie, tropiąc zwierzynę i jedząc jeżynę. A kiedy przyszedł nocny chłód, Radek narzucił mi na ramiona swoją skórę niedźwiedzia, z którą się nie rozstawał... Mimo że zrobił sobie urlop od zdjęć...

Byłam szczęśliwa! A może nawet szczęśliwsza?!

I oto któregoś dnia, kiedy wyjątkowo byłam sama na spacerze, zobaczyłam gniazdo leśnych pszczół. Ponieważ ostatnio miałam stale apetyt na kiszone ogórki /których o tej porze roku nie było/, zamarzył mi się na odmianę miód. Pobiegłam więc do leśniczówki i powiedziałam Radkowi, że trafiłam na gniazdo pszczół. I że pewnie jest tam miód.

– Niewykluczone. Pszczoły ściągają miód – powiedział ze znawstwem.

– A miód ściąga niedźwiedzie. Dlatego nastraszyłam się... Ale ty chyba się nie boisz? Dla niepoznaki możesz włożyć swoją skórę...

– Myślisz, że białe niedźwiedzie też lubią miód?

– Nie wiem, co lubią białe niedźwiedzie, ale czy ja muszę wszystko wiedzieć?! Wiem tylko, że mam ochotę na miód!

Radek, jakby się lekko ociągając, poszedł do lasu. Kiedy nie wrócił nazajutrz rano, zaniepokoiłam się. Może go pszczoły pogryzły?! Poczekałam jeszcze parę godzin, a następnie przerzuciłam przez ramię swój nieodłączny chlebaczek, wzięłam na plecy maszynę do szycia, bez której się nie ruszam, i poszłam do lasu. Szybko znalazłam miejsce, gdzie były leśne pszczoły i powinien być miód. I Radek. Ale Radka nie było. Zaczęłam się rozglądać. W pewnym momencie usłyszałam, że w pobliskich zaroślach coś się rusza...

– Radek?!? – zapytałam.

Z zarośli wyszedł brunatny niedźwiedź. Stał na dwóch łapach i patrzył na mnie. Zdrętwiałam z przerażenia. Niedźwiedź zaczął iść w moim kierunku. Rzuciłam się do ucieczki. Zatrzymałam się na małej stacyjce. Kiedy znalazłam kluczyki, nadjechał właśnie akurat pierwszy lepszy pociąg. Wskoczyłam do ostatniego wagonu i w tym momencie stanęłam jak wryta. W korytarzu stał mój osobisty, cioteczny wujek. Rzuciłam mu się w ramiona. Kiedy doszłam trochę do siebie, zaczęliśmy gawędzić o tym i owym. Między innymi zgadało się, dlaczego nie przyjechałam do niego do leśniczówki. Opowiedziałam mu wszystko, jak było. Kiedy doszłam do brunatnego niedźwiedzia, którego zobaczyłam zamiast Radka, wuj zbladł jak niebieska koszula po pierwszym praniu. Po chwili dopiero, łamiącym się głosem, wyjaśnił, że w pobliskiej leśniczówce zagnieździł się brunatny niedźwiedź, który miał zwyczaj pozować do zdjęć w ludzkiej skórze... Natomiast na co dzień chodził podstępnie w skórze b i a ł e g o niedźwiedzia... Na ogół był bezpieczny... Ale jak każdy niedźwiedź był straszliwym łasuchem... I kiedy zobaczył miód, odzywała się w nim jego prawdziwa natura... Wówczas stawał się niebezpieczny... Zrzucał skórę białego niedźwiedzia, następnie ludzką, i jako brunatny niedźwiedź...

Zemdlałam. Kiedy ocknęłam się, dojeżdżaliśmy akurat do Warszawy Centralnej. Miasto w lecie jak zawsze było cudowne!

Ale tego lata w mieście, spędzonego zresztą w Bieszczadach, w leśniczówce, z Radkiem, długo nie zapomnę! Może nawet jeszcze dłużej!?!

AA: Z Marysi trzeba było wyciągać wspomnienia z dzieciństwa...

WK: Ze mną będzie łatwo.

AA: Urodziłeś się w Warszawie?

WK: Tak. Ale dość szybko z niej wyjechałem. Tu, w Warszawie, mieszkaliśmy na Sadybie w willi aktora Władysława Waltera, który przyjaźnił się z moim dziadkiem, też aktorem Józefem Orwidem. I to chyba Orwidowie załatwili nam to mieszkanie. Ostatnia willa na ulicy Iwonickiej, róg Sobieskiego. Do dzisiaj stoi ten dom.

AA: Zaraz! I ty nic nie mówisz, że Józef Orwid był twoim dziadkiem?!

WK: Przecież właśnie powiedziałem.

AA: Ale wcześniej powinieneś. Ta książka powinna się rozpocząć od zdania: „Moim dziadkiem był znany przedwojenny aktor – Józef Orwid". Mów, co pamiętasz. O dziadkach.

WK: Rozpieszczali mnie do granic możliwości. Chyba codziennie dostawałem nowego, fantastycznego misia. Pamiętam jednego giganta, dużo większego ode mnie. Wszystkie były kupowane u braci Jabłkowskich, tam gdzie obecnie jest Traffic.

MC: Teraz, jak chce mieć misia, to musi sobie ukraść.

WK: Raz ukradłem.

Mały Zając. Czyli Wojciech Karolak na zdjęciu trikowym zrobionym przez ojca (wczesne lata pięćdziesiąte)

AA: To ciekawy wątek, obiecuję do niego wrócić. Ale teraz o dziadkach.

WK: Z tego co sobie mgliście przypominam, w lecie często pomieszkiwałem u dziadków, rezydując głównie na wielkim balkonie.

MC: Ale na noc wpuszczali cię do domu?

WK: Kiedy tylko chciałem, bo robiłem z nimi, co chciałem. Pamiętam piękne, słoneczne dni spędzane na tym balkonie. Absolutny błogostan, przerywany od czasu do czasu wyciem syren. Strasznie się bałem tego dźwięku, mimo że nie zdawałem sobie sprawy z tego, co to znaczy. Dopiero potem, kiedy zaczęły się naloty i bombardowania… To już nie było przyjemne. Ale w końcu jakoś przechodziło. Z kolei u nas, w willi na Iwonickiej, AK-owcy mieli na pierwszym piętrze stanowisko strzeleckie. Grzali w hitlerowców z karabinów maszynowych aż miło, a mama kopała pod ich kulami kartofle, żeby nas nakarmić. A potem znów byłem u dziadków. U nich było wspaniale. Właściwie chyba częściej byłem u nich niż w domu. Nie mogli żyć beze mnie, a ja bardzo lubiłem być z nimi.

MC: Stąd taką słabość do Wojtka ma pan Wiesław Michnikowski…

AA: Bo pomieszkiwał u dziadków? Nie wiedziałem, że Wiesław Michnikowski ma słabość do tych, których przed wojną rozpieszczali dziadkowie.

MC: Nie! Ze względu na Orwida. Pan Michnikowski uwielbiał Orwida, wykonywał jego teksty.

WK: O tym, że Józio, bo tak wszyscy na niego mówili… Że Józio oprócz grania w teatrze i filmie pisał teksty, dowiedziałem się właśnie od pana Wiesława Michnikowskiego, który je dotąd wykonuje. Być może mówiła mi o tym kiedyś mama, ale ta informacja mogła utonąć w morzu tego, co chciała mi zawsze przekazać.

Józef Orwid
ZDENERWOWANY JESTEM

Zdenerwowany jestem. Siedzę sobie wczoraj w domu, czytam gazetę i basta. A żona poszła do miasta. Skończyłem tę gazetę, przeczytałem i szukam, czy w domu nie ma parę złotych, żeby wynieść. Ale w tym trakcie słyszę dzwonek w przedpokoju, żona z miasta wróciła. Z takim plastrem na oku.

– Co? Gdzie? Co ci się stało, dziecino? – pytam. – Po co ten plaster masz na oku?

A ona zmierzyła mnie od kamaszy po łysinę i powiada:

– Jaki plaster? Nowy kapelusz sobie kupiłam, a ty, idioto, poznać się na tym nie możesz?

O, myślę sobie, wpadłem. I rzeczywiście. Sodoma gomora w domu się zrobiła. Żona raban toczy na całe mieszkanie, służąca wymawia od pierwszego, córka dorasta... A ja kapelusz i do miasta... I tak, od gospody do gospody – po gospodarsku, domowym sposobem. W jednym z barów spotykam syna:

– Co ty tu robisz, co? Smarkaczu jeden, co?
– Jak to co? Wakacje mam.

– Jak ty to sobie wyobrażasz?! Studiujesz, studiujesz, już czterdzieści osiem lat masz! Co ty sobie myślisz, szczeniaku? Że na tym uniwersytecie emeryturę dostaniesz?

Zdenerwowałem się i poszedłem. Ja w swoją stronę, a dziecko w swoją. Idę sobie spokojnie ulicą, do domu wracam, a tu jakiś pijany na rękę mnie nadepnął i jeszcze do mnie z pretensją:
– Czego pan tu leży?
– Ja się ciebie pytam, po co tędy chodzisz?
I tak na każdym kroku. Dostałem wczoraj z elektrowni list z pogróżkami, że jeżeli rachunek za wodę nie będzie zapłacony, to mnie zamkną gaz. Komu zamkną gaz? Mnie? O, co to, to nie. Mnie na mieszkanie może nie wystarczyć, mnie na elektryczność może nie wystarczyć, ale gaz? Gaz to zawsze u mnie na pierwszym miejscu stał i stoi. Tu, na tej piersi, order powinien dyndać! Virtuti Monopoli! Ale bo to by mi kiedy co dali? Taki zwyczajny Kopernik, co kiedyś Turków spod Wiednia przepędził, to teraz monument ma na placu Teatralnym i jeszcze do tego na koniu i śmigę w ręku trzyma. Taki zwyczajny Fryderyk Kopernik. A ja, że żaden tam Krzysztof Kopernik nie jestem, żadnych tam „Ballad i romansów" nie malowałem, żadnych tam Michałów Aniołów nie rzeźbiłem, żadnych tam „Sonetów krymskich" na fortepianie nie wygrywałem, to teraz szacunku nie mają. Ee, zdenerwowany jestem.
W nocy z wtorku na piątek postanowiłem wrócić do domu. Ale żona mnie do mieszkania nie chce wpuścić, bo mówi, że ja do domu nie przychodzę. Jak to nie przychodzę? No przecież przyszedłem.
– Przyrzekam ci uroczyście, że już kieliszka do ust nie wezmę! Nie wezmę. Żeby sam naczelny dyrektor Monopolu Spirytusowego kolanami płakał, to odmówię. Odmówię, tylko trzeba mieć silną wolę, o! I przysięga musi być uro-[czkawka]-czysta. Z kropelkami.
Ale żona nie chciała w ogóle ze mną rozmawiać, no więc jej mówię:
– Nie irytuj się kochanie, kupię ci jakiś drobiazg na przeprosiny.

Postanowiłem kupić żonie jakiś drobiazg. W zoologicznym sklepie sprzedawali takie te... Noo... Różne, różne sprzedawali... Białe
myszki... gołębie... morskie świnki... chlame... chlame... chlamele-
ony i te takie nieduże, no... jak to się nazywa... takie żywe czołgi...
Żółwie! Myślę sobie, kupię takiego jednego żółwia, to żona będzie
miała w domu pociechę. Kupiłem tego żółwia, uwiązałem go za mor-
dę na sznurek. To żeśmy do domu szli trzy dni i osiem godzin. Żona
mnie mówi:

– Po coś mnie to robactwo do domu przyprowadził?

– Jak to po co? No... A bo ja wiem? Możesz sobie na nim zupę
ugotować, rakową, ze skorupy popielniczkę się zrobi, a ostatecznie
możesz go nauczyć w przedpokoju szczekać i niech mieszkania pilnuje.

To żona razem z tym żółwiem zrzuciła mnie z trzeciego piętra po
schodach na zbitą skorupę... Zdenerwowany jestem.

Józef Orwid (w zbroi), fot. z filmu „Piętro wyżej", reż. Leon Trystan

AA: Poczekaj… Wpiszę do wyszukiwarki internetowej… Podaje prawie czterdzieści tytułów filmów, w których Józef Orwid zagrał do wybuchu wojny. Oglądałeś?

WK: Na pewno nie wszystkie. Pierwsze zobaczyłem w telewizji, będąc już dorosłym człowiekiem. Po powrocie ze Szwecji, po 1975 roku. Na przykład „Piętro wyżej", w którym grał Hipolita Pączka, a Bodo był spikerem radiowym Henrykiem Pączkiem.

AA: A disnejowską wersję „Królewny Śnieżki" z 1937 roku?

WK: To on tam grał? Na pewno widziałem, ale nie miałem pojęcia, że tam występuje Józio.

AA: W polskiej wersji językowej użyczył głosu jednemu z krasnoludków. Gburkowi.

MC: Czyli to u ciebie rodzinne!

WK: Co?

MC: Nie, nic.

WK: Miałem pięć lat, kiedy Józio zginął w Powstaniu Warszawskim. A zginął w czasie słynnego wybuchu czołgu pułapki [13.08.1944 – przyp. AA]. Powstańcy zdobyli niemiecki czołg i wjechali nim na rynek Starego Miasta. Zbiegło się mnóstwo ludzi, żeby podziwiać zdobycz. Wśród nich Józio. Czołg eksplodował, zginęło kilkaset osób.

AA: Babcia też była związana z teatrem?

WK: Przez całe życie. Nie wiem dokładnie, co robiła w teatrze przed wojną czy w czasie wojny, ale wydaje mi się, że już po pracowała jakiś czas w krakowskim Teatrze Starym, a potem pamiętam, że jeździłem już z mamą do babci Walerii do Torunia. Tam pracowała jako inspicjentka. Była też suflerką.

Niestety nie mogę nic powiedzieć o babci od strony ojca, bo jej nigdy nie spotkałem. Dziadek natomiast miał przed wojną salon fryzjerski w Zgierzu, a po wojnie zamieszkał z nami w Krakowie. To była niesamowita postać. Wyglądał dokładnie jak profesor Filutek z rysunkowych historyjek Zbigniewa Lengrena, ukazujących się wtedy w „Przekroju". Sztuczkowe spodnie, czarny żakiet typu „jaskółka", lśniąca łysina, siwiuteńka spiczasta bródka i druciane okulary à la Bolesław Prus.

MC: Miał jakieś imię?

WK: Tu mnie zastrzeliłaś! Mama mówiła „tatusiu", tata mówił „tatusiu", ja mówiłem „dziadku", więc... Dziadek po prostu... Wiem! Stanisław! Był to najspokojniejszy człowiek, jakiego widziałem w życiu. Specjalizował się w nierzucaniu się w oczy, w czym doszedł do takiej maestrii, że nigdy nie było wiadomo, czy dziadek jest w domu, czy gdzieś wyszedł. W ogóle był takim człowiekiem, o jakich mówi się teraz „kraina łagodności". Kiedyś urządziliśmy sobie we dwójkę, z zupełnie szaloną ciocią Krysią, taką zabawę, że stanęliśmy naprzeciw siebie i zaczęliśmy krzyczeć. Po prostu krzyczeć, bo chodziło tylko o to, które potrafi głośniej. Lato, okna od ulicy otwarte na oścież, mamy nie ma, bo poszła na zakupy, a my się wydzieramy ile tchu w piersiach. Raptem gwałtowny łomot otwieranych drzwi, wpada przerażona mama i krzyczy: „Matko Boska, co tu się dzieje?!". My z ciocią Krysią, że nic. Mama biegnie do pokoju dziadka. „Tatusiu! Dlaczego tatuś nie reaguje?! Przecież oni zwariowali!", na co dziadek odpowiada ze stoickim spokojem: „Ja myślałem, że to tak ma być".

Po upadku powstania zostaliśmy wysiedleni z Warszawy. Przeszliśmy przez obóz w Pruszkowie i stamtąd rozpoczęliśmy wędrówkę.

Nie wiedziałem, dokąd idziemy, ale potem okazało się, że szliśmy na południe. I to było tak, jakby stanął czas. Niby mijały dni, ale nie miałem wrażenia, że poruszamy się w ogóle w jakimś kierunku. Spaliśmy w jakichś stodołach. Czasem ktoś nas przyjmował na nocleg w jakiejś chałupce. W jednym z takich miejsc mama pojechała po sprawunki do sąsiedniej wsi i furmanka, którą jechała, wpadła pod pociąg. Pamiętam potwornie zakrwawioną mamę wnoszoną na drzwiach, przez okno, do domu. Była w strasznym stanie. Jakoś zabrano ją do szpitala, ale nie dawano nam nadziei, że przeżyje. Musieliśmy z ojcem pójść dalej. Nadeszła jesień, zrobiło się zimno, i to tak bardzo, że przeziębiłem się i dostałem ropnego zapalenia ucha. Cholerny ból, potem punkcja w namiocie polowego szpitala i dalej w drogę. W deszczyk i lodowaty wiatr. Myślę, że wyglądaliśmy wtedy z ojcem jak dwa szmaciane zawiniątka, jedno duże, drugie małe. Szliśmy nie wiadomo jak długo, aż ojciec wypatrzył któregoś dnia jakiś stojący pociąg. Wsiedliśmy do niego, licząc, że może gdzieś pojedzie. I rzeczywiście. Czasem przejechał 20 kilometrów, postał dzień albo dwa w jakimś polu, potem znów trochę pojechał i to już było lepiej, niż ciągle tylko iść przed siebie. Zastanawiam się teraz, co myśmy w ogóle wtedy jedli, i muszę się przyznać, że nie mam pojęcia. Po prostu tego nie pamiętam. W końcu z jesieni zrobiła się zima, a my weszliśmy którejś nocy do Krakowa. Pamiętam, jak idziemy z ojcem po skrzypiącym śniegu, a na niebie widać latające gwiazdeczki. Jedne z lewej strony w prawo, a drugie odwrotnie. Po latach tłumaczyłem sobie, że to musiały być pociski. Jedne niemieckie, a drugie rosyjskie. Ale nie mam pewności, chociaż data by się zgadzała. Kiedy byliśmy już w centrum Krakowa, okazało się, że ojciec ma jakiś adres, pod który powinniśmy się udać. Pamiętam wizytę u tych dziwnych pań na ulicy Felicjanek, w zaułku przy skrzyżowaniu ze Smoleńską. Przede wszystkim to, że jest czyściutko i ciepło, a ja siedzę przy wielkim kaflowym piecu i staram się podsłuchać rozmowę ojca z tymi paniami w drugim pokoju. Niewiele słyszałem, do momentu, w którym jedna z nich nie krzyknęła podniesionym głosem coś, czego nigdy nie zapomnę: „to po co robiliście powstanie?!". Zostawiliśmy je z tym ich zasranym ciepłym piecem. Zaraz potem Rosjanie wyzwolili Kraków, a my znaleźliśmy dach nad głową. Weszliśmy do domu opuszczonego dopiero co przez jakichś urzędników wojsk Mussoliniego. Mnóstwo porzuconych maszyn do pisania i papieru z charakterystycznymi emblematami faszystowskich Włoch. W nocy po mieszkaniu chodzili szabrownicy i wynosili to wszystko, a my siedzieliśmy z ojcem jak myszy pod miotłą zabarykadowani w jednym pokoju. W ten sposób zamieszkałem na ulicy, którą wkrótce nazwano 18 Stycznia, bo w tym dniu wojska marszałka Koniewa uratowały Kraków. Teraz ta ulica nazywa się Królewska, bo po przemianie ustrojowej w 1989 roku nowa władza uznała w swojej nadgorliwości, że dziękowanie za cokolwiek rosyjskim żołnierzom jest w złym guście. Marszałkowi Koniewowi też zresztą odebrali ulicę. A co? Nie mieli prawa? Mieli.

AA: To niedziwne, że szabrownicy przychodzili, w końcu każdy marzył o maszynie do pisania z włoską czcionką. A dlaczego poszliście do Krakowa? Mieliście tam rodzinę, znajomych?

WK: Nie wiem. Tak jak nie miałem pojęcia, kim były te panie z ulicy Felicjanek. Może jakieś nasze ciotki? Czort wie. Nigdy nie interesowały mnie koligacje rodzinne. Jakoś nie wchodziło mi to do głowy. Natomiast faktem jest, że po powstaniu inteligencja warszawska znalazła się przeważnie w Krakowie albo w Łodzi.

MC: A tacy jak ja i moja rodzina w Rawie Mazowieckiej…

AA: Czyli pewnie szliście do Łodzi.

MC: Ale co z mamą? Bo kto kilkadziesiąt lat później pisał, żeby „ta osoba nie czytała"?

WK: Ano właśnie. Kiedy szabrownicy już wszystko zabrali, zlikwidowaliśmy barykadę i rozprzestrzeniliśmy się na całe mieszkanie. Z każdym dniem żyło się coraz normalniej, ojciec zaczął rysować do „Żołnierza Polskiego", a mnie odesłano z pierwszej klasy do domu, bo jakoś w tym wszystkim sam się nauczyłem pisać. Ojciec uczył mnie po angielsku, co było o tyle zabawne, że sam angielskiego nie znał. Pamiętam rysunek przedstawiający ołówek i wykaligrafowany pięknym liternictwem napis „this is a pencil". Któregoś dnia otwierają się drzwi i wchodzi… mama. Nie pamiętam szczegółów ich spotkania, ale teraz myślę sobie, że ojciec się tego powrotu nie spodziewał. Chyba myślał, że jest wolnym człowiekiem, a tu raptem zmienia się sytuacja. Poważnie mówiąc, to chyba dlatego jestem człowiekiem mało rodzinnym, bo moja rodzina od początku, od kiedy pamiętam, właściwie nie istniała. Ojciec i matka żyli w stanie permanentnego, coraz ostrzejszego konfliktu. Zastanawiałem się, jak dwoje ludzi o tak nieprzystających do siebie charakterach mogło w ogóle zdecydować się na wspólne życie? Cały czas w powietrzu wisiała siekiera. Nawet podczas wakacji w najbardziej luksusowych pensjonatach Zakopanego, które trwały trzy, cztery miesiące…

AA: W jakiej szkole wakacje trwały aż cztery miesiące?

WK: W każdej, bo mnie odsyłali z kolejnych klas i mówili, żebym przyszedł we wrześniu do następnej. Nie musiałem chodzić do szkoły, więc ojciec zabierał nas na trzy miesiące do Zakopanego. A tam było jedno ciągłe pasmo awantur. Potem w domu to już włącznie z dosyć drastycznymi sytuacjami. Eskalacja nienawiści między nimi trwała latami. Jak sobie człowiek trochę w czymś takim pożyje, to ma prawo nie mieć potem żadnych instynktów rodzinnych. Ja ich nie mam. Więzy krwi nie mają dla mnie większego znaczenia. Zresztą wcale mi to nie przeszkadza. Wolę sam decydować o tym, kto jest mi bliski. To trochę tak jak z poczuciem wspólnoty narodowej. Łatwiej mi się porozumieć z cudzoziemcem o światopoglądzie zbliżonym do mojego niż z rodakiem wyznającym wartości, które mnie odrzucają.

MC: Ale moją mamę bardzo polubiłeś.

WK: Pokochałem ją! Ulka mnie z miejsca zaakceptowała. Lubiła mnie, a poza tym była bardzo śmieszna. Miała ten cudowny lwowski wdzięk. Rozbawiała mnie do łez. I nie wtrącała się do naszych

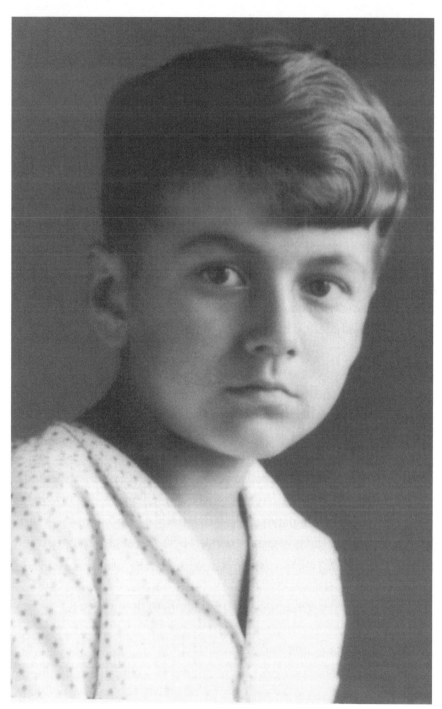

Wczesne lata pięćdziesiąte

spraw. Z kolei moja mama była prawdziwą damą, ale chciała wszystkimi rządzić. A to się nie zawsze sprawdza. Pamiętam, jak niezręcznie się czułem, kiedy chciała mnie jakby zawłaszczyć, ustawić w nienawiści do ojca. Ojca, którego bardzo kochałem, bo czułem z nim wspólnotę sposobu myślenia, umiłowania spokoju, patrzenia na życie, zainteresowań... Potem ojciec zniknął z domu, ruszył gdzieś w Polskę. Nie wiadomo było, gdzie i z kim pomieszkiwał. Jego życie od początku lat sześćdziesiątych do śmierci to jedna wielka zagadka. Spotkałem go parę razy w Warszawie. W 1966 roku wyjechałem do Szwecji. Zostawiłem w mieszkaniu w Krakowie wszystkie swoje rzeczy. A jak po sześciu latach wróciłem, nie było nic. Zniknęły moje wszystkie książki, zeszyty, rysunki, nuty, kompozycje, zdjęcia. Wszystko. Miałem ogromną kolekcję zdjęć, które robiłem od dwunastego, trzynastego roku życia, całą dokumentację jazzowych sytuacji, cenne pamiątki z różnymi ludźmi, np. z Jurkiem Bińczyckim na tej strzelnicy, na której zjadł żabę. Masę płyt. Pytałem mamę, co się z tym wszystkim stało, ale nie potrafiła mi odpowiedzieć. Nigdy się tego nie dowiedziałem. Podejrzewam, że część wyrzuciła, część wyniosły studentki, którym podczas długiej nieobecności ojca mama wynajmowała pokój. Tak przypuszczam.

MC: Ja właściwie pierwszy raz słucham opowieści o rodzinie Wojtka. Bo my na takie tematy nie rozmawiamy. Ale widzę, że układ sił w domach był podobny. Model: spokojny ojciec i dominująca matka. Jedna z moich ciotek nazywała moją mamę „grupową". Mówiła: „Ulka to jest grupowa". Mama rządziła wszystkimi. I ja też zdecydowanie byłam po stronie ojca.

WK: I u mnie się z czasem ten kontakt z ojcem umacniał. Jak już miałem mniej więcej dwadzieścia lat, to zacząłem go często spotykać w krakowskiej knajpie Feniks. Kiedy kończył się wieczór w Piwnicy pod Baranami czy w Jazz Klubie na ul. św. Marka, a nie chciało się iść do domu, a większość zazwyczaj nie chciała, to się szło do Feniksa na ul. św. Jana. Notabene, to było dokładnie vis-à-vis domu, w którym mieszkał Wiesiek Dymny. Wchodząc do Feniksa, często wchodziłem prosto na ojca siedzącego przy barze. Piliśmy sobie razem wódkę. Ojciec stawiał jeden warunek: „Możemy razem pić, ale musisz się do mnie zwracać per drogi kuzynie".

MC: A dlaczego?

WK: Pewnie dlatego, żeby jakieś panie, na poznanie których mógł mieć ochotę, nie wiedziały, że ma takiego dużego syna.

MC: To zrozumiałe. Ale dlaczego musiałeś do niego zwracać się per drogi kuzynie? Wystarczyłoby przecież „kuzynie".

AA: „Drogi" podkreśla serdeczność i zażyłość.

WK: I szacunek.

MC: Aha. To teraz rozumiem, dlaczego kiedy spotkał się, przypadkiem zresztą, ze mną i zaprosił mnie na kawę i, oczywiście, koniak, nie kazał mi mówić do siebie „drogi teściu".

AA: Tylko „teściu"?

MC: Też nie. W ogóle niczego mi nie kazał. Żalił się tylko, że kiedy spotkał się niedawno z Wojtkiem, też zresztą przypadkowo, Wojtek powiedział, że rzucił alkohol.

WK: Kiedy to było?

MC: Dawno i nieprawda. Bo wtedy tylko czasem mówiłeś, że rzucasz picie. Ojciec widocznie miał pecha i spotkał cię właśnie w takim momencie. Uwierzył i chyba uznał, że poniósł wychowawczą porażkę.

WK: Bardzo możliwe. Miał zadziwiająco niefrasobliwy stosunek do wielu poważnych spraw. Na przykład do życia uczuciowego.

AA: A pamiętasz, kiedy i gdzie pierwszy raz się napiłeś?

WK: W domu. Byłem małym dzieckiem. Obudziłem się w nocy i zobaczyłem, że trwa balanga. Artyści, panowie profesorowie z Akademii Sztuk Pięknych, jakieś panie – może ich żony, a może nie. Z patefonu słychać orkiestrę Glenna Millera. Słynny rzeźbiarz

Jerzy Bandura z głową w głośniku radia Pionier. A na stole – rozmaite wspaniałości. Nikt się mną nie interesował, a ja jeszcze starałem się nie rzucać w oczy. Podszedłem i wypiłem. A potem za każdym razem, kiedy w domu była balanga, starałem się wstać w nocy, nie rzucić w oczy i coś sobie z tego stołu wychylić. Bo już wiedziałem, że to jest znakomite. Już od dzieciństwa zacząłem się przygotowywać do tego, czym miałem się potem zajmować przez większość życia.

MC: Czyli ty wcześniej zacząłeś pić, niż palić?

WK: O, tak! Palić zacząłem, będąc już zawodowym muzykiem i alkoholikiem. Też zawodowym. Był 1960 rok. Miałem dwadzieścia jeden lat i zero nikotynowych doświadczeń, bo zupełnie mnie nie bawiły szkolne zabawy z paleniem w kiblu czy na strychu. Zacząłem dużo później. Na wakacje do Krakowa przyjechał Janusz Sidorenko. Uroczy człowiek, który wtedy zajmował się techniką w Polskim Radiu, ale był również znakomitym gitarzystą jazzowym. Najlepszym wtedy. Nie mieliśmy specjalnie pieniędzy, ale mieliśmy kaprys. Chodziliśmy na obiady do Wierzynka. To swoją drogą znak tamtych czasów. Można było nie mieć pieniędzy, ale było człowieka stać na Wierzynka! No i w tym Wierzynku zauważyłem, że po każdym obiedzie Janusz zapala papierosa. I widać po nim było, że sprawia mu to ogromną przyjemność. Wieczorem byliśmy umówieni w Międzynarodowym Klubie Studenckim. Na wakacje krakowskie akademiki się wyludniały i stawały się hostelami dla zagranicznych studentów zwiedzających Polskę. I w każdym, oczywiście, wieczorem grał do tańca jakiś zespół jazzowy. Spotkaliśmy się tam przy barze, a ja, mimo młodego wieku, byłem tego wieczoru prawie „po przejściach". Taki nieprzyjemny zakręt w moim związku z panią Bożenką.

MC: Jakie mogły być nieprzyjemne zakręty z panią Bożenką? Przecież była piękna i mądra. Poza tym, jak ustaliliśmy podczas tej rozmowy, zgodna i radosna.

WK: Że zgodna i radosna to ty ustaliłaś.

MC: I tego się trzymajmy. No więc jaki mógł być nieprzyjemny zakręt w waszym związku?

WK: A na przykład taki, że mnie zostawiła i wzięła sobie jakiegoś innego chłopca. Byłem zdołowany i czułem się jak Humphrey Bogart w „Casablance”. Doszedłem do wniosku, że do tego Bogarta brakuje mi tylko papierosa. Powiedziałem do Janusza: „Daj zapalić”. Dał. Pociągnąłem. I przewróciłem się.

MC : Jak Marlon Brando w „Ojcu chrzestnym”?

WK: Nie. A dlaczego?

MC: Bo świetnie brzmi – czuł się jak Humphrey Bogart w „Casablance”, a przewrócił się jak Marlon Brando w „Ojcu chrzestnym”.

WK: Niech ci będzie, bo to rzeczywiście bomba. No więc Janusz uspokoił mnie, że tak jest tylko za pierwszym razem. I rzeczywiście – za drugim już się nie przewróciłem. I palenie szybko mi się przydało. Następnego dnia na popołudnie byłem umówiony na pokera na zapałki.

AA: Dlaczego na zapałki?

WK: Bo u Andrzeja Dąbrowskiego. A Andrzej nie był rozrzutny. Znormalniał dopiero później, ale wtedy jak sobie kupił magnetofon, to go nie ruszył, tylko przykrył szmatką, żeby się nie zakurzył. Nie był również Paganinim życia rozrywkowego, ale czasem rodzice organizowali mu prywatki. Nie lubiłem na nie chodzić, bo u Andrzeja trzeba było zdejmować buty i zakładać kapcioszki. A dla mnie buty są najważniejszym elementem stroju. I teraz wyobraźcie sobie taką prywatkę, na której elegancko wystrojeni młodzi ludzie nie mają butów na nogach, tylko jakieś ciapy, a dziewczyny muszą zostawić swoje piękne szpilki w przedpokoju i raptem robią się z nich jakieś przygruntowe kaczusie. Jeszcze przed chwilą smukłe i powabne, smyrają teraz po podłodze w łapciach. To upokarzające. Nie mogłem tego znieść! Dlatego nie chodziłem na te prywatki. Ale na pokera owszem. Tym razem poszedłem już jako nałogowy palacz. Zahaczyłem po drodze o kiosk i dumnym głosem poprosiłem o paczkę moich pierwszych papierosów. Były chińskie, wytwornie perfumowane i miały bajecznie kolorowe pudełeczko. I potem ten poker, zapałki, pecik. Rewelacja. Po prostu Ameryka…

MC: Jak Clark Gable w „Przeminęło z wiatrem".

AA: Zostańmy na chwilę przy tematach filmowych. Wzruszacie się w kinie?

MC: Teraz nie chodzimy, bo tak długo się nie da wysiedzieć bez papierosa. Ale jak chodziłam, to się nie wzruszałam. No chyba że chodzi o film „Zakochany kundel", gdzie piesek i suczka jedzą makaron. Najpiękniejsza scena miłosna!

WK: Gdybyś dała się namówić na spaghetti…

AA: Marysiu, propozycja nie do odrzucenia.

MC: Akurat! Przecież wie, że nie cierpię kluch!

AA: A z parówkami, dokładnie z jedną, tak by się nie dało?

WK: Gdyby udało się jej nie przypalić nad gazem albo rozgotować w wodzie…

AA: Pomyślcie o tym. A wracając do filmów…

MC: Mam kilka, które lubię. Ale nie ze względu na wzruszenia. „Cena strachu" na przykład…

WK: O Jezu!

MC: Świetny! Jak się przeprawiają, jak noga się łamie… Yves Montand grał w tym filmie. „Pół żartem, pół serio" chyba trzy razy oglądałam…

AA: Mimo że tam się noga nie łamie?

MC: Mimo… I jeszcze „Wejście smoka"!

AA: No, to zrozumiałe! Tam to się dopiero łamało!

MC: Na „Wejściu smoka" też byłam w kinie trzy razy. I jeszcze ten film, co on był w marynarce…

WK: Wojennej?

AA: „Polowanie na Czerwony Październik"?

MC: Nie, takiej z węża marynarce…

WK: „Dzikość serca" Lyncha. To rzeczywiście genialny film. I wspaniała marynarka.

MC: I jeszcze „Mechaniczna pomarańcza". Woody'ego Allena nie wymieniam, bo to jasne.

WK: Ja, będąc dorastającym chłopczykiem, zakochałem się w Elizabeth Taylor po obejrzeniu „Powrót Lassie". Poszliśmy potem z kolegą na Plac na Groblach i tam wdrapałem się, z miłości do niej, na drzewo i zacząłem zrywać morwy. Przybiegł pan plantowy i nas przegonił.

MC: To było z miłości?!

WK: Tak, do Elizabeth Taylor.

MC: Z miłości do mnie jakoś nigdy morw nie zrywałeś!

WK: I nikt mnie nie przeganiał. Ale róże ci kupiłem. I pokłułem się bardziej niż morwami dla Elizabeth Taylor. Ale wracając do kina – pamiętam taki film „Niewidzialny detektyw". Komedia, ale zarazem trochę straszny. Fortepian sam grał, samochód sam jeździł. Uwielbiam filmy Chaplina…

MC: Jak buty jadł?

WK: Na przykład.

MC: Albo jak za niedźwiedziem szedł? To mnie to w ogóle nie śmieszy…

WK: Bo to nie Chaplin szedł za niedźwiedziem, tylko niedźwiedź za nim! Mogłaś tego nie zauważyć, bo nie jesteś wzrokowcem. Nie masz wyobraźni geometrycznej i nie zauważasz na przykład tego, że jak on idzie po tej półeczce nad przepaścią, to balansuje odwrotnie! Wystawia nie tę nogę, którą powinien! To jest genialne!

MC: Nigdy nie balansowałam na żadnej półeczce. I zawsze wystawiam tę nogę, którą trzeba. Tak samo bracia Marx mnie nie śmieszą.

WK: Uwielbiam! Mistrzostwo abstrakcyjnego humoru! I tu ci się dziwię. Bo, że Chaplina nie kupujesz, to jeszcze rozumiem. Za dużo do patrzenia i większość bez dialogów, a wiem, że do ciebie nie dociera treść, jeśli nie ma dialogów. Ale u braci Marx są dialogi, w dodatku totalnie absurdalne. I że ty tego nie kupujesz, to niepojęte. Jeszcze jedno zjawisko, które ja uważam za genialne, a Marysi w ogóle nie chwyciło – Jacques Tati, „Wakacje pana Hulot". Ale trudno. Znów rozumiem, bo prawie zero dialogów.

MC: No i dlatego mnie nie śmieszy.

WK: Ona ma z tym brakiem dialogów to samo, co ja z rymowanymi tekstami. Nic do nas nie dociera. Wracając do filmów. Jako licealiści wkręcaliśmy się na pokazy studenckiego klubu filmowego, na których można było zobaczyć całą klasykę, od początku istnienia kina. I tam zobaczyłem coś, przy czym do dzisiaj mam dreszcze. Mówię serio – kiedy widzę ten film, ogarnia mnie podobne uczucie grozy jak wtedy, kiedy miałem kilkanaście lat. To „Nosferatu – symfonia grozy" Murnaua. Czyli pierwszy film o Draculi. Kino nieme, które powinno trącić myszką i ze względu na prymitywne środki techniczne mogłoby teraz tylko śmieszyć, a na mnie ciągle robi ogromne wrażenie. Lubię się trochę bać. Niestety czasem też się wzruszam. Dlatego „niestety", że nawet za bardzo, jak na moje zapotrzebowanie. Chwytają mnie za serce realistyczne obrazy z Powstania Warszawskiego. W ogóle obrazy Warszawy, której już nie ma. Ale też na przykład sprytnie umieszczone przez scenarzystów elementy tradycji amerykańskiej. Flaga amerykańska albo hymn. Melodramaty nie bardzo mnie ruszają. Nie to, żebym nie lubił, bo np. taki film jak „Casablanca" to arcydzieło, przynajmniej na razie, dopóki Bogartowi nie wymienią komputerowo papierosa na lizaka, żeby nie było promocji palenia. Co poza tym... to może już nie film, ale pokrewna sprawa. Niedawno obejrzałem na YouTube nabożeństwo w kościele Baptystów i wstyd powiedzieć, popłakałem się. Nie jestem religijny, ale ta czarna muzyka gospel i emocja w ich modlitwie, to wszystko niesamowicie na mnie działa. Podobne wzruszenie odczułem, widząc po raz pierwszy Milesa Davisa w Sali Kongresowej. Ale wolałbym nie przeżywać tych rzeczy tak mocno, bo mi to czasem wręcz przeszkadza. Wolę, jak się mnie rozśmiesza. I za jedną z najpiękniejszych cech naszego związku z Marysią uważam to, że ona robi to cały czas. Rozśmiesza mnie, czy chce, czy nie chce. Mimochodem.

MC: No tak, czyli stało się! Osiecka bała się, że zostanie kiedyś śmieszną staruszką, a to ja zostałam.

WK: Ale to nie w tych kategoriach. Poza tym rozśmieszasz mnie od zawsze, to nie jest kwestia wieku. Nie śmieszysz, tylko rozśmieszasz. Uważam, że ludzie, którzy potrafią innych rozśmieszyć, powinni być przez społeczeństwo noszeni na rękach. Taki pan Michnikowski, Kobuszewski czy Jurek Dobrowolski...

AA: A pamiętacie z dzieciństwa jakieś chwile czułości?

WK: Ja pamiętam, że zawsze jak chciałem się przytulić do ojca, to bidulek strasznie się spinał, bo miał łaskotki i chyba nie lubił, żeby się go tak ucapiać. Ojciec najczęściej przebywał w swojej samotni na końcu mieszkania. Pachniało tam farbami, było mnóstwo obrazów i książek, więc uwielbiałem tam przebywać. Pewnie najchętniej nie widziałby tam nikogo, no ale ja... miałem prawo wstępu. I czasem próbowałem się go ucapić. Mama z kolei trochę przesładzała. Nie „przesadzała", tylko przesładzała. Okazywała mi tyle czułości i oczekiwała tak wiele w zamian, że czasem czułem się w tym jakoś niezręcznie.

MC: A ja od zawsze nie znosiłam, jak ktoś mnie chciał objąć czy przytulić. Nawet babcia, którą naprawdę kochałam. Od razu się naczupirzałam. Na szczęście niewiele osób rzucało się na mnie z czułościami. Nie byłam takim rozkosznym dzieckiem, które chciało się pogłaskać po główce. O, taką chwilą czułości było, kiedy dostałam pieska. Foksterierka małego. Ojciec pojechał do Wrocławia i przywiózł mi pieska. Właściwie nie wiem, dlaczego z Wrocławia.

AA: Bo może to był „foksterier odzyskany"?

MC: Wraz z tamtymi ziemiami? Zwanymi wtedy odzyskanymi? Nie, piesek nie mógł być z odzysku. Miał parę tygodni. Tudzież imponujący rodowód. Myślę, że był to pierwszy i ostatni arystokrata w mojej

JERZY KAROLAK – Kraków

Profesor Akademii Sztuk Plastycznych w Krakowie. Urodzony w roku 1907, ukończył Akademię Sztuk Pięknych w Warszawie. Uprawia grafikę, w dziedzinie plakatu pracuje od roku 1933. Otrzymał Brązowy Medal na Wystawie w Paryżu w roku 1936, wyróżnienie na I Ogólnopolskiej Wystawie Plakatu w 1953 roku oraz szereg nagród i wyróżnień w konkursach plakatowych. Za działalność artystyczną odznaczony Medalem X-lecia Polski Ludowej.

Jerzy Karolak – prywatnie ojciec Wojciecha, zawodowo grafik, profesor Akademii Sztuk Pięknych w Krakowie, był autorem plakatów, ilustracji książkowych, w tym m.in. do słynnego „Elementarza" Mariana Falskiego. Ojca przy pracy sfotografował syn

Jerzy i Wojciech Karolakowie (wczesne lata pięćdziesiąte)

Jerzy Karolak w zrobionej
przez siebie masce

rodzinie. Miałam potem wiele jeszcze wspaniałych piesków, jednak żaden nie był rodowodowy jak ten pierwszy. Co, oczywiście, nie miało dla mnie najmniejszego znaczenia. Wszystkie psy są cudowne. Ale ponieważ pytałeś o chwile czułości z dzieciństwa, taka od razu wpadła mi do głowy.

AA: Myślałem, że to będą opowieści o bombkach, prezentach, Mikołaju...

WK: Chyba trudno znaleźć kogoś, kto by powiedział że nie lubi Bożego Narodzenia. To ma swój urok. Nawet kiedy podczas ubierania choinki dostaje się od mamy po łbie, bo jest nerwowo i wiadomo, że za chwilę przyjdzie tatuś w stanie wskazującym. Obawiałem się tylko, żeby nie przyszło za dużo gości, bo wtedy trzeba było śpiewać kolędy. Lubię ich słuchać, ale pamiętam, że kiedy je śpiewaliśmy, uwierał mnie ten rodzaj specyficznego roztkliwienia, który w nich tkwi. Nigdy nie lubiłem nadmiaru infantylnych zdrobnień i słodziutkiego ciumciania...

AA: To teraz o waszym wspólnym życiu? Były chwile czułości? Czy maksimum tkliwości to jest naświetlanie latarką kaset wideo?

WK: Były i są chwile czułości. Kiedy widzę ją, jak śpi w tym fotelu, na „skrętka fotelowego", to mam ochotę ją przytulić i pogłaskać. Ale nie robię tego, bo ona się wtedy zrywa przerażona. Patrzę na nią, jak śpi, i myślę sobie – jaka fajna myszka. Ale nie można jej tego okazywać, bo się ją przestraszy.

AA: A ty nie masz nigdy ochoty pogłaskać go po główce?
MC: Na szczęście nie.

AA: Na szczęście?
MC: Bo popsułabym mu fryzurę. A tego nie cierpi. Ale dawniej, kiedy pił...

AA: Cierpiał?

WK: Zdarzało się. Bardziej jednak pamiętam przyjemne chwile. Ja w ogóle szybko zapominam przykre rzeczy.

MC: A ja pamiętam, że kiedy pił, miałam ochotę nie pogłaskać go po główce, tylko palnąć, jak by powiedział Jurek Dobrowolski, w ten głupi łeb.

AA: Oryginalna odpowiedź na temat chwil czułości.

MC: Ale zdarzają się takie. Bardzo często. Kiedy na przykład mówię do niego per Zając. Czyż to nie jest przejaw czułości?

AA: Dlaczego?

WK: Bo kiedy mówi do mnie po imieniu, to wiadomo, że w powietrzu wisi burza.

AA: Z piorunami?

MC: Rzadko. On boi się piorunów.

WK: Zające są bardzo odważne, ale nie w niebezpiecznych sytuacjach.

AA: Ty podobno jesteś Zajęczycą. Boisz się burzy?

MC: Wprost przeciwnie. Uwielbiam. Jak walą pioruny, wychodzę na balkon.

WK: Ona nie ma wyobraźni. Nie wie, co to jest iskra elektryczna…

MC: I można z tym żyć. Przynajmniej dopóki nie dziabnie piorun.

WK: Piorun nie dziabie!

MC: To czego się bać? Zresztą nawet jak dziabnie, to sekunda i po wszystkim!

AA: Chyba że trafi tylko trochę.

MC: Ale we mnie nie trafił nigdy, nawet trochę, nawet tzw. piorun sycylijski!

Z cyklu „Wojciech Karolak i jego Photoshop" – „Tradycyjny bożonarodzeniowy zajączek"

Pies Bimber i Maria Czubaszek w pozycji na „skrętka fotelowego"

Wigilia u mamy Marysi. Bezpośrednio po urwaniu się z choinki

WK: Może z tobą jest podobnie jak z Krysią Sienkiewicz? W „Divertimencie Stomatologicznym" Przybory wyskoczyła przez okno. A potem wróciła i wszyscy się dziwili, że żyje, na co ona: „Mam słabą grawitację". Może ty masz słabe pole elektryczne?

MC: A jak to się sprawdza?

AA: Łatwiej sprawdzić grawitację. Skoczyłabyś ze spadochronem?

MC: Prędzej bez, bo spadochronu pewnie nie umiałabym otworzyć. Ale tak w ogóle, to zające są dobre w skokach.

AA: I, jak wspomniał Wojtek, są również odważne. A bywają sentymentalne?

WK: W jakim sensie?

AA: Zdarza ci się na przykład wracać do miejsc, w których bywałeś w dzieciństwie?

WK: Oczywiście. Kiedyś odnalazłem ten dom na Iwonickiej, dawną willę Władysława Waltera. Nic się nie zmienił, poza tym, że jest bardziej zarośnięty i pięć razy mniejszy niż kiedyś. Hi, hi. Poza tym obiecałem sobie, że kiedyś odbędę sentymentalną podróż do Szczawnicy i Krościenka nad Dunajcem, w Pieniny, tam gdzie często jeździłem w dzieciństwie na wakacje. I zdarzyło mi się być w okolicy. Próbowałem znaleźć dom, w którym kiedyś zatrzymywaliśmy się z Ryśkiem Horowitzem i Staszkiem Raczyńskim. Ale nie znalazłem. W roku 1956, 57 ten dom stał samotny, przed nim było tylko olbrzymie pole, po którym chodził jakiś przedziwny facet. Wpatrywał się we mnie i mówił: „Pan mi daje znak". Lubię, kiedy robi się trochę tajemniczo, więc to było fajne. A on mówił: „Pan mi daje znak samym tym, że pan tu jest".

MC: I teraz go nie było?

WK: Chyba nie. Chociaż… może i był, tylko nie rzucał się w oczy. Była noc i nie udało mi się znaleźć tego domu. Był nie do zauważenia w masie innych, których przedtem nie było.

AA: To może ten facet to był geodeta? A ty mu dawałeś znaki, gdzie mają stanąć kolejne domy. Ale chwileczkę! Bo zapomniałbym, a obiecałem wrócić do tego tematu. Co z tym ukradzionym misiem?

WK: Parę lat temu, w Wigilię, byłem w telewizji śniadaniowej. Było tam bardzo dużo dzieci i jedno z nich miało misia, który mi się cholernie spodobał. Cały czas kombinowałem, co zrobić, żeby temu dziecku misia podprowadzić.

MC: A to było dziecko jednego z prezenterów.

WK: To mnie mało interesowało. Miś mnie interesował. Strasznie kombinowałem, ale warunki były raczej niesprzyjające. Dużo ludzi, dużo światła, kamery. Pomyślałem sobie: „Ja poczekam, dziecko się znudzi". I się znudziło. Wtedy ja go cap! Misia, nie dziecko! I tak sobie chodziłem, jak gdyby nigdy nic. W końcu wolno mi chodzić z misiem w ręku, prawda? A potem tak sobie razem wyszliśmy z telewizji. I zapewniłem mu ciekawe życie. Dziecko rzuciłoby misia w kąt, a ten teraz siedzi sobie przy komputerze i ma kontakt ze światem. Mogę nawet go pokazać... O... No co, nie ukradłbyś takiego misia? Do chwili ukazania się książki sprawa powinna się przedawnić, a wyrzutów sumienia w tym przypadku nie mam. Ten dzieciak na pewno ma dziadków, którzy mu kupią nowego... A może już wydoroślał? Wyglądał wtedy, w telewizji, jakby miał co najmniej dwa lata.

MC: Wojtek często coś do domu przynosi. Koszule, marynarki...

WK: Ale niekradzione.

MC: A skąd ja mam mieć taką pewność? Może czekasz, aż ktoś się znudzi koszulą, i cap?!

AA: A ty przynosisz coś do domu? Dostajesz od ludzi jakieś prezenty?

MC: Kwiaty. I książki. Z książkami to nawet pewien kłopot, bo zazwyczaj na spotkaniu w bibliotece dostaję na pamiątkę jakiś album. Na przykład ze zdjęciami z prawego brzegu jakiejś rzeki albo miejscowe legendy o koniku, który uratował gąskę. W hotelu przejrzę to sobie, nawet poczytam legendy, ale potem zostawiam. Niech poczyta

Ukradziony miś koło portretu
Jerzego Dobrowolskiego
(czyli „biednego misia")

JERZY DOBROWOLSKI

WSPOMNIENIA
MOICH
PAMIĘTNIKÓW

Zaproszenie

legendy ktoś, kto będzie po mnie tutaj mieszkał. Bo w domu naprawdę już nie mam gdzie trzymać. No to czasem zostawię. A tu dwa dni później przychodzi kurier z przesyłką i liścikiem: „Pani Mario, zostawiła pani u nas album o wierzbie". Ale więcej niczego nie znoszę do domu. Ja nie dostaję.

AA: A naszyjnik?
MC: A to przez ciebie.

„BOKS NA PTAKU". Byliśmy razem na spotkaniu autorskim w pewnej bibliotece. Coś w stylu „Maria Czubaszek i Artur Andrus, czyli Wesoła Gromadka prezentuje". Marysia szczerze zachwyciła się naszyjnikiem, który zdobił panią dyrektor tej placówki. Swój zachwyt wyraziła, a ja dodałem: „Wie pani, Marysia tak jeździ po bibliotekach i zbiera naszyjniki dyrektorek". Pani dyrektor podchwyciła tę konwencję, zdjęła naszyjnik i wręczyła Marysi. Szczere protesty niespodziewanie obdarowanej trwały dłużej niż spotkanie autorskie, ale fundatorka nie dała się przekonać — Marysia musiała przyjąć naszyjnik. Kiedy wychodziliśmy z biblioteki, spojrzałem na stojący przy drzwiach wieszak i powiedziałem głośno: „A czy Marysia wspominała, że kożuszek też jej się podoba?".

AA: A wynosicie coś?
MC: Ja wyrzucam, co się da. Ale tylko jak Wojtka nie ma. Bo jemu by się to przydało, bo jemu szkoda. I ubrania rozdaję. Jak się komuś podoba, to często daję. W ogóle dużo większą frajdę sprawia mi dawanie niż branie.
WK: Ja dwa lata temu dałem buty, prawie nowe kowbojki, takiemu młodemu wokaliście z Wrocławia.
MC: Bo były na ciebie za małe.
WK: Minimalnie. Jakbym się uparł, tobym mógł nosić.
MC: Ale za małe!

WK: Ale dałem! Komórkę dałem dzisiaj synowi naszego pana Tadeusza. [Nie Mickiewicza, tylko Grzegrzółki. Mojego anioła opiekuńczego. Pan Tadeusz jest mechanikiem, „złotą rączką", ale przede wszystkim przyjacielem. Przyjaźnimy się od trzydziestu lat, a zwracamy się do siebie per pan. To jest coś! – przyp. WK.]

MC: Bo sobie nie mogłeś z nią dać rady!

WK: Bo mi się nie chciało dawać z nią rady! Nowa komórka!

MC: Jak coś od niego dostaniesz, to bądź pewny, że albo za małe, albo nie dawał sobie z tym rady. A ja pani Zosi dałam komórkę.

WK: „Ja dałam komórkę!!!" Widzisz, jaka ona jest?! To ja, z dobrego serca oddaję pani Zosi swoją komórkę…

MC: Którą dostałeś…

WK: Ale ktoś inny by ją wziął i sprzedał, żeby zarobić dwieście dwanaście złotych i pięćdziesiąt groszy! A ja dałem! A ta się podpięła i pani Zosia teraz myśli, że od niej dostała komórkę.

MC: O co ci chodzi?!

WK: O to, że się podpinasz pod moje zasługi! Chociaż rzeczywiście mniej rozdaję niż ty. Mniej wyniosłem z domu. Ale co wyniosłem, to wyniosłem i nikt mi tego nie odbierze!

MC: No, jak już wyniosłeś, to wiadomo, że ci nikt nie odbierze, bo już ich nie masz.

WK: Jedyne rzeczy, które systematycznie wynoszę, to płyty kompaktowe. Co jakiś czas zbieram, wywożę hurtem do antykwariatu i tam sobie wymieniam na kilka innych. Oczywiście targując się, bo uważam, że oni chcą mi dać za dużo za to, co ja im przywiozłem. Przywożę im różne płyty, które dostaję od ludzi i na pewno ich nie posłucham. Skoro mam w domu tyle płyt ze świetną muzyką i nie słucham, to kiedy będę słuchał tych z mniej świetną?

AA: A są takie, których na pewno nigdy nie wywieziesz?

WK: Na pewno nie oddam nic Davisa, Jamesa Browna i Kabaretu Starszych Panów.

AA: A ile masz płyt? Mniej więcej.

WK: Nie jestem w stanie policzyć. Ale samych winylowych pewnie koło półtora tysiąca. Kompaktowych kilkaset.

AA: Wymieniłbyś jedną, którą uważasz za najważniejszą płytę świata?

WK: „Miles Ahead" Milesa Davisa. Zaaranżowana przez geniusza, Gila Evansa. To jest mój katechizm muzyczny.

AA: Wśród tych paru tysięcy jest kilkadziesiąt takich, na których sam grasz. Jesteś w stanie słuchać swojej pierwszej płyty?

WK: Jestem, ale to jest kuriozalne przeżycie. Słucham człowieka, który gra na saksofonie altowym wyposażonym w ustnik od klarnetu, chociaż nie potrafi grać. W ogóle nie chciałem grać na alcie, tylko na tenorze, ale to nie były czasy, w których można by było użyć hasła reklamowego: „Chcesz grać na tenorze, to kup sobie tenor". Zdobyć jakikolwiek saksofon to był problem. Co do tego, który ja kupiłem od żołnierza-perkusisty, miałem uzasadnione podejrzenia, że został ukradziony z orkiestry wojskowej. I na tym wojskowym saksofonie z ustnikiem od klarnetu nagrałem pierwszą swoją płytę „Jazz Believers". A dokładniej nagrali Amerykanie na Międzynarodowych Targach Poznańskich w 1958 roku. Przyszliśmy do stoiska wytwórni płytowej RCA, żeby zobaczyć, jak wygląda prawdziwy, wielki muzyczny świat. A oni, kiedy się dowiedzieli, że jest polski zespół jazzowy, zaproponowali, że nagrają z nami płytę.

AA: Z nami, czyli z kim?

WK: To znaczy z grupą ośmiu muzyków, którzy tworzyli dwa zespoły. Pierwszy, grający jazz nowoczesny, nazywał się Jazz Believers i grało w nim, na zmianę, dwóch pianistów: Krzysztof Komeda i Andrzej Trzaskowski, Ptaszyn Wróblewski grał na saksofonie tenorowym, ja na altowym, a w sekcji rytmicznej byli: Roman Dyląg na kontrabasie i Jan Zylber na perkusji. Drugi zespół, czyli All Stars Swingtet, grał, jak sama nazwa wskazuje, muzykę swingową. Ptaszyn Wróblewski grał w nim na klarnecie, ja na fortepianie, Dyląg i Zylber – jak wyżej, a do tego byli dokooptowani: wibrafonista Jerzy Milian i Stanisław Zwierzchowski – zawodowo gitarzysta, a prywatnie wujek Ewy Bem.

MC: A można być prywatnie gitarzystą, a zawodowo wujkiem Ewy Bem?

WK: Nie mam pojęcia. Jakoś nie wpadło mi do głowy, żeby spróbować… Nieważne. Póki co dostaliśmy whisky, piliśmy sobie, a Amerykanie nagrywali. Na jeden mikrofon. To była rewelacja. Jak ktoś grał solówkę, facet z mikrofonem zbliżał się na takim wózku do niego, żeby lepiej było słychać. Byliśmy strasznie dumni, że nagrywamy płytę dla RCA Victor. I rzeczywiście powody do dumy były. Chociażby nakład. Poczciwi Amerykanie przysłali nam po jednym egzemplarzu. Czyli w Polsce pojawiła się w liczbie bodajże ośmiu sztuk. Więcej nie powstało. Oni nam to nagrali i dali w prezencie. Połowy już nie ma, poginęły ludziom, ja jestem jednym z niewielu, którzy jeszcze ją mają. Na tej wersji z jazzem nowoczesnym, gdzie gram na saksofonie, słychać, że jeszcze nic nie umiem, natomiast na tej swingowej gram na fortepianie i są tam pewne momenty, które mogą sugerować, że ten człowiek będzie kiedyś nieźle grał. Jeśli chodzi o skład nowoczesny, to jest tam jeden utwór, „Four Brothers" Jimmy Giuffrego, genialnie przerobiony i zagrany przez Krzysia Komedę. W jego pianistyce słychać było wtedy pewne niedoskonałości rzemiosła jazzowego, natomiast w tym utworze objawia się jego wizjonerstwo. Dopiero po latach dotarło do mnie, jakie to wspaniałe. Brzmi jak muzyka amerykańskiego pianisty, Lennie Tristano. Obaj wyprzedzali wtedy swoją epokę, byli awangardowi w najlepszym znaczeniu tego słowa.

AA: Marysiu, ty masz jakieś płyty?

MC: Kiedyś miałam. Jak mieszkałam na Fabrycznej. Pewnie z dwadzieścia. I słuchałam na cały regulator. Fogga „Piosenkę o mojej Warszawie" albo „Andriusza… coś tam… twoja wzrusza…".

AA: To ciekawe, tego nie znałem. Oryginalny tekst, „Andriusza coś tam twoja wzrusza".

WK: Podejrzewam, że tego nikt poza nią mógł nie znać. Przynajmniej w takiej wersji.

MC: Ale teraz nie mam żadnych płyt.

WK: Więcej, ona nie rozumie, po co ja w domu trzymam płyty, których już raz posłuchałem.

MC: No bo ty ich już przecież nie słuchasz!

WK: Od pewnego czasu w ogóle nie słucham płyt.

MC: No to po co je trzymasz?!

AA: A dlaczego nie słuchasz?

WK: Bo ona mi to obrzydziła! Tym, co słyszę z ciągle włączonego telewizora. Siedzi, ogląda, a mnie się cały czas sączy do głowy ten chłam, który nadają w telewizji. I zaśmieca mi mózg. Ja naprawdę znienawidziłem muzykę przez to dziadostwo! Poza tym jak ja mam słuchać muzyki, skoro mój pokój jest połączony z tym, w którym jest telewizor, więc ciągle słyszę tylko: „bum, cyk, bum, cyk, bum, cyk, bum, cyk" i „Uaaau!"? Ale dobre płyty... chcę mieć.

MC: I masz. Przesłuchane, ale leżą. Bez sensu.

WK: Marysia nie potrafi zrozumieć, że płyta nie jest przedmiotem jednorazowego użytku. Uważa, że płyta jest jak książka, którą należy raz przeczytać, a kiedy się już wie, co tam było napisane, można się jej pozbyć. Poza tym ona nie ma instynktu posiadania. A ja mam, i to nawet wzmocniony. Jak coś mi się bardzo podoba, lubię to mieć w dwóch egzemplarzach. Jarek Śmietana też tak ma. Jak mi pokazuje magnetofon kupiony na Allegro, to od razu szukam wzrokiem tego drugiego…

MC: On spodnie nawet kupuje podwójnie.

WK: Bo rzeczy mogą się zgubić, zniszczyć albo ktoś pożyczy. Na przykład Marysia.

MC: Nie wierzę, że pożycza twoje spodnie!

WK: Może nie, ale na przykład płyty, książki. Wiem, że jak ode mnie pożyczy, to nie odda. Albo komuś da, albo wyrzuci. Dlatego ani Davisa, ani Jamesa Browna jej nie pożyczę.

AA: Skoro padły te nazwiska – widziałeś ich na żywo?

WK: Tak, byłem na koncertach. Davisa widziałem trzy razy – raz we Francji i dwa w Warszawie w Sali Kongresowej. A Jamesa Browna dwa razy – w Sztokholmie i w Operze Leśnej w Sopocie.

MC: A on żyje jeszcze?

WK: Niestety, umarł. Większość porządnych ludzi już umarła. Tylko ty, Artur, ja i jeszcze parę osób się trzyma…

AA: To opowiedz o wrażeniach z tych koncertów…

WK: Szedłem już psychicznie przygotowany. To byli moi mistrzowie, bogowie. Przecież o Davisie mówiło się, odkąd zacząłem się interesować jazzem…

MC: A on żyje jeszcze?

WK: Też nie. A na jego koncercie w Kongresowej, w 1983 roku, popłakałem się. I to wcale nie w momencie kiedy grał coś sentymentalnego. Ja reaguję szalenie emocjonalnie na momenty zupełnie nieromantyczne w muzyce, na mocny cios tej czerni w soulu, funku czy muzyce gospel. Rytm, puls, energia. To był w ogóle niezwykły koncert. Davis słynął z arogancji i lekceważącego stosunku do publiczności. W Warszawie zdarzyło się coś nieprawdopodobnego – myśmy tak klaskali, że on wykonał trzy bisy. Co mu się nie zdarzało. A po ostatnim bisie zdjął kapelusz i ukłonił się publiczności. Chyba pierwszy i ostatni raz w życiu. Nie wiem, czy biografowie Davisa znają taki drugi przypadek. Żeby Davis tak się zachował w stosunku do publiczności, jak tutaj w Polsce. Fakt, że potem wszystko mu się pomyliło i we wspomnieniach pisał, że jeździł po Warszawie limuzyną Andropowa, niczego w moim wspomnieniu nie zmienia. Mój muzyczny bóg na wyciągnięcie ręki! Dosłownie się popłakałem…

MC: A jak bociana widzisz?

WK: ?!?

MC: No jak bocian leci. To się też wzruszasz?

WK: Dlaczego mam się wzruszać, jak bociana widzę?

MC: Bo podobno co drugi bocian jest Polakiem.

WK: Nawet gdyby to była prawda, to dlaczego mam się wzruszać co drugim Polakiem?

MC: Tak tylko pytam. Ale to, że płakał, to potwierdzam. Widziałam. Byłam z nim na koncercie Davisa.

AA: I jakie wrażenia?

MC: Murzynek.

WK: Jak Sinatra.

Maria Czubaszek
CZASAMI DOBRZE BYĆ IDIOTĄ

Nie ma głupich pytań. Bywają tylko głupie odpowiedzi. Tak twierdzi Maria. Ja osobiście byłbym skłonny z tym dyskutować. Ale nie z Marią. Z nią dyskusji nie ma! Maria wszystko wie najlepiej. A jeśli czegoś nie wie, pyta...

– Jerzy... wolałbyś być bulionerem czy milionerem?

– Kto to bulioner?

– Ten, kto robi buliony! Skoro ktoś, kto robi miliony, jest milionerem, to ktoś, kto robi buliony, jest bulionerem! To logiczne!

Logika Marii jest tyleż żelazna, co zaskakująca. Mnie jednakowoż nic już nie zaskakuje...

– No więc kim wolałbyś być?

– Milionerem.

– Dlaczego?

– Bo będąc milionerem, mógłbym również być bulionerem. Natomiast odwrotnie...

– Też można! – wpadła mi swoim zwyczajem w zdanie. – Robiąc buliony, można robić miliony! Jak się chce, to wszystko można, niestety! Dam ci zresztą przykład!

Kiedy Maria daje, trzeba brać...

– Było sobie kiedyś dwóch braci. Jak się później zresztą okazało, syjamskich.

– To widać natychmiast po urodzeniu! – zauważyłem nieśmiało.

– Zależy, czym są zrośnięci. Oni na przykład byli zrośnięci górną siódemką. A przecież zęby wyrzynają się po pewnym czasie. No więc w ich przypadku stwierdzono, że są braćmi syjamskimi, dopiero w rok po urodzeniu. Na szczęście zęby mleczne same wypadają i obyło się bez operacji.

– To rzeczywiście mieli szczęście! – przyznałem bez przekonania.

– A widzisz! – Maria, z sobie tylko wiadomych powodów, triumfowała. – Ale nie przerywaj! Otóż bardzo szybko okazało się, że jeden z braci w ogóle jest wyjątkowym szczęściarzem! Natomiast drugi – pechowcem. Pierwszy bogato się ożenił i w krótkim czasie został milionerem. Drugi ożenił się z dziewczyną znacznie brzydszą, ale za to gołą jak striptizerka! Nie mógł znaleźć roboty i mimo że nie pracował, nie miał grosza.

– To raczej normalne! – zauważyłem.

– Zależy gdzie! Są kraje, gdzie nie pracują tylko bogacze. Ale on był biedny jak mysz w połogu!

– Kościelna – sprostowałem.

– Skąd wiesz?! – zdziwiła się. – Znałeś go?

– Nie, ale znam powiedzonko.

– Aha! – Była wyraźnie rozczarowana. – Ale nie przerywaj! Otóż jak myślisz? Który z braci był szczęśliwszy? Ten bogaty czy ten biedny?

– Ten bogaty – strzeliłem.

– Tak! – Maria była zaskoczona – Skąd wiesz?!

– Czytałem o tym w prasie – skłamałem, żeby nie rozpętać jakiejś dyskusji.

– Aha! – przyjęła kłamstwo za dobrą monetę. – No więc rzeczywiście ten bogaty był szczęśliwszy od biednego. I kiedyś ten ubogi przeczytał broszurkę pt. „Jak zostać milionerem". I co postanowił?

– Zostać milionerem! – strzeliłem po raz drugi. Ku rozczarowaniu Marii, znowu trafnie.

– Tak. Postanowił zostać milionerem. Wziął w kieszeń dwadzieścia centów i poszedł do Nowego Jorku. Na piechotę, bo na pociąg nie miał, a samolotem bał się lecieć.

– Skoro nie było go stać na pociąg – zauważyłem inteligentnie – tym bardziej nie miał na samolot!

– No właśnie! A na gapę bał się lecieć! Ale nie przerywaj! – skarciła mnie po raz trzeci. – Kiedy po trzech miesiącach przyszedł do Nowego Jorku, kupił w małym barku za 10 centów bulion. I poszedł z nim do większego baru, gdzie bulion kosztował 20 centów. Sprzedał, wrócił do poprzedniego i kupił już dwa buliony. Następnie...

– Sprzedał dwa buliony w większym barze – wpadłem jej w zdanie – i za czterdzieści centów kupił cztery buliony w mniejszym barze!

– Tak! – Jeszcze nigdy chyba nie widziałem Marii aż tak rozczarowanej. – Skąd wiesz?!?

– Bo to stary dowcip! – postanowiłem załamać ją do końca. – Kiedy dzięki „transakcjom" bulionowym miał już 5 dolarów, otrzymuje wiadomość, że jego brat milioner umarł i zostawił mu cały majątek! W ten sposób z biedaka stał się milionerem!

Maria była tak przybita, że zrobiło mi się jej żal. Zastanawiałem się właśnie, czym ją pocieszyć, kiedy zupełnie znienacka spytała:

– W takim razie powiedz mi... kim wolałbyś zostać? Milionerem czy moim mężem?

Będąc z wyboru dżentelmenem, odpowiedziałem bez wahania, że jej mężem.

– Tak przypuszczałam, niestety! – Nieoczekiwanie znowu posmutniała.

– Ależ Mario! – zdenerwowałem się, że nie doceniła mego poświęcenia. – To chyba najlepszy dowód, jak bardzo cię kocham!!! Powinno cię to cieszyć!!

– Myślisz? – W oczach jej błysnęły złośliwe iskierki. – A mnie to akurat martwi! I niepokoi!

– Dlaczego?!?

– Bo to znaczy, że jesteś idiotą! – syknęła. – Przecież gdybyś zdecydował się zostać milionerem, to jasne, że tym samym zostałbyś moim mężem!

– O tym nie pomyślałem... – Zrobiło mi się głupio...

– A ja nie myślę wychodzić za idiotę! – poinformowała mnie tonem nieznoszącym zgody.

Pierwszy raz nie zmartwił mnie fakt, że nie jestem inteligentny...

AA: Porozmawiajmy chwilę o książkach. Wiem, że Marysia w dzieciństwie czytała głównie takie o Indianach, później starała się szpanować, chodząc po ulicach z „Ulissesem", którego nie przeczytała... Ty przeczytałeś?

WK: Cytując Jeremiego Przyborę, „Jakoś... nie złożyło się". Przykro mi, że was rozczarowałem, bo znając mnie, mogliście sądzić, że znam „Ulissesa" na pamięć. Ale nie. Nie przeczytałem. I jeszcze paru innych książek też nie.

AA: Na przykład?

WK: „Trylogii" nie tknąłem. A na maturze dostałem temat „Andrzej Kmicic – jego dzieje i przeobrażenia wewnętrzne". Maturę zdałem tylko dzięki temu, że nasz dyrektor, profesor Rieger, cudowny pianista, wspaniały człowiek, nie wpadł na to, że ktoś może tak bezczelnie kłamać. Przechodząc koło mnie, zobaczył, że mam pustą kartkę. Zapytał, dlaczego nie piszę. Odpowiedziałem, że przeżywam taki stres, że całą noc się uczyłem i teraz mam mętlik w głowie. Opowiedział mi coś, dosłownie kilka zdań, które rozbudowałem i tak powstała praca.

MC: Ja nie przeczytałam „Pana Tadeusza". Maturę napisałam na podstawie omówień, które pamiętałam z lekcji.

WK: Ja też nie przeczytałem. I tak bym nie zrozumiał, bo to jest napisane wierszem.

AA: To bardzo pedagogiczne, co teraz robimy. W książce chwalimy się nieczytaniem książek...

MC: Nie książek, tylko niektórych lektur.

AA: To chwalcie się tym, co przeczytaliście.

WK: W dzieciństwie o Indianach nie czytałem. Ale lubiłem o duchach, rycerzach, zamkach... I Gałczyńskiego. W „Przekroju" była co tydzień drukowana „Zielona Gęś", w której się zakochałem. W teatrze Groteska, który wystawiał sporo lalkowych przedstawień dla dorosłych, zobaczyłem jakiś czas później spektakl „Babcia i wnuczek, czyli noc cudów" Gałczyńskiego...

„...Takiż był księżyc i na rynku pompa,
Gdy mi przysięgła miłość Maria Skąpa,
Córka Piotra Skąpego i Ramony
Z Górskich, Dworcowa 9, róg Zielonej.
Takiż był księżyc; ja, stojąc za wałem,
Marii ten bukiet róż ofiarowałem,
Mych czystych ogni zadatek niewinny,
Atoli Marię posiadł bałwan inny,
Gdyż większy bukiet przyniósł jej ze sklepu..."

MC: Niby nie masz pamięci, a takie rzeczy pamiętasz!

WK: Bo ja zapamiętuję to, co kocham. Gałczyńskiego zresztą widywałem w Krakowie. Na ulicy, w kawiarni. Mógłbym się chwalić, że wpadał czasem do mnie na ulicę 18 Stycznia 23, że zwracałem się do niego per Kostek, bo kto by to sprawdził, czy tak było? Ale nie było. Tylko widywałem. A wracając do lektur, to jeśli chodzi o polską literaturę, mam taki kanon nazwisk: Gombrowicz, Mrożek, Przybora. Na Przyborę trafiłem z dużym opóźnieniem. Wtedy kiedy były premierowo nadawane jego pierwsze kabarety, nie mieliśmy jeszcze telewizora. Nie było pieniędzy, żeby go kupić, poza tym w Krakowie bardzo długo nie było w ogóle telewizji. Zajmowałem się wtedy głównie konsumpcją bełtów, uczeniem się grania jazzu i mieszkałem właściwie w Piwnicy pod Baranami. Do głowy mi nie wpadało, że można oglądać telewizję. Potem wyjechałem do Szwecji i dopiero po powrocie, w połowie lat siedemdziesiątych, zobaczyłem pierwszy raz Kabaret Starszych Panów. Czyli już w bardzo dorosłym wieku. Tak się zachwyciłem, że zacząłem szukać książek Przybory z cudownymi opowiadaniami, na przykład „Listy z podróży". Zresztą u Mrożka też najbardziej mi się spodobały opowiadania. „Ad astra", „Ptaszek ugupu", „Lucuś".

MC: Mnie odrzucało od „Anielki" i „Antka".

AA: Ale miało być o tym, od czego cię nie odrzucało...
MC: Szybko przeczytałam „Zbrodnię i karę".

AA: Szybko, to znaczy?
MC: Kilkanaście lat miałam.

AA: Aha, w tym sensie... Myślałem, że tak jak twój ukochany Woody Allen, który powiedział: „Wziąłem kurs szybkiego czytania, zdołałem przeczytać «Wojnę i pokój» w 20 minut. To jest o Rosji".
MC: Aż tak szybko to nie. Mnie to zajęło więcej czasu, mimo że „Zbrodnia i kara" cieńsza. Na kilkunastoletniej dziewczynce zrobiło wrażenie. Bo straszne! Ta siekiera...

WK: Czyli o Rosji...

MC: A! I jeszcze „Życie seksualne dzikich" Malinowskiego bardzo mi się podobało. U dziadków przeczytałam. Jeszcze chyba dziesięciu lat nie miałam. Leżało u dziadka, zaglądałam zaciekawiona, to dał mi do przeczytania. Byłam bardzo poruszona. Na przykład tym, że na golaska wszyscy chodzili...

WK: Eeee... Paskudztwo! To wtedy rzeczywiście wszystkich bardzo intrygowało. Tylko mnie jakoś nie. Moje upodobania erotyczne, nawet w bardzo młodzieńczym wieku, oscylowały w takim kierunku, że wykluczyłbym jakikolwiek seks na przykład w puszczy, nago i z dużą ilością potu...

MC: Musi być w zamkniętym, zimnym pomieszczeniu i w ubraniu?

WK: To musi być tak, jak w jednej z nowelek Mrożka. Ja mam taką wrażliwość erotyczną, jak pewien pan hrabia, który mógł mieć orgazm tylko wtedy, kiedy na podwórku jego domu grała orkiestra smyczkowa, a na skale widocznej z okna pokazywał się biały niedźwiedź. Jeszcze do tego bym dodał od siebie, że powinno się to dziać wieczorem i w bardzo eleganckim entourage'u. Zatem „Życie seksualne dzikich" mnie nie porwało. W tamtych czasach, kiedy miałem dwanaście, trzynaście lat, rozczytywałem się w opowiadaniach Marka Twaina, w sztukach Gogola i jego fantastycznych opowiadaniach, które mnie zachwyciły. Również te mniej znane, o różnych gusłach, tajemnicze czary-mary. I straszno, i śmieszno…

AA: Czyli o Rosji… Dobrze, książki odkładamy na bok. Sięgamy po gazetę. Będę wam czytał fragmenty pewnego prawdziwego wywiadu. Z parą celebrytów. Strasznie w sobie zakochanych. To znaczy zakochanych każde w sobie i w sobie nawzajem. Chyba. A wy komentujcie. I możecie odnosić do siebie. Ona: „Mówimy jednocześnie to samo i używając tych samych słów. No i wzdychamy w identyczny sposób".

MC: To jacyś chórzyści.

WK: Tak, chór mieszany. Sądząc po sposobie wzdychania, mają dyrygenta.

AA: „Mamy taki sam kolor oczu, chociaż moim zdaniem jego są ładniejsze".

WK: To ona mówi? Niesłychane!

MC: Ja to nie mogłabym tak powiedzieć, bo nie wiem, jaki Wojtek ma kolor oczu. Bo stale chodzi w ciemnych okularach.

WK: A ja jestem daltonistą.

MC: Ale wiesz, że mam oczy? Nawet dwoje.

WK: Wiem. I wiem, że ja mam piwne, bo ktoś mi powiedział. Ale jakie ma Marysia – nie wiem. Tak samo nie wiem, że ktoś się zaczerwienił albo zbladł. Nie widzę takich rzeczy. Wczoraj kupiłem żółtą zapalniczkę, ale boję się, że jest zielona.

AA: A ty się boisz zielonych zapalniczek?
WK: Nie budzą mojego lęku, ale irytuje mnie ich bezczelność. Leży taka i udaje, że jest żółta. Albo brązowa, jak ten las, przez który zostałem muzykiem.
MC: Jak mi kupował buty, to się czasem takie rzeczy zdarzały. Że do sukienki dobierał ciemnozielone buty, a do domu przychodził z żółtymi.

AA: Może kupował latem, a wracał do domu dopiero jesienią i zielone buty żółkły? A może tak samo irytują go zielone buty jak żółte...
MC: Kalendarze?

AA: Dlaczego?
MC: Była chyba kiedyś taka piosenka „Przesyłaj choć żółte kalendarze...".

AA: „Spal żółte kalendarze...", a „Przesyłaj choć puste koperty...".
MC: A wiesz, że kiedyś też były zielone koperty?
WK: Dajcie spokój, ja się gubię! Ale poważnie – Marysiu, jaki to jest kolor, ta zapalniczka?
MC: Taki ciemny.
WK: O! Masz konkretną odpowiedź! Ta wasza zakichana zieleń...

AA: Ale wróćmy do rozmowy zakochanych. „Jesteśmy jedną duszą w dwóch ciałach..."
WK: Mnie się to kojarzy z takim obrazkiem, trochę pastisz Nikifora, trochę „Celnika" Rousseau: serduszko, w serduszku ona i on. A dookoła cóś ładnego...

MC: A ja w ogóle w duszę nie wierzę.

WK: Teraz się mówi, że jak coś jest stare, to ma duszę. Samochód, pióro, maszyna do pisania… To może ci państwo są już starsi? Tak jak my. Gdyby byli wytworem techniki, mogliby być katamaranem. No bo jedna dusza w dwóch ciałach, prawda? Chyba tak to było?

MC: A, to w tym sensie mogę uwierzyć w duszę. A nawet dwie w jednym ciele. Bo niby dlaczego człowiek ma mieć mniej dusz niż oczu?

AA: Teraz on mówi: „Jesteśmy zachłyśnięci sobą. I wszystko robimy razem. Sprzątamy, wyrzucamy śmieci…".

WK: On zachłyśnięty nią, a ona nim czy każde sobą? Bo jeśli to drugie, to to jest tak jak Andrzej Kurylewicz powiedział kiedyś o JFK: „My z prezydentem Kennedym bywamy u siebie. On u siebie i ja u siebie".

MC: Zachłysnąłeś się kiedyś mną?

WK: Ja się i bez ciebie zachłystuję. Jak coś piję, to przeważnie się krztuszę. Ale tobą nigdy!

MC: Ale tu nie chodzi o to, czy się mną zakrztusiłeś, tylko czy się mną zachłysnąłeś!

WK: A jaka jest różnica pomiędzy zachłyśnięciem a zakrztuszeniem? Czy chodzi o to, że zachłyśnięcie jest mniej brutalne, nie tak definitywne? Oj, chyba poleciałem metaforą bufora. Sorki.

AA: Sprzątaliście kiedyś razem?

WK: Pasjami! Świata poza tym nie widzimy.

MC: A ja go budzę rano i mówię: „Wojtek! Mam pomysł na dzisiaj! Może byśmy posprzątali?". Powiem ci szczerze – ani razem, ani oddzielnie nie sprzątamy.

WK: To jest bardzo ciekawe, bo przecież mówi się, że dobry związek polega na tym, że dwie osoby różnią się od siebie. Że to różnice się przyciągają…

AA: To jakie są najważniejsze różnice między wami?

WK: Różnicy wzrostu nie ma, bo ona twierdzi, że jest wysoka. A ja jej ufam. Kiedy byliśmy młodzi, była różnica płci.

MC: Ale z wiekiem to zanika.

WK: Światopogląd nas różni. Ona reprezentuje neutralny zdrowy rozsądek, a ja nieszkodliwy konglomerat sprzecznych ze sobą idei. Było kiedyś takie powiedzenie, że nie jest porządnym człowiekiem, kto za młodu nie był socjalistą, i nawet bym się z tym zgodził, tyle że powinno być odwrotnie: nie „za młodu", tylko „na stare lata".

AA: A za młodu byłeś?

WK: Socjalistą? Nie. Ludzie wychowani w rodzinach inteligenckich dziedziczyli krytyczny stosunek do ustroju panującego w powojennej Polsce. Ale moje pokolenie nie miało wtedy zielonego pojęcia, co to znaczy lewica, a co prawica. Nawet ci, którzy wynieśli z domu trochę wiedzy na ten temat, mieli w gruncie rzeczy mózgi wyprane przez propagandę. Wszystko było w naszych głowach porąbane. Utożsamialiśmy lewicę i socjalizm z sowiecką zarazą, a prawicę z amerykańskim, kapitalistycznym rajem. Oczywisty idiotyzm, ale tak to wtedy wyglądało w oczach dorastającego dziecka. Trzeba było bardzo dużo czasu i wielu doświadczeń, żeby zrozumieć, co znaczą te pojęcia. Dlatego nie byłem za młodu socjalistą, ale teraz, kiedy zobaczyłem, jak okrutny może być kapitalizm, mój światopogląd przesunął się zdecydowanie w lewo. Wolny rynek puszczony na żywioł, pozbawiony jakiejkolwiek kontroli, niszczy wiele dziedzin życia i spycha całe rzesze ludzi w ubóstwo. Nie wolno się godzić z tym, żeby wszystkim rządził pieniądz. Musi być jakiś mechanizm egzekwowania sprawiedliwości społecznej i ochrony tego co słabsze. Brak tego wydaje mi się wręcz niechrześcijański.

MC: Ty nawet trochę w Boga wierzysz.

WK: Trochę tak.

MC: A ja uważam, że tak samo, jak nie można być „trochę" w ciąży, nie można „trochę" wierzyć.

WK: Chyba w jakimś sensie można. Zależy, kto to mówi. Teolog mógłby zakwestionować moją wiarę, ale ja nie mam obowiązku wierzyć dokładnie według jego zasad. Wierzę w jakiś ułomny sposób, ale jednak… Wierzę w Boga w tym sensie, że przecież ktoś to wszystko musiał zrobić. Są np. rzeczy, które mnie tak zachwycają, że to niemożliwe, żeby to się samo z siebie zrobiło…

MC: Ale nie ma dowodów na to, że zrobił to Bóg.

WK: Podobnie jak nie ma dowodów, że nie zrobił tego Bóg.

MC: Czyli jesteś agnostykiem.

WK: Trochę tak. O ile można być agnostykiem ze wskazaniem na „wierzę".

MC: A słyszałeś, choć trochę, o wybuchu? Od którego wszystko się zaczęło?

WK: Może tak było. Ale jeśli tak, to kto odpalił? Wybuch, czy co innego, to fizyka. A siła sprawcza? Na ile można o niej mówić w kategoriach naukowych? Czy jest na sali kosmolog?! Halo! Nic na ten temat nie wiemy. Stało się i jest. Dlatego wierzę w Boga jako siłę sprawczą. Religia wprawdzie odnosi się jakoś do tego, ale mam wrażenie, jakby została stworzona głównie po to, żeby pomóc mało dociekliwym w przypadku kłopotów i trzymać ludzi w ryzach. Żeby się nie wymykały pewne sprawy spod kontroli. A my jesteśmy tak ograniczeni w swoim myśleniu, że nie potrafimy zrozumieć rzeczy, których nie możemy dotknąć. A one po prostu są.

MC: Chcesz mieć furteczkę do nieba uchyloną?

WK: Nie zaszkodziłoby. Ale ja nie jestem pewien, jak to jest z tym niebem. Czasem chciałbym być typowym wierzącym człowiekiem, bo jeśli się ma jasność co do tych spraw, nie ma się czego bać. Tyle że skoro tak, to dlaczego wierzący boją się śmierci? Hmm… Żeby jednak nie mówić o wszystkim tak sceptycznie, powiem, że sacrum robi na mnie często ogromne wrażenie. Na przykład gotycki kościół. Mieszkając w Krakowie, lubiłem chodzić do kościoła Mariackiego po to, żeby po prostu tam usiąść, patrzeć i zachwycać się. Albo ta nieprawdopodobna katedra w Kolonii. Dom! W tym jest tyle piękna, że wystarczy, żeby uwierzyć w Boga.

A czarny gospel w Ameryce! Ci ludzie tak się modlą, że nie można być wobec tego obojętnym. Dlatego nie mogę powiedzieć, że jestem całkowicie niewierzący. Chyba można „trochę" wierzyć.

AA: A modliłeś się kiedyś? A może się modlisz?

WK: Nie. Nie potrafię być religijny. Może to kwestia miejsca, w którym żyjemy. Te obrządki są dla mnie niezrozumiałe. Nie uruchamiają mojej wyobraźni, nie powodują angażowania się. Może byłoby inaczej, gdybym żył w Stanach z tymi czarnymi baptystami, których oglądam na YouTube. A tu? W dzieciństwie chodziłem do kościoła, ale w ogóle z tym nie kontaktowałem. Nie rozumiałem słów modlitwy, którą trzeba było mechanicznie powtarzać. Jako małe dziecko nie miałem np. pojęcia, co to znaczy „owo dżwota twego".

MC: Znaczy to i owo.

AA: Jak tak was słucham, dochodzę do wniosku, że jednak bardzo jesteście do siebie podobni.

MC: Jakbym zapuściła wąsy, nie wiedziałbyś, kto jest kto! Dla ułatwienia usuwam sobie woskiem nawet ten mały wąsik, który z wiekiem zaczyna się sypać.

WK: Marysia wszystkiemu potrafi zaradzić.

AA: A ty jesteś zaradny?

MC: Był. W czasach, kiedy pił. Ale tylko jeśli chodziło o alkohol.

WK: Bo człowiek pijący musi sobie planować, organizować, dbać o to, żeby nie zabrakło. Ile kryjówek trzeba mieć, żeby w każdej sytuacji było skąd wyjąć. Kiedyś było nagranie w telewizji. Studio Jazzowe Polskiego Radia pod dyrekcją Jana Ptaszyna Wróblewskiego. Pamiętam początek, a potem znam już głównie z opowieści. W połowie nagrania Ptaszyn pyta: „Co się dzieje z Wojtkiem? Przyszedł w porządku, a teraz już pływa". Psy gończe w postaci reszty zespołu dostały zadanie wytropienia, gdzie ja to mam. Najpierw zajrzeli do torby, bo wiedzieli, że tam zazwyczaj trzymam litrowego ptysia.

AA: Soczek?

WK: Pół na pół z żytniówką. Ale w torbie nie znaleźli. Zaczęli przeglądać organy, czy nie schowałem we wzmacniaczach. Nie ma. A ja coraz bardziej ululany. Ze złości Tomek Szukalski przestawił mi literki.

AA: ?

WK: W Polsce wtedy nigdzie nie było literek.

AA: ??

WK: No ani na koszulkach, ani na samochodach. Na niczym. To ja sobie na organach Hammonda palnąłem napis: WOJCIECH KARO-LAK.

AA: Zaskakujące.

WK: Ja też w to dzisiaj nie mogę uwierzyć, bo teraz napisy to wiocha. Ale wtedy było dokładnie odwrotnie. Napis był z takich pojedynczych literek.

AA: Czy kiedyś skończymy ten wątek? Bo wychodzi na to, że literki to jedna z najważniejszych części twojej biografii.

WK: Już kończymy. No więc Szukalski zamienił mi te literki. Na WOJCIECH KAROLKA i tak to zostało nagrane. Jeżeli taśma nie została skasowana w staniku wojennym przez wojsko, powinien być gdzieś w telewizji ten archiwalny program, w którym na organach gra KAROLKA. Zresztą, po co ja mówię, że archiwalny?! Jak jazz, to wiadomo, że archiwalny! Po zmianie ustroju w 1989 roku telewizja i radio przestały nagrywać jazz. Jak się coś pojawi, to tylko jako wspomnienia w TVP Kultura. Niedawno ktoś mi nawet powiedział: „A, widziałem cię w telewizji". Ja na to, jak głupi: „To pewnie coś strasznie starego musiało być". Okazało się, że to powtórka tego programu, w którym Marysia miała operację plastyczną, a ja miałem mieć robiony podbródek [wyjaśni się za chwilę – przyp. AA]. Z tego jestem teraz głównie znany. Z podbródka. A nie z grania jazzu jako Wojciech Karolak czy Karolka. Ale taka popularność długo nie potrwa. Podbródek ma krótkie nogi.

AA: To ciekawostka anatomiczna. Ale wróćmy do fizjologii. Wtedy, w czasie tamtego nagrania, odkryli logistykę upijania się?

WK: Ale dopiero po wszystkim. Ktoś poszedł do toalety i w koszach na śmieci znalazł ogromne ilości tych tak zwanych małpeczek. Nie wpadło im do głowy, żeby zrobić mi kontrolę osobistą. A ja w każdej kieszonce ubrania, można powiedzieć, że w każdej fałdzie spodni i każdym zagięciu koszuli, miałem jakąś małą pięćdziesiątkę. Jak wesoły iluzjonista. Czasem wychodziłem do toalety, zostawiałem puste i coraz bardziej pijany wracałem, żeby zagrać na organach z literkami.

AA: Można powiedzieć: małpeczka, małpeczka i literki.
MC: Dużo literków.
WK: Kiedy przestałem pić alkohol, sądziłem, że przedtem najważniejsze było dla mnie bankietowanie i życie towarzyskie, a jazz był miłym dodatkiem do tego. Ale życie towarzyskie skończyło się wraz z piciem, bo okazało się, że było dodatkiem do alkoholu. Teraz nie ma picia, więc i nie ma życia towarzyskiego. Dzięki Bogu jazz został. Dodatkowo zbiegło się to ze zmianą stylu życia ludzi w Polsce, bo ze zmianą systemu, z końcem komuny, skończyło się takie artystyczne szlajanie się po nocach. Skończyły się żarty. Ludzie wytrzeźwieli i muszą wstawać wcześnie rano, żeby zająć się jakimiś biznesami. Inny świat. I to się zbiegło z diametralną zmianą w moim życiu, kiedy odstawiłem alkohol.
MC: A o biznesie nie pomyślałeś. A! Nie tylko jeśli chodzi o alkohol, był zaradny. Jeszcze jeśli idzie o stroje. Zawsze się elegancko ubierał.
WK: Bo to też była część życia towarzyskiego. Poza tym w pracy się przydawało. Czego się nie dogra, to się dowygląda. Eleganckie stroje sprawiały mi przyjemność.

MC: Jak to sprawiały?! A teraz nie sprawiają?! Jak jest jakiś dzień, że nie przyjdzie do niego przesyłka z zamówioną przez Internet koszulką albo marynarką, to jest mocno zmartwiony.

AA: Ile masz marynarek?
MC: Oooo!!!
WK: Nie, no aż tyle to nie. Niedawno oddałem takiemu panu trzydzieści.
MC: Oddałeś chyba do przeróbki.
WK: Nieważne do czego, ważne, że oddałem.

AA: Nie pytałem, ile oddałeś, tylko ile masz.
WK: Nie liczyłem. Ale przypuszczam, że koło pięćdziesięciu.

AA: Czyli do niedawna było osiemdziesiąt? Niezły wynik. Nie myślałeś nigdy, żeby otworzyć boks na ptaku?
WK: Co takiego ?!

AA: Nic, Marysia ci później wyjaśni. Wszystkie z tych pięćdziesięciu są „w ruchu"?
WK: Nie. Zawsze lubiłem się ładnie ubierać, bo lubię ładne rzeczy. Jednak nie zawsze jest to możliwe. Jak jestem w domu, to przecież nie będę chodził w smokingu. Z kolei jeżeli wychodzę z domu, to zazwyczaj po to, żeby na jakiejś estradzie na kolanach podłączać kable, tarzać się pod organami Hammonda... Pot się ze mnie leje... I cokolwiek ładnego bym miał na sobie, natychmiast bym zniszczył. Nie da się grać na organach Hammonda i być ładnie ubranym. Chyba że się jest słynnym amerykańskim artystą, który prosto z hotelu jest zawożony do sali koncertowej, w której czeka na niego rozstawiony, podłączony instrument. A mistrz tylko wchodzi, gra i schodzi. Ja nie mam tak dobrze. Muszę robić za „fizycznego". Samemu sobie zawieźć sprzęt, rozłożyć to, podłączyć, dopiero potem zagrać, a zaraz po graniu rozłączyć, złożyć itd. To jest praca fizyczna i wszędzie na świecie

CO WIDZIELIŚMY
W ZAKOPANEM?

Tekst: Paulinka

Zdjęcia: Plewiński

MIEJSCEM naszych obserwacji było schronisko na Kalatówkach. Fotografowaliśmy głównie modę na po nartach, gdyż narciarska mniej sensacyjna, klasyczna.

Co z nowości żurnalowych na po nartach (które pokazywaliśmy w poprzednich numerach) chwyciło faktycznie i stało się ciałem, przynajmniej na terenie przez nas eksplorowanym? Otóż:

Spodni aksamitnych było na Kalatówkach 1 para (jedna). Dziewczęta nie zdążyły? Aksamit nie chwycił? Innych spodni było zatrzęsienie, dziewczęta miały po 2—3 pary, najwięcej było spodni w prążki.

Korale bardzo popularne: z fasoli, z żołędzi, ze starej lampy, z korka, z paciorków. Wyróżniała się szyja młodej aktorki Maji Wachowiak w naszyjniku z dużych kolorowych szkiełek.

Jasne botki — chwyciły szalenie. Szpiczaste, glacé, białe lub pastelowe.

Długie swetry z dekoltem w szpic były przeważnie ściągnięte z chłopców, natomiast roiło się od długich rozpinanych swetrów „mohair", włochatych, luźno tkanych, z dużymi kołnierzami.

Królowały spódnice na halkach do kolorowych pończoch i szpilek, były sukienki z grubej jak by maty wełnianej, różne spódniczki ze sztucznego baranka, w ogóle rzeczy kosmate i „przerabiane". Szeroka włochata spódnica w kratę — świeciła nieobecnością, bo niełatwo o taki materiał. Za to pod innym względem Kalatówki błyszczały szykiem: dzięki kożuszkom. Faktycznie właśnie kożuszek był w tym sezonie szałem mody wytwornych zimowisk, a więc poczciwe kożuszki zakopiańskie (poczciwe, choć nie tanie) dodawały Kalatówkom światowego zacięcia. Kożuszki i czapy futrzane (głowa-dmuchawiec, patrz zdjęcia). P.

Krótki kożuszek, ciemne pończochy, jasne botki. Obok w okularach: muzyk jazzowy Karolak (syn prof. grafiki)

Długi rozpinany sweter, spodnie z grubego trykotu. Całość: inżynier-elektryk, żona aktora Tadeusza Łomnickiego

Długie proste wdzianko, spódnica w kratę, noga w gipsie, fryzura w pędzelki. Całość: śpiewaczka Wanda Warska

Sweterek wycięty w szpic, korale-obróżka, spódnica ze sztruksu w prążki na halce, ciemne pończochy, szpilki

Sukienka z grubego przerabianego materiału z dekoltem w szpic, czarne pończochy, modne jasne szpiczaste botki

Pewien prążkowany biało-czarny materiał okazał się popularnym tworzywem na spodnie. Oto 2 pary takich spodni

20

Medialne echa elegancji Karolaka. „Przekrój", 6.03.1960, Wojciech Plewiński sfotografował, a Paulinka opisała (opisał?) styl ubioru osób spotkanych w Zakopanem, na zdjęciach pierwszym od lewej w górnym rzędzie i środkowym w rzędzie dolnym – Wojciech Karolak z pierwszą żoną, panią Bożenką. Na uwagę zasługuje również fotografia Wandy Warskiej z nogą w gipsie

Grupa elegantów (środowisko krakowskie), przebranych wieczorem „na cywila". Chłopiec w środku: czarne spodnie leżące na butach, buty ze szpiczastym nosem, biała koszula z szerokim włoskim kołnierzem i mankietami na spinkę, wąski krawat w poziome paski, beżowa marynarka na 3 guziki, fryzura z krótką grzywką. Podobnie ubrany jest chłopiec na 1 planie, tylko ma buty „wiatrówki"

„Przekrój", 25.08.1957, relacjonuje modę młodzieży na II Festiwalu Jazzowym w Sopocie. Na zdjęciu obok Wojciech Karolak sfotografowany i opisany jako przedstawiciel „grupy elegantów ze środowiska krakowskiego". „Chłopiec" stojący tyłem to Ryszard Horowitz

Tu dwaj chłopcy ostrzyżeni na fanfana w koszulach w barwny deseń włożonych na wierzch, jeden z chłopców w szortach (raczej rzadkość w tym sezonie). Po lewej chłopiec w sportowej koszuli w kratę i drelichowych spodniach, w środku dziewczyna w dekoltowanym czarnym sweterku i ciuchowej spódniczce w pasy, fryzura: simona, ciemne okulary o modnym wydłużonym kształcie

Dziś — Z KOLEKCJI WŁASNEJ PRZEKROJU — w dalszym ciągu SUKNIE BAWEŁNIANE

SUKNIA Z PŁÓTN...
nr
MATERIAŁ — płótn... na poszwy we wzorze... czerwony na białym tl... (patrz próbkę). CENA... 13,10 zł metr. Wzór... czerwone na białym tl... są modne i stylowe... FASON — dopasowan... góra, marszczony do... okrągły kołnierzyk wy... kończony falbanką... białego haftciku. Z prze... du listwa obszyta fal... bankami, tworzy modny... żabot. Krótkie rękawk...

PRZE KRÓJ

NR 799 ● CENA 3 ZŁ
31 LIPIEC 1960 ROKU

Nie tra...
się oki...
zdjęcie...

SUKNIA-KOSZULA
MATERIAŁ — płócienko w drobną czerwoną pepitkę na białym tle, w cenie 14,30 zł metr. FASON — zupełnie podobny do koszuli męskiej: przymarszczona na karczku, zapięcie na długiej listwie, prosty kołnierzyk, długie rękawy koszulowe z mankietami, po bokach sukni u dołu modne rozcięcia z zaokrąglonymi kantami. Suknia całkiem równa, ściągnięta gładkim paskiem z tego samego materiału. Takie suknie są ciągle modne!

Wojciech Karolak w sesji modowej z Grażyną Hase, „Przekrój", 31.07.1960, rubryka Barbary Hoff. Spodnie i marynarka uszyte przez krawca według projektu Karolaka

ludzie, którzy się tym zajmują, noszą specjalne kombinezony i dostają za to pieniądze. Mnie polski wolny rynek obdarzył zaszczytem robienia tego za darmo. A jak mi się nie podoba, to przecież nie muszę grać! To wolny kraj! Nikt mnie tu do grania nie zmusza. Do niedawna grywałem na fortepianie w Jazz Klubie „Tygmont" i wtedy nie musiałem wycierać sobą estrady, ale Jazz Klub oczywiście zlikwidowano. Marynarki rzeczywiście przestają być do czegokolwiek potrzebne, ale używałem ich przez większość życia, więc trochę się do nich przyzwyczaiłem. Od czasu do czasu zajrzę do szafy i cieszę się, że mam.

MC: Lubi mieć. Jedną mu Baśka Wrzesińska kupiła.

WK: Nie kupiła, tylko dała.

MC: No ale wcześniej chyba ją kupiła? Co? Znalazła?

WK: Ty mi nie mogłaś nic dać, bo miałaś tylko parę dżinsów, sweterek i kalkomanię naklejoną na drzwi łazienki.

AA: Czyżby jakaś scena zazdrości?

MC: No bo mu się podobała.

AA: Marynarka?

MC: Baśka!

WK: Ale w tym nie było nigdy żadnego kontekstu damsko-męskiego. Podobała mi się jak… Na przykład katedra Notre Dame. Piękna kobieta…

AA: I piękne porównanie. Podejrzewam, że wiele kobiet by się ucieszyło, gdyby usłyszały, że są piękne jak katedra Notre Dame. Wracajmy do marynarek. To są znane, światowe marki?

MC: Armani!

AA: To fortuna wisi w tych szafach!

MC: W skarpetach by się nie zmieściła.

WK: Śmieszne, ale nieprawdziwe. Poza tym guzik mnie obchodzi, czy coś się nazywa Armani, czy Zasrani. Większość marynarek kupuję na eBayu ze Stanów, bo tam można znaleźć klasykę z lat pięćdziesiątych czy sześćdziesiątych. Przeciętna cena marynarki między 30 a 150 dolarów. Więc chyba to nie fortuna. Tym bardziej za coś, co się najbardziej lubi, czyli amerykańskie ciuchy z tamtej epoki.

MC: Takie krótkie spodnie?

WK: Jakie krótkie spodnie?!

MC: No bo Amerykanie mają za krótkie spodnie.

WK: Amerykanie mają za krótkie spodnie, bo…

MC: Mają za długie nogi?

WK: Nie! Tylko wszyscy Amerykanie noszą szelki! Jak kupują spodnie, to one są prawidłowej długości, ale potem zakładają szelki i one im te spodnie podnoszą do kolan…

MC: Spodnie cisną im się na usta.

WK: Co im wcale nie przeszkadza. Ale amerykańska moda tamtych czasów to było naprawdę coś! Na przykład takie zjawisko jak Rat Pack – trio, które tworzyli Frank Sinatra, Dean Martin i Sammy Davis Jr. To jest symbol pewnego okresu rozrywki, bardzo konkretna moda, która istniała tylko w Ameryce. Czasem udaje się jeszcze zdobyć taką marynarkę.

MC: I on zdobywa.

WK: Wolałabyś, żebym zdobywał ośmiotysięczniki?

MC: W tych swoich ukochanych, amerykańskich marynarkach?

WK: To mój ulubiony styl. Denerwowało mnie, kiedy zauważałem, że ktoś myśli, że tak się ubieram, bo chcę się podobać. Od podobania się są panienki z dobrych domów. Po latach, z wielu rozmów, zwłaszcza z kobietami, dowiedziałem się, że mój wygląd i sposób bycia wysyłały o mnie kompletnie mylne komunikaty. Ludzie myśleli, że jestem zarozumiałym bufonem, tymczasem ja jestem zaprzeczeniem tych cech. Mam masę wad, ale akurat nie te. Dokładnie tak samo było, jak kupowałem białego pontiaca. Wszyscy myśleli, że chcę przyszpanować, a ja ruszałem spod świateł tak powoli, jak tylko możliwe. Żeby wkurzyć tych, którzy myślą, że jak ktoś ma trans ama, to będzie się z nimi wyścigował.

Biały, rockowo-jazzowo-popowy pontiac trans am

Czarny pontiac. Ulubiony pojazd Zajęcy

MC: Myślałeś, że biały pontiac na warszawskiej ulicy nie będzie się rzucał w oczy? Jak człowiek nie chce się rzucać w oczy, to powinien wbić się w czarne trykoty, założyć czarne okulary i przemykać po Warszawie. A nie jeździć białym pontiakiem.

WK: Teraz mam czarnego.

AA: To już lepiej.

WK: Bo czarny wyszczupla? Za to bardziej widać ślady po gołębiach.

„BOKS NA PTAKU". Motoryzacyjne pasje Wojciecha Karolaka są materiałem na oddzielną książkę. W skrócie opowiem. Pierwszego, białego pontiaca kupił w latach osiemdziesiątych. Wtedy w Polsce nie był to samochód popularny, nie było łatwo coś takiego zdobyć. Ale w takich sytuacjach pomagał przyjaciel, Włodek Białostocki – wówczas posiadacz porsche 928, wielki fan jazzu i miłośnik wszelkich sztuk pięknych. Niezwykle barwna postać w krajobrazie ówczesnej Warszawy. Pod jednym z warszawskich hoteli Włodek zauważa przysypanego śniegiem pontiaca. Do Karolaka, grającego wówczas na amerykańskim statku, wysyła telegram o treści: „Białe szaleństwo, ale piękne". Karolak, pokonując przeróżne formalne trudności, przekazuje do Polski dolary i staje się właścicielem białego trans ama z 1980 roku, który należał wcześniej do jednego ze znanych polskich muzyków rockowych. Nieważne którego. A może ważne? No to ujawnijmy – do Jana Borysewicza z zespołu Lady Pank. Z tym, że za czasów Borysewicza samochód jeszcze jakoś jeździł, ale pozbawiony fachowego serwisu podupadał na zdrowiu, tak że za czasów Karolaka, po sześciu latach, przestał jeździć. Trafił do mechanika, który obiecał naprawić. Mechanik był fanem organów Hammonda. Zepsute, ale historyczne, te, na których nagrana została płyta „Time Killers", Karolak przekazał panu mechanikowi w rozliczeniu. Pan mechanik przez kilka lat pontiaca nie naprawił. Więc Karolak go odebrał (pontiaca, nie mechanika). Całą sytuację skrótowo opisała Marysia: „Ty mu dałeś zepsute organy, on ci oddał zepsuty samochód".

Niejeżdżący trans am trafił do garażu w celu ewentualnego odrestaurowania w przyszłości. Na czas restauracji w Niemczech zakupiony został czarny pontiac, znaleziony wcześniej w Internecie przez pana Grzegrzółkę. Cytuję Wojtka: „Piękny, jeździ i jest cudowny". A biały pontiac przeżył jeszcze jedną przygodę. Znajoma Marysi z telewizji (znajoma z telewizji, nie Marysia) zapytała kiedyś, czy byłaby szansa, żeby ten niejeżdżący samochód wykorzystać do teledysku. Marysia oczywiście się zgodziła, ekipa telewizyjna z zespołem muzycznym zjawiła się w garażu Karolaka. I w taki oto sposób samochód, którym jeździli Borysewicz i Karolak, wystąpił w wideoklipie zespołu Papa Dance. Można powiedzieć, że pontiac symbolicznie połączył gatunki muzyczne teoretycznie niemożliwe do połączenia. Rock, jazz i disco.

WK: A poważnie... ... Moje ubieranie się nie miało nigdy nic wspólnego z żadnym szpanerstwem ani z obowiązującą modą. Po prostu lubię ładne rzeczy. Zwracam uwagę na to, jak się ubierają kobiety i mężczyźni, i cieszy mnie, jeżeli widzę, że robią to z klasą. Bez różnicy płci.

MC: Nawet gdybyś ty przyszedł na tę rozmowę z nami w jakiejś ładnej sukience, to jego by nie zdziwiło, że to jest sukienka, tylko pochwaliłby, że ładna.

WK: Jeśli miałby większy rozmiar.

MC: Czego?

WK: Sukienki!

AA: A zamiłowanie do ubiorów masz po kimś? Po ojcu?

WK: Ojciec uważany był za człowieka eleganckiego. Nie przepadałem za modą z lat czterdziestych czy pięćdziesiątych, ale kiedy minęła, zauważyłem, że ojcu wpadają w oko moje marynarki. To parę mu dałem, zacząłem mu kupować, na przykład tweedowe na ciuchach.

MC: Jak teraz sobie coś kupuje, a kupuje ciągle, to idzie do krawca i objaśnia mu każdy szczególik. Jak co ma być zrobione. I krawiec, pan Chęduszko...

Portret madame Dziobak na kopercie (portret na kopercie, nie madame)

WK: Byłaś blisko – pan Kierepka…

MC: Pan krawiec mu przerabia.

„BOKS NA PTAKU". Marysia nie ma pamięci do nazwisk. Do twarzy również. Podczas jednego ze spotkań autorskich opowiadała o jakimś zdarzeniu, które miało miejsce w autobusie. Zareagowałem pytaniem: „Czyli ty jeździsz autobusem? Jak papież Franciszek?". Na twarzy Marysi pojawił się wyraz zadumy. Dodałem: „Może nawet jeździcie tym samym?". Całkiem poważnie odpowiedziała: „Przecież wiesz, że ja nie mam pamięci do twarzy". Radzi sobie z tym problemem, domniemając znajomość. W czasie przerwy w podróży, na stacji benzynowej zaczepiła obcego człowieka, prosząc: „Może mi pan kupić red bulla, bo zostawiłam w samochodzie torebkę z pieniędzmi?". Nic nie powiedział. Kupił. Dopiero po powrocie do samochodu zorientowała się, że to nie był kierowca, który wiezie ją na spotkanie autorskie. Jeśli kiedykolwiek podejdzie do was Maria Czubaszek i poprosi, żebyście jej coś kupili – zróbcie to. Ona naprawdę nie robi tego w związku z trudną sytuacją życiową. Po prostu przypuszcza, że was zna.

WK: A był czas, że sam sobie robiłem poprawki krawieckie. Wycinałem, szyłem…

AA: Używając maszyny do szycia?

WK: Tak. Nie potrafiłem uszyć całego stroju, ale poprawić na przykład klapy marynarki czy skrócić rękaw umiałem. Kiedyś z kolegami z liceum plastycznego postanowiliśmy nosić proste spodnie. Zauważyliśmy takie na czarno-białych filmach z początku wieku.

MC: Którego?

WK: Dwudziestego.

MC: Bo myślałam, że wy w Krakowie to może i w siedemnastym wieku oglądaliście już filmy.

WK: Znowu śmieszne, ale średnio. Filmy były z początku XX wieku. I na nich mężczyźni nosili takie ładne proste spodnie. Ani nie zwężane, ani nie dzwony, jakie wymyślono później…

MC: Jak w Krakowie, to dzwony Zygmunta.

WK: Jak w Warszawie, to tylko przygoda.

AA: A jak wtorek, to jesteśmy w Belgii. Trochę odjechaliśmy.

WK: No więc wracając do tematu. Jeżeli krawiec nie wiedział, jak coś zrobić, to mu tłumaczyłem i na podstawie moich instrukcji zawsze uszył. Nie chciałbym być krawcem, ale gdybym musiał, tak jak musiałem zostać muzykiem, to kto wie, czy nie byłbym lepszym krawcem, niż jestem muzykiem.

MC: A ja nie byłabym lepszą krawcową niż muzykiem. Guzika nie przyszyję, szydełkiem nie dziergnę.

WK: Krawcowa nie dzierga.

MC: A „tatka tka i matka tka" . Wspomniałam o dzierganiu, bo kiedyś w radiu na Myśliwieckiej prawie wszystkie realizatorki dziergały. I jedna się uparła, że mnie nauczy. Bo to proste. Mało sobie oka nie wydłubałam!

WK: I dlatego nie śpiewasz.

MC: Dlatego że sobie oka nie wydłubałam?

WK: Dlatego że nie umiesz robić na drutach. Bo gdybyś umiała, tobyś się zbierała z innymi paniami ze wsi, siedziałybyście w strojach ludowych i robiąc sweterki, śpiewały sobie piosenki.

AA: Wyobrażasz sobie Marysię w stroju ludowym?

WK: Chciałbym zobaczyć…

AA: Zwracasz uwagę na to, jak się ubiera? Doradzasz Marysi? Krytykujesz?

MC: No przecież niedawno awanturę mi zrobił przez buty, w których wystąpiłam w „Szkle kontaktowym".

WK: Chyba przez brak butów! Ona poszła do telewizji w takich ciapach domowych!

MC: Sam jesteś ciapa! Normalne buty za pięćset złotych.

Z cyklu „Marzenia Wojciecha Karolaka" – „Maria Czubaszek w stroju ludowym", szkoła fotomontażu polskiego, początek XXI wieku

WK: To trzeba było metkę wystawić, żeby było widać, że tyle kosztowały. Bo wyglądały jak kupione na bazarze domowe ciapy.

MC: Na bazarze to sobie okulary kupowałam. I też mu się nie podobały.

WK: Bo kupowała takie z plastiku. Żeby się nie stłukły, jak spadną.

MC: Tym się nie kierowałam! Po dwanaście złotych były!

AA: Dużo masz takich par okularów po dwanaście złotych?
MC: Miałam dużo…

WK: Dzięki Bogu gubi…

AA: A co najtańszego sobie w życiu kupiłaś do ubrania?
MC: Płaszczyk za dwadzieścia złotych. Parę razy kupowałam w sklepie z używaną odzieżą. Ja nie lubię na siebie zbyt dużo wydawać. Wolałam na mamę, wolę na Wojtka.

WK: I to są zazwyczaj naprawdę ładne rzeczy, te kupione za parę groszy. Płaszczyk za dwadzieścia złotych jest śliczny. Ciapy za pięćset już nie bardzo. Pewnie kupiła je w „telezakupach". Bo jak zobaczy w telewizji, że coś jest za „tylko sto dziewiętnaście złotych", a w tym przypadku za „tylko pięćset złotych", to nie ma znaczenia, że brzydkie czy niepotrzebne – ona to kupi.

AA: Co na przykład?
WK: Sokowirówkę.

MC: No bo myślałam, że ci będę soki wyciskać! I stoi nieskręcona do dzisiaj. Nawet tego nie ruszył!

AA: Yhy, a ja już widzę ciebie wyciskającą świeży sok! Chyba że z koperku.
WK: Gdyby administracja nie pilnowała takich rzeczy, to na naszych drzwiach na pewno wisiałaby kartka z napisem: „Domokrążcy mile widziani".

„BOKS NA PTAKU". Nie po raz pierwszy pojawia się w naszej rozmowie kwestia urody, dbałości o wygląd. Wojciech Karolak jest na te sprawy bardzo wyczulony. I zapewne w związku z tym zdecydował się na uczestnictwo w programie telewizyjnym „Sekrety chirurgii". Zasada prosta – bohaterowie programu poddają się zabiegowi, telewizja to pokazuje, a ludzie oglądają. Pewnie więcej ludzi ogląda, jeśli pod nóż idzie ktoś sławny. A nuż się nie uda! Zabiegi przeprowadzał znany lekarz, doktor Marek Szczyt. Maria Czubaszek i Wojciech Karolak podpisali zgodę na wykorzystanie swoich, jeszcze niepoprawionych skalpelem, wizerunków. Właściwie poprawiany miał być jeden wizerunek – i to właśnie Wojtka. Zależało mu na usunięciu części tego, co jego zdaniem w nadmiarze zwisa pod twarzą. Bezpośrednio pod twarzą. Chodzi o podbródek, którego – jak mówi – nienawidzi już od czterdziestu lat. Odwołał kilka koncertów, zarezerwował czas na zabieg i rekonwalescencję. Po wstępnych badaniach okazało się jednak, że Wojtek nie może być poddany zabiegowi operacyjnemu, ale doktor Szczyt znalazł kilka fragmentów, które z przyjemnością mógłby poprawić Marii Czubaszek. Krótko mówiąc, Maria Czubaszek została zoperowana w zastępstwie swojego męża. Podniesiono jej powieki. Po emisji tego odcinka „Sekretów chirurgii" w kolorowych pismach i w Internecie rozgorzała narodowa dyskusja na temat tego, co się zdarzyło. Oto kilka tytułów, które znalazłem w sieci: „Maria Czubaszek: Operacja plastyczna jej nie pomogła?", „Czubaszek poddała się operacji plastycznej i się tego nie wstydzi", „Czubaszek została zmuszona do operacji plastycznej. Kto ją zmuszał?". „Super Express" z 23 października 2012, obok informacji o tym, że Tom Cruise (50 l.) „Ma kryzys wieku średniego", a Justin Timberlake (31 l.) i Jessica Biel (30 l.) „Zrobili ślub za 20 milionów zł!", z troską zawiadamiał swoich czytelników, że Maria Czubaszek (73 l.) „Trafi pod nóż chirurga plastycznego". Oto fragment wiadomości: „Jak udało nam się dowiedzieć, na wiosnę przyszłego roku rusza druga seria tego programu. Czubaszek już zgłosiła chęć wzięcia w niej ponownego udziału. Niestety, nie wiadomo jeszcze, co znana felietonistka będzie chciała sobie poprawić". Właściwie zabrakło mi tylko plebiscytu, w którym internauci i czytelnicy „Super

Expressu" głosowaliby na część ciała, którą Maria ma sobie tym razem zoperować.

Bohaterka dyskusji sama ją podsycała, mówiąc na przykład, że teraz będzie mogła spokojnie zagrać jedną z głównych ról w „Czerwonym Kapturku", bo bardzo pasuje do niej pytanie: „Babciu, a dlaczego masz takie duże oczy?".

W trakcie przygotowań do programu pojawiło się kilka zaskakujących pomysłów. Na przykład padła propozycja, żeby Wojciech Karolak towarzyszył swojej żonie podczas zabiegu, dla uspokojenia grając coś lirycznego na organach Hammonda. Taki rodzaj muzycznej anestezjologii. Proszę sobie wyobrazić tę scenę: Maria Czubaszek na stole operacyjnym, doktor Szczyt podnosi jej powieki w rytm piosenki „You are so beautiful" Joe Cockera, którą na organach rozstawionych obok respiratora gra jeden z najsłynniejszych polskich jazzmanów. Po prostu cudo! W związku z chłodnym przyjęciem pomysłu przez Marię Czubaszek i Wojciecha Karolaka scena nie została zrealizowana, ale myślę, że to nie jest ostatnie słowo ludzi, którzy wymyślają sposoby uatrakcyjniania programów telewizyjnych. W każdym razie przypadek Wojciecha Karolaka jest chyba pierwszym w historii współczesnych mediów, kiedy ktoś zostaje gwiazdą telewizji dlatego, że mu nie zrobiono operacji plastycznej. Marysia ma pamiątkę po programie w postaci podniesionych powiek, a doktor Marek Szczyt dostał od pacjentki w prezencie książkę „Każdy szczyt ma swój Czubaszek".

AA: Że jest elegancki, już ustaliliśmy. A czy Wojtek jest kulturalny?
MC: Bardzo! Zwłaszcza jak mnie na Jazz Jamboree w płaszczu postawił w kącie i sobie rozmawiał ze znajomymi!
WK: Zlituj się! Przecież wyjaśniliśmy to sobie 25 lat temu!
MC: Ty sobie wyjaśniłeś. A mnie nie przekonałeś!

AA: Zaraz! Jak to postawił cię „w płaszczu w kącie"?
MC: Skończył się jakiś koncert. Dwie godziny jazzu, a wiesz, jaka ja muzykalna jestem. Ja chcę wracać do domu, stoję w płaszczu jak ten…

AA: Tak?

MC: Jak ten… nieważne. Najważniejsze, że stoję w płaszczu w kącie, bo mój mąż rozmawia z każdym znajomym. A zna wszystkich
jazzmanów i jazzfanów, którzy byli tego wieczoru w Sali Kongresowej.
I z każdym musi zamienić parę słów.

WK: Jestem po prostu dobrze wychowany. Jak podchodzi do mnie ktoś
i zaczyna rozmowę, to nie mówię mu „Spadaj!", tylko poświęcam chwilę.

MC: A twoja żona stoi w kącie.

AA: W płaszczu. Wspominałaś.

WK : Ona nigdy tego nie zapomni!

MC: Bo nigdy w życiu nie stałam jak ten…

**AA: Ustalmy na potrzeby publikacji jakąś łagodną wersję tego
„jak ten…".**

MC: „Trzeba wiedzieć, kiedy w szatni płaszcz pozostał przedostat-
ni". Bo wszyscy normalni ludzie już wyszli. Tylko ja, w tym płaszczu…

WK: Mogłaś podejść i powiedzieć, że chcesz jechać. Skróciłbym
rozmowy albo powiedział, żebyś sobie wzięła taksówkę…

MC: I sama pojechała? To rzeczywiście przejaw dobrego wycho-
wania!

WK: Oj, nie narzekaj! Nie jestem największym potworem. Byliśmy
z Kurylewiczami, czyli Andrzejem i jego żoną – Wandą Warską, na koncercie Elli Fitzgerald w Warszawie. Później poszliśmy na wódeczkę,
a jeszcze później postanowiliśmy, że przenosimy się na wódeczkę
do ich domu. Tylko że gdzieś się nam Wandzia zawieruszyła. Kiedy
we dwóch siedzieliśmy już w taksówce, samochód powoli ruszał,
nadbiegła Warska i zaczęła do nas machać. Kurylewicz, z tym swoim
lwowskim zaśpiewem, powiedział do kierowcy: „Niech pan jedzie!".
W domu okazało się, że nie ma wódki, ale zrobił jajecznicę. Jemy, po
godzinie wchodzi Warska i zaczyna tonem pretensji: „Wujciu! Czyś ty
zwariował?! Dlaczego ty się nie zatrzymałeś?! Ty mnie nie widziałeś?!".
A Kurylewicz spokojnie: „Widziałem, ale ja jestem kunsekwentny. Jak

1962, Jugosławia, dziś Słowenia, Bled, Festiwal Jazzowy, na zdjęciu:
Quintet Andrzeja Kurylewicza. Od lewej: Andrzej Kurylewicz, Wanda Warska,
Juliusz Sandecki, Wojciech Karolak, Jan Ptaszyn Wróblewski,
Andrzej Dąbrowski

jadę, to już jadę". I widzisz – on był bardzo dobrym mężem, a zrobił jej gorszą rzecz niż ja tobie.

AA: Wyczyśćmy do końca tę sytuację sprzed dwudziestu pięciu lat. Dlaczego nie podeszłaś i nie powiedziałaś: „Wojtek, ja chcę wracać"?

WK: Bo ona tak woli. Stoi pod ścianą i zabija mnie wzrokiem.

MC: Stałam pod ścianą, bo musiałam się oprzeć! Już nie miałam siły stać!

AA: Trudno, ja was nie pogodzę. Widzę, że ta rana się nie zabliźni. À propos rana – wiem, że Marysia użyła kiedyś siły fizycznej, broniąc przed napastnikami Wiesława Dymnego. A ty? Biłeś się kiedyś?

WK: Raz w życiu.

MC: O kobietę?

WK: Nie. Chciałem oddać facetowi, który mnie uderzył. To było bardzo dawno temu. Lata sześćdziesiąte. Piłem sobie winko w barze klubu Pod Jaszczurami, a naprzeciw mnie siedział jakiś obcy facet. My byliśmy w kilka osób, on chyba też.

MC: Jeden facet w kilku osobach? Z kim ty się biłeś?

WK: Nieważne. Każdy miał jakieś swoje sprawy. Ni stąd, ni zowąd facet podnosi się i wali mnie pięścią, rozcinając mi łuk brwiowy. Bez żadnego powodu. Trochę mnie zamroczyło, krew się leje, ale słyszę, że ktoś mówi z boku, że gość pobił niedawno jakiegoś czarnoskórego studenta. Jak to mówili ludzie mojej generacji – Murzyna. A my, jazzmani, mamy z czarnoskórymi wyłącznie dobre skojarzenia. Kochamy muzykę, którą robią w Ameryce, więc nie lubimy, jak ktoś ich bije. To mnie rozwścieczyło. Wyskoczyłem zza baru, żeby mu oddać i pomścić czarnoskórego brata. W ułamku sekundy przypomniałem sobie wszystkie usłyszane instrukcje, jak walić, żeby prawie zabić. Tamten zaczął uciekać, ale go dopadłem. Włożyłem w to całą wściekłość i z całej siły dałem mu w pysk. A ten... Nic! Nawet nie drgnął!

AA: Tak zwany cios organisty?

WK: Można by tak nazywać takie ciosy, tyle że wtedy jeszcze daleko mi było do organów. Skończyło się tak, że goniłem go po ulicach Starego Miasta w Krakowie. Było już nad ranem, słońce zaczynało świecić. Nagle pojawił się koło niego jakiś milicjant, do którego krzyknąłem: „Niech pan go łapie! On bije Murzynów!". Złapał go i facet przynajmniej zapłacił kolegium. Wprawdzie za mnie, a nie za tamtego, ale zawsze to satysfakcja. Swoją drogą tacy bokserzy jak ja powinni dostawać od policji nagrody za bezszkodowość...

AA: Marysiu, co robiłaś 22 maja 1978 roku?

MC: Paliłam papierosa. Na pewno. Prawdopodobnie na ulicy.

AA: Gdzie?

MC: O której to było godzinie?

AA: O 17.00.

MC: To pewnie paliłam w fotelu przed telewizorem, bo zaczynał się „Teleexpress", oglądałam.

AA: Wtedy jeszcze nie było „Teleexpressu".

WK: A co było ?

AA: Żegocin. Mówi wam coś taka nazwa?

MC: Wszystko. Ale jakaś podpowiedź.

AA: Łąkta Górna.

WK: Wiem!

MC: Ale nie powiem?

AA: To coś wam przeczytam: „Gminny Ośrodek Kultury w Żegocinie organizuje 22 maja 1978 roku o godzinie 17.00 program satyryczny w wykonaniu aktorów Sceny Warszawskiej: Adama

GMINNY OŚRODEK KULTURY w ŻEGOCINIE

organizuje

dnia _22.V.78_

godz. _17⁰⁰_

dnia _22. V._

godz. _17⁰⁰_

PROGRAM SATYRYCZNY
W WYKONANIU AKTORÓW SCENY WARSZAWSKIEJ
A. KRECZMARA, M. CZU-
BASZEK, A. POTEMKOWSKIEG

sala _ŚWIETLICA w ŁĄKCIE G._   wstęp _30 zł_

Bilety wstępu do nabycia w Kierownika Świetlicy.

Z cyklu „Giganci estrady na światowym tournée" – oryginalny plakat
zapowiadający występ Marii Czubaszek z kolegami w Łąkcie G.

Kreczmara, Marii Czubaszek i Anatola Potemkowskiego. Świetlica w Łąkcie Górnej, wstęp 30 złotych".

WK: Nie wiedziałem, że byliście wtedy aktorami Sceny Warszawskiej.

MC: Gdybyś pojechał wtedy z nami, tobyś się dowiedział.

WK: Nikt mnie nie zaprosił.

AA: Bo nie byłeś aktorem Sceny Warszawskiej.

MC: To też. Poza tym miał szczęście.

WK: Najbardziej mnie u was wzrusza, jak mówicie, że jedziecie „na koncerty".

MC: Cicho bądź!

WK: Taaa jest. Mówisz i masz.

AA: W Łąkcie Górnej było niemiło?

MC: W Łąkcie na pewno było miło, ale w maluchu było strasznie ciasno. Kreczmar i Potemkowski nie ułomki…

AA: Chwileczkę. Jechaliście maluchem?

MC: Mieliśmy jechać mercedesem Potemkowskiego. Ale kiedy wyjechał z garażu, a miał pod górkę, wychodząc, żeby zamknąć drzwi do garażu, nie zaciągnął ręcznego. Auto zjechało, poszły chyba przednie światła, w każdym razie trzeba było skombinować inny samochód. Udało się pożyczyć starego malucha. I w trójkę, ja i dwóch dużych facetów, pojechaliśmy do…

AA: Łąkty Górnej. Jak spotkanie?

MC: Super! Na widowni było chyba dwa razy więcej ludzi niż nas. Miałam straszną tremę.

WK: Co robiłaś?

MC: A jak myślisz? Śpiewałam, tańczyłam, recytowałam…

AA: A szpagat zrobiłaś?

MC: Tylko na koniec. Ale z półobrotu.

WK: W to nie uwierzę. Szpagat z półobrotu robi tylko jeden człowiek.

AA: Co tak na mnie patrzycie? Ja nie robię.

MC: No dobra. Ja też nie. Żartowałam. A na tym spotkaniu pewnie mówiłam te swoje głupoty… Dokładnie nie pamiętam, bo byłam tak stremowana...

AA: Dalej tak się boisz spotkań z żywą widownią? Przecież od pewnego czasu masz sporo spotkań w bibliotekach, domach kultury.

MC: Trochę się oswoiłam, ale dalej mnie to dziwi.

AA: Co?

MC: Że ci ludzie przychodzą. Że są tacy mili. I że młodzi przychodzą.

AA: Bo zdaje się jest kilka pokoleń ludzi, którzy cię znają. Ci, którzy w latach siedemdziesiątych słuchali w radiu tekstów tajemniczej Marii Czubaszek, i ci, którzy kilkadziesiąt lat później oglądają…

WK: Celebrytkę, która chodzi i pyskuje.

AA: Tak byś to nazwał?

WK: Delikatniej, ale żeby był podobny wydźwięk. „Celebrytka" to copyright Daniela Passenta, a że jest wygadana, to trudno ukryć. I dobrze, bo robi przy tym dobrą robotę. Walczy z kołtuństwem. Pyskuje na przykład w tej sprawie, żeby nikt nikomu nie narzucał tego, jak ma żyć. Że jeśli ktoś chce na przykład żyć tak, jak mu każe jego religia, to niech tak żyje, ale niech nie zmusza do tego tych, którzy się z tą religią nie identyfikują i chcą żyć inaczej. To dobrze, że pyskuje. Czasem trzeba, bo po dobroci do niektórych nie trafia.

AA: A spotkałaś się z takimi zarzutami, że to twoje, trzymajmy się tego określenia, „pyskowanie" jest na pokaz?

MC: Spotkałam się. I strasznie mnie to denerwuje. Bo jaki pokaz? Mówię, bo tak myślę. Jak pytają, to odpowiadam. To nie jest kwestia odwagi, ja nie jestem za bardzo odważna. Jakbym teraz miała dwadzieścia lat i dopiero zaczynała pracę, to pewnie bym się zastanawiała, czy niektóre wypowiedzi nie mogą mi zaszkodzić. Ale teraz? Ja wiem, że już kończę. To niby dlaczego nie mam powiedzieć tego, co myślę? Ani mi to zaszkodzi, ani nie pomoże. Nie traktuję tego w takich kategoriach. Jedni wylewają na mnie kubły pomyj, ale dużo jest też takich osób, zwłaszcza kobiet, które podchodzą, na przykład po spotkaniach autorskich, i dziękują za to, co powiedziałam. Bo miały podobną sytuację w życiu albo tak samo myślą, ale w swoim środowisku nie mają odwagi tego powiedzieć. Bo to, co mówię, jest niepoprawne. Do tego stopnia, że dwa lata temu na przykład w Nowym Sączu część mieszkańców chciała nie dopuścić do zapowiedzianego ze mną spotkania.

Hammond i rurka z kremem

MARIA CZUBASZEK
NIE WYSTARCZY

K – kobieta, M – mężczyzna

K – Dzień dobry! Przepraszam, że się spóźniłam, ale mój zegarek spieszy się pół godziny!

M – Spieszy?

K – Tak! Dlatego się spóźniłam!

M – To raczej powinnaś być za wcześnie o pół godziny!

K – No wiesz?! Zegarek pół godziny za wcześnie i jeszcze ja to w rezultacie byłabym godzinę za wcześnie! A tak, skoro zegarek się spieszy, a ja się spóźniłam, to powinnam być punktualnie!

M – Żartujesz!

K – Dlaczego? Po prostu logicznie myślę, niestety. Od dziecka to mam! Pamiętam np., że kiedy zdarzyło mi się przyjść do szkoły później od innych, to za to starałam się wcześniej wyjść!

M – Dlaczego?

K – Żeby się wyrównało!

M – Dobre!!!

K – A widzisz! Sama to wykombinowałam! Zawsze ci powtarzam, że wbrew pozorom swój rozumek mam! A co u ciebie?

M – Skończyłem właśnie to opowiadanie!

K – „Radość w smutnym kolorze blue"?

M – Tak... Ale wiesz, ten tytuł...

K – Wyszedł mi, niestety! Jeśli chcesz, mogę zawsze wymyślać ci tytuły!

M – Oczywiście... ale ten tytuł trzeba będzie trochę zmienić...

K – Dlaczego! Nie podoba ci się?!

M – Podoba!

K – Mnie też! No więc dlaczego trzeba go zmienić?

M – Bo opowiadanie jest zupełnie o czymś innym.

K – To zmień opowiadanie!

M – To nie takie proste, Mario. Właściwie musiałbym napisać nowe.

K – Może to i lepiej akurat? Pierwszy pomysł jest zawsze najlepszy, póki nie ma drugiego! Ja na przykład zawsze zaczynam od drugiego pomysłu! A o czym to opowiadanie?

M – O życiu.

K – To już chyba gdzieś było... A kto jest bohaterem?

M – Młody, dobrze zapowiadający się poeta... Rudolf.

K – Rudolf? Też już gdzieś słyszałam. Naprawdę dobrze ci radzę! Napisz coś innego!

M – Inne opowiadania też już były.

K – No więc musisz napisać inne niż inne!

M – Szkoda mi tego...

K – Skoro i tak nie pasuje do tytułu...

M – Prościej zmienić tytuł! Opowiadanie jest na 15 minut, a...

K – A wiesz, ile siedziałam nad tym tytułem? Pół dnia!

M – Ja siedziałem nad tym opowiadaniem prawie tydzień!

K – A czy to moja wina, że wolniej pracujesz?!

M – Mimo wszystko jest pewna różnica między wymyśleniem tytułu a napisaniem opowiadania!

K – Oczywiście! Trudniej wymyślić tytuł z niczego, czyli z głowy, niż do gotowego tytułu dopisać tylko opowiadanie!

M – Ale...

K – Ale zwróć uwagę, o co ludzie pytają w księgarniach! O tytuły!

M – Tak, ale...

K – A co się drukuje w programie radia i telewizji? Tytuły słuchowisk i widowisk! Tytuł, Jerzy, jest najważniejszy, niestety.

M – Reszta też jest ważna!

K – Reszty nie trzeba! Wiele osób tak mówi! Ale dobrze! Skoro upierasz się, że dobry tytuł to jeszcze nie wszystko, możesz coś jeszcze dopisać. Ale nie o młodym, dobrze się zapowiadającym poecie!

M – Dlaczego?

K – Bo każdy młody poeta dobrze się zapowiada, niestety. Czyli to będzie o wszystkich. A opowiadanie o wszystkim jest opowiadaniem o nikim! Napisz... wiem! O starym, źle zapowiadającym się skrzypku!

M – Kiedy zapowiadają się na ogół młodzi!

K – Dlatego twoje opowiadanie będzie oryginalne! Napisz coś takiego... Światowej sławy skrzypek, grający rewelacyjnie na fortepianie, umiera na dwa dni przed swym pierwszym koncertem! Od którego zależy cała jego kariera! Bo na koncercie ma być królowa, powiedzmy duńska i... powiedzmy... pan Waldorff. Polska. A skrzypek, grający pierwsze lepsze skrzypce, umiera. Dyrektor opery postanawia w ciągu 2 dni znaleźć innego. Nie tylko że żywego, ale również znakomitego. Daje komunikaty do prasy, radia i telewizji. Z dokładnym rysopisem poszukiwanego.

M – A skąd może mieć jego rysopis?

K – Z niczego. Z głowy. Ale nieważne. W dwie godziny później przed gmach opery zajeżdża cudowny rolls-royce, wysiada z niego szpakowaty mężczyzna w smokingu z futerałem. Jestem pierwszym lepszym skrzypkiem w słynnej orkiestrze filadelfijskiej w Toronto, przedstawia się. Czy zagrać na próbę? Dyrektor mówi, że tak, skrzypek otwiera futerał, wyjmuje skrzypce... stradivarius zresztą... i zaczyna grać.

M – Oczywiście źle?

K – Nie właśnie! Gra znakomicie! Dyrektor już chce go zaangażować, ale w tym momencie dzwoni, telefonem zresztą, jego sekretarka i mówi, że zgłosił się drugi skrzypek. Podobno rewelacyjny. Dyrektor przeprasza pierwszego, bierze jego telefon i numer butów...

M – Dlaczego?

K – Dla swojej wiadomości. Żeby znać po prostu. Na wszelki wypadek. Pierwszy kandydat wychodzi, wchodzi drugi. Jest we fraku, ma jeszcze lepsze skrzypce od pierwszego i większe buty. Gra i dyrektor jest zachwycony! Ale mniej trochę... Skrzypek jest na pewno znakomity, ale mniej serca wkłada w muzykę... Technicznie jest jednak lepszy od trzeciego.

M – Od pierwszego.

K – Od trzeciego. Bo po tym drugim przyjdzie trzeci kandydat. Też dobry. Dyrektor musi teraz jednego z nich wybrać. Ale którego? Wychodzi z opery do budki telefonicznej, żeby zadzwonić do żony i zasięgnąć jej rady, i spostrzega na stopniach autobusu siedzącego żebraka... Starego staruszka... w łachmanach... z tandetnymi, niemal dziecinnymi skrzypkami...

M – Dalszego ciągu już się domyślam!

K – Ja też! Dyrektor bierze żebraka do opery, daje mu elegancki frak, znakomite skrzypce i prosi, żeby coś zagrał. Staruszek jest okropnie speszony, mówi, że właściwie nie potrafi, że nigdy się nie uczył, ale w końcu zaczyna grać!

M – I okazuje się, że ze wszystkich kandydatów gra najlepiej!

K – Nie. Najgorzej. I masz najlepszy dowód!

M – Na co?

K – Że nie wystarczy nie umieć grać, żeby zostać genialnym skrzypkiem. Niestety!

Zając przy organach Hammonda

AA: Może przy okazji porozmawiajmy o najoryginalniejszych miejscach, w których występowaliście? O dziwnych występach?

WK: Miejsce może niezbyt oryginalne, ale zapowiedź cudowna. Jakieś dziesięć lat temu na filharmonii w pewnym mieście wywiesili wielki transparent z napisem: „Karolak na żywo! Jedyna okazja!". Szkoda, że nie napisali „Jeszcze ciepły!". A jeśli chodzi o oryginalne miejsca, to dla mnie było takim więzienie. Mam nawet dyplom za występ w najsłynniejszym więzieniu w Szwecji, w Kumli.

AA: Graliście tam jazz?

WK: Tak. Świetna publiczność. Część z tych więźniów to byli Afroamerykanie, a dokładniej Afroszwedzi. Grywałem też w Polsce dla więźniów. Ale tutaj była inna atmosfera. I trochę inny repertuar. Kiedyś występowaliśmy z Hanną Rek. W ręku trzymała rekwizyt – nóż – i śpiewała „Criminale tango". Czy to nie urocze?

AA: Afropolaków nie było?

WK: Nie zauważyłem. To były lata sześćdziesiąte.

MC: Dla mnie takim było to spotkanie w Nowym Sączu. Przed biblioteką stała pikieta. Protest przeciwko spotkaniu ze mną. Z transparentami „Nie chcemy Czubaszek". I pan prezydent wysłał straż miejską, żeby mnie wprowadziła do budynku. A w środku była pełna sala ludzi, którzy dowiedzieli się o spotkaniu pocztą pantoflową, bo wcześniej plakaty też pozrywano.

AA: Taka poczta pantoflowa nazywa się teraz Internet.

MC: A możliwe.

WK: W Szwecji grałem też na jakiejś uroczystości loży wolnomularskiej. Byliśmy usadowieni na małym balkoniku w bardzo wielkiej sali, a organizatorzy prosili, żeby usiąść tyłem do gospodarzy i nie oglądać się za siebie. I jeszcze pamiętam, jak mi organy Hammonda zawisły na schodach. Lata siedemdziesiąte, przyjeżdżamy z Michałem Urbaniakiem na koncert w Norymberdze. Klub typu bunkier, do którego schodzi się długim, wąskim, krętym korytarzem. Od razu powiedziałem, że Hammond tutaj nie wejdzie. A Niemcy, że wejdzie. Zaczęli wnosić i okazało się, że kto miał rację? Organy zaklinowały się metr nad schodami tak, że ani rusz w żadną stronę. Jakoś się z nimi wycofali, ja musiałem grać na zastępczym instrumencie, który się niezbyt do tego nadawał. Ale to chyba żadna sensacja, takie przeżycia to każdy ma...

MC: Że mu Hammond się zablokuje? Mnie to się bardzo często zdarza.

AA: „Hammond mi się zablokował w Norymberdze" to brzmi poważnie. Pachnie światową karierą. To może coś o waszych międzynarodowych sukcesach? Wojtek, ty za granicą koncertowałeś sporo.

WK: Sporo, i to w bardzo różnych miejscach. Od burdeliku w Idar Oberstein do nowojorskiej Carnegie Hall. Naprawdę spory rozrzut. Oprócz wspaniałych, światowych festiwali i klubów były też zwykłe knajpy. Jeśli jazzman wyjeżdżał za granicę grać „do kotleta", to prasa donosiła, że „odnosi sukcesy, koncertując w znanych klubach". Większość tego, co ja grałem za granicą, to były rzeczywiście grania w klubach jazzowych. Uczciwe, fajne grania, bez reklamowych fajerwerków. W tej branży rzadko zdarzało się, żebyś przyjechał np. do Karlsruhe i zobaczył plakat ze swoim nazwiskiem.

AA: Może nie w Karlsruhe, ale na pewno były takie miejsca, w których wisiało twoje nazwisko wypisane wielkimi literami...

WK: Mniejszymi, bo „Karolak" to nazwisko muzyka, który nigdy nie chciał być i przeważnie nie był kierownikiem zespołu. Ja się psychicznie nie nadaję do tej roli. Zauważył to kiedyś Ptaszyn, twierdząc, że mam kwalifikacje muzyczne, ale nie chcę ich do tego wykorzystywać. Podchwyciłem to i teraz czasem o tym przypominam. Nazwiska mogły być czasem wypisane takimi samymi literami, bo to były „zespoły partnerskie". To najbardziej lubię. Zespoły bez szefa, bo wszyscy są dobrzy. A z plakatami bywało różnie. Większość mojego grania za granicą przypada na czasy komuny, kiedy mało kto stąd wyjeżdżał. I dla nich, na Zachodzie, było to bardzo atrakcyjne, że zza żelaznej kurtyny przyjeżdża ktoś grać jazz. Ale nie pamiętam jakiegoś takiego jednego, spektakularnego występu, przy okazji którego powalałaby wielkość liter nazwiska „Karolak" na plakacie. Prawdę mówiąc, mało zwracam na to uwagę.

AA: Sam tego nie powiesz, bo jesteś za skromny, ale nie wierzę, że nie było takich zagranicznych koncertów, które ci inni, „równie dobrzy jak ty", uznaliby za międzynarodowy sukces.

WK: Były takie. Owszem. Nieraz zdarzały się takie miłe rzeczy, które można było bez żadnej przesady uznać za sukces. Na przykład dwukrotnie w Paryżu, w roku 1961, a potem, co ważniejsze, w 1963, graliśmy...

AA: My to znaczy kto?

WK: Jan Ptaszyn Wróblewski, Andrzej Dąbrowski, Roman Gucio Dyląg – genialny polski basista mieszkający od lat za granicą – i ja. Przepraszam, tu muszę wtrącić kilka słów o Guciu, bo to wyjątkowa postać. Wyjechał w 1963 roku do Szwecji, a teraz mieszka w Szwajcarii. Nie mówię o nim tak dlatego, że to mój i Andrzeja Dąbrowskiego przyjaciel, jeszcze z liceum muzycznego w Krakowie, ale mogę z ręką na sercu powiedzieć, że Gucio grał już w sześćdziesiątych latach tak wspaniale, że ten poziom wystarczyłby nawet teraz do światowej sławy. Kiedy saksofonista Phil Woods stał się najpopularniejszym amerykańskim muzykiem podróżującym po Europie i założył swój kwartet z Europejczykami, wziął Dyląga na kontrabas. Potem Roman mógł spokojnie wyjechać z Woodsem do Ameryki zrobić sobie wielkie nazwisko. Zrezygnował z tego, twierdząc, że nie ma zamiaru robić z siebie ofiary na ołtarzu jazzu, i zanurzył się w święty spokój życia z żoną Simone Kirschbaum. A żonę poznał w Szwecji, do której wyjechał w 1961 roku z Krzysiem Komedą. Nazwiska nie zrobił, ale gra jak Bóg. Polscy jazzmani na ogół wiedzą, kto to jest, ale nie zdają sobie sprawy z tego, jak naprawdę jest wielki.

Ale miało być o tym naszym paryskim sukcesie. W takim składzie: Gucio, Ptaszyn, Andrzej Dąbrowski i ja, przez miesiąc graliśmy w najsłynniejszym wówczas europejskim klubie jazzowym, Blue Note. Rue d'Artois, bardzo blisko Champs Élysées. Właścicielem klubu był Amerykanin – Ben Benjamin. Ściągał tam największe sławy. I to rzeczywiście nie było byle co, bo tam co wieczór grali ludzie, których nazwiska teraz są wypisywane największymi literami w historii jazzu. Na przykład graliśmy wtedy na zmianę z Budem Powellem. To ojciec nowoczesnej pianistyki jazzowej, jeden z współtwórców, wraz z Charliem Parkerem, stylu bebop. Na tym opiera się cały jazz od 60 lat. Saksofonista Johnny Griffin, perkusista Arthur Taylor to są wszystko dla muzyków jazzowych i ludzi interesujących się tą muzyką nazwiska wielkie, wręcz pomnikowe. A myśmy w tym klubie grali z nimi na równych prawach. Jeden grał swój set, potem my wchodziliśmy na scenę, później ktoś następny. I tak to sobie trwało od wieczora do środka nocy. Jeżeli udało nam się w tamtym czasie, w tym miejscu, w takim towarzystwie grać przez miesiąc, to mogę wprost powiedzieć, że to był sukces ogromny. Przecież to byli ludzie, których płyty, jeżeli udało się zdobyć w komisie, to kupowało się za każde pieniądze. A tutaj na jednej scenie – jeden gigant schodzi, wchodzę ja, a po mnie wejdzie następny gigant.

Polish Jazz Quartet pod klubem Blue Note, Paryż, Rue d'Artois, 1963, od lewej stoją: Andrzej Dąbrowski, Jan Ptaszyn Wróblewski, Wojciech Karolak, Roman „Gucio" Dyląg

Ten sam zespół, 45 lat później. Sopot Molo Jazz Festival 2007

AA: Wystarczyło odwagi, żeby z nimi pogadać?

WK: Oczywiście. Chociaż czasem bywało trudno. Bo na przykład Bud Powell prawie cały czas był w takim stanie, że nie bardzo wiedział, gdzie jest.

AA: Po wódce?

WK: Raczej po dragach. Widziałem raz, jak siedział przy fortepianie i grał, nie uderzając w klawisze. Nawet nie zdawał sobie sprawy, że nie wydaje żadnego dźwięku.

AA: Ale zazwyczaj wydawał?

WK: I to jakie! Zresztą ten często pozbawiony kontaktu ze światem Bud Powell został w perfekcyjny sposób sportretowany w filmie „Round Midnight" Bertranda Taverniera. Blue Note, w którym dzieje się akcja, jest pokazany genialnie, co do najmniejszego szczegółu. Buda Powella zagrał Dexter Gordon, prawdziwy, zresztą też fantastyczny i sławny muzyk jazzowy, który raz w życiu stał się aktorem. Tylko na użytek tego filmu. Wiarygodnym, bo może nie zażywał narkotyków, ale też był poza światem przez swój alkoholizm. Ten film jest niesamowity przez swój autentyzm. Czy słyszałeś o czymś podobnym w historii kultury światowej? Ja nie. Film nakręcono w 1986 roku, ale kiedy go oglądam, to czuję się, jakbym tam był w tym 1963. A co do kontaktu z tymi gwiazdami. Mogę powiedzieć, że się zaprzyjaźniliśmy i traktowali nas z dużą sympatią i szacunkiem. Nasze granie nie dorastało im do pięt, ale traktowali nas po prostu normalnie, nie jak ciekawostkę typu „baba z brodą". Świetni, przyjaźnie nastawieni do świata ludzie. Najbardziej chyba zaprzyjaźniliśmy się z Johnnym Griffinem. Spolszczyliśmy mu imię na „Jasiek". I czasem, zapowiadając występ swojego zespołu, krzyczał do nas: „Ej! Wy! Polacy! Jak ja się nazywam?", na co my odkrzykiwaliśmy: „Jasiek!" a on kończył przemowę, „and yours sincerely Yoshek, the saxophonist!"…

AA: Domyślam się, że po takim sukcesie świat stanął przed wami otworem.

MC: Jak mówi Andrzej Poniedzielski – optymista twierdzi, że świat stoi przed nim otworem, pesymista wie dokładnie, który to jest otwór.

WK: Cały świat może nie, ale jego część. Poza tym to był dokładnie ten otwór, który miał na myśli pesymista z aforyzmu Andrzeja. Skończył się miesiąc grania w Blue Note, pojawił się jakiś agent i poinformował, że mamy kontrakt na granie w Niemczech. Dodatkowo okazało się, że jedziemy do miejsca, w którym stacjonują wojska amerykańskie. Kreis Birkenfeld – zdaje się, że tam była największa baza amerykańska w Europie Zachodniej. Pełnia szczęścia – jedziemy do jaskini lwa! Mało tego – będziemy mieszkać w miejscowości, w której na 30 tysięcy mieszkańców 25 tysięcy to Amerykanie. Rewelacja! Jak tylko dojechaliśmy do Baumholder, od razu pobiegłem do amerykańskiego wojskowego fryzjera i ostrzygłem się na amerykańskiego żołnierza. Czyli bardzo krótko z takim daszkiem z przodu. Ale okazało się, że niepotrzebnie. Zamiast mojej ulubionej fryzury powinienem był zapuścić włosy na niemieckiego jubilera. Bo wprawdzie mieszkaliśmy w mieście z amerykańskimi żołnierzami, ale jeździliśmy codziennie do pracy gdzie indziej. Do górskiej miejscowości Idar Oberstein oddalonej o jakieś 10 km, słynnej, jak się okazało, z wydobycia diamentów. Wchodzimy do miejsca, w którym mamy grać, a tam… Jak w mieszkaniu jednego z naszych znajomych – buduarek pięknej pani… Wszystkie możliwe ozdóbki naraz. Dwudziestowieczne rokoko! Przychodzi właściciel, polski Żyd, pan Fuchs i się zaczyna! Naszą delikatną uwagę, że nas jest tylko trzech, a miał jeszcze dołączyć amerykański basista załatwiony przez organizatora, skwitował machnięciem ręki i krótkim stwierdzeniem: „A dobra tam!". Okazało się, że to jest kurwidołek, w którym mamy grać do tańca. Ugrzęźliśmy tam na trzy miesiące. Bez żadnego basisty. Ja grałem na kompletnie rozstrojonym pianinie, Ptak Wróblewski dmuchał w saksofon i w dziecinną, harmonijkopodobną melodikę, Andrzej Dąbrowski siedział smutny i coś tam bębnił. Musieliśmy sobie przypomnieć cały repertuar typu „Tango Milonga"…

AA: Tańczyli?

WK: Trochę tak, ale najlepsze były występy artystyczne w wykonaniu wieloletnich pracownic tego przybytku. Zupełnie nie umiały tańczyć, a pan Fuchs reżyserował je tak, żeby wyglądało, że tańczą i przeżywają. Podchodził do nas i udzielał instrukcji, jak mamy grać, na przykład mówił do Ptaszyna: „Panie Wróblower, niech pan patrzy na nią! On ją porzuca, to ona ma w sercu żal, to ta muzyka musi być wolniej i ciszej…". A po graniu wracaliśmy do hotelu w Baumholder, który dla odmiany był burdelem. Po jakimś czasie, wychodząc na granie, już normalnie wymienialiśmy pozdrowienia z tymi panienkami, życząc sobie nawzajem miłej pracy. Na górze były pokoje, na dole w barze czekali amerykańscy żołnierze.

MC: Tyle że nie na was.

AA: Marysiu, a twoje międzynarodowe sukcesy?

MC: O! Jaki ładny tygrysek! I jak się z pieskiem bawi!

AA: Możesz przez chwilę nie interesować się tygryskiem i odpowiedzieć na moje pytanie?

MC: Kiedyś pan Zylber, ojciec tego reżysera…

AA: Którego?

MC: Zylbera.

AA: Aha.

MC: Przyszedł pan Zylber do mnie i Anatola Potemkowskiego… On chyba na czymś grał?

AA: Anatol?

MC: Nie! Pan Zylber!

WK: Na perkusji. Notabene amator, ale z dużym wyczuciem.

AA: I zaproponował wam występy? Jako aktorom Sceny Warszawskiej?

MC: Nie. Zaproponował nam pisanie tekstów, które on będzie potem tłumaczył i wysyłał do radia w Kolonii, bo miał tam jakieś kontakty. Później co jakiś czas wpadał do „Szpilek", przywoził nam trochę marek zachodnioniemieckich i mówił, że Niemcom bardzo się te nasze teksty podobają. Czy tak było naprawdę, nie wiem, ale kiedy do „Szpilek" w ramach „przyjacielskiej wymiany" przyjechali ludzie z redakcji jakiegoś NRD-owskiego pisma satyrycznego, mówili, że znają mnie z tekstów, które wykonują niemieccy aktorzy. Poczułam się dumna, że znają mnie aż tak daleko za granicą.

AA: Czyli w NRD?

MC: A co? O, jak ten tygrysek tego pieska łapką trąca!

AA: Marysiu!

MC: A, i jeszcze ze dwa razy moje teksty przedrukowali w takim radzieckim piśmie satyrycznym „Krokodyl".

AA: Stamtąd też miałaś jakieś sygnały popularności?

MC: Żadnych.

AA: Ale pieniądze przysłali?

MC: Nie. Tylko egzemplarze gazety. Żebym zobaczyła, jak moje teksty śmiesznie wyglądają wydrukowane po rosyjsku.

AA: To coś ci teraz pokażę. Tu jest twój tekst wydrukowany po francusku, tu po angielsku, po rosyjsku... „Chacun peut le danser", „Everyone's got the right to bop", „Eto uż sliszkom, dorogoj!".

MC: Co to jest? Skąd to masz?

COIN DE LA SATIRE

CHACUN PEUT LE DANSER

Il se trouvait devant ma maison et exécutait des mouvements bizarres. Je l'observai pendant un moment...

- Excusez-moi. Que faîtes-vous donc?

- Je fais des flicflacs. Et vous, vous n'en faîtes pas?

- Malheureusement je ne peux pas. Je suis en voiture.

- Alors je n'insiste pas - répondit-il avec compréhension et après un instant, toujours en dansant, il me dit: «Vous pensez certainement que je suis anormal?».

- Mais pas du tout! - niai-je hypocritement.

- Alors vous me consolez! C'est vrai. Car presque tout le monde me prend pour un fou! A propos... Avez-vous entendu le mot d'esprit le plus récent sur...

- Sur les fous?

- Non. Sur le chauve et le serrurier.

- Le roux.

- Vous le connaissez?

- Qui?

- Ce serrurier.

- Non.

- D'où savez-vous alors qu'il est roux?

- Vous m'avez mal compris! Il me semble simplement que vous parlez du mot d'esprit sur le chauve et le roux.

- Précisément! Du chauve et du menuisier. Ainsi dans un parc, sur un banc, deux hommes se trouvaient assis - le chauve et le menuisier. A un moment donné le chauve prend le casse-croûte dans la serviette du menuisier. Il déballe un sandwich, regarde ce qu'il y a à l'intérieur, enlève le lard, le jette sous le banc et ne mange que le pain. Après un instant il déballe le second, enlève à nouveau le lard, le jette sous le banc et ne mange que le pain. Au cin-quième le menuisier n'y tient plus: «Pourquoi jetez-vous le lard?». «Parce que j'aime bien le lard» - répond le chauve. «Vous aimez jeter?». «Mais non j'aime beaucoup le lard!» - affirme le chauve. C'est bien, hein!

- Rien d'extraordinaire. De plus, je ne comprends pas très bien... Si le chauve aime le lard pourquoi le jette-t-il sous le banc?.

- Sans doute il n'y avait pas de corbeille. Et dire qu'on se plaint que les gens jettent différentes choses où bon leur semble. Il faut absolument placer plus de corbeilles, ce n'est qu'alors que l'ordre règnera et que tout sera propre! N'est-ce-pas?

- C'est vrai... - je lui donnai raison et pris congé de lui. Comme j'attendais l'ascenseur, je remarquai que le monsieur près de moi me regardait tout étonné... Pourquoi? Je n'en avais aucune idée! Je me comportais pourtant tout-à-fait normalement... Je faisais seulement quelques flicflacs. Après tout... Chacun peut danser! N'est-ce-pas?

SATIRICAL CORNER

EVERYONE'S GOT THE RIGHT TO BOP

He stood outside my house doing something rather strange. I watched him for a while...

"Excuse me. What are you doing?"

"Bopping around. Feel like having a bop?"

"Sorry. I shouldn't. I'm driving?"

"I won't talk you into it then", he said with understanding, and then, still bopping, observed: "You probably think I'm loony?"

"Of course not!" I protested, lying.

"You've made me feel better! Honestly. Nearly everyone thinks I'm daft! Talking about that... Have you heard the latest one about...

"Loonies?"

"No. About the baldie and the plumber".

"Redhead".

"You know him?"

"Who?"

"That plumber?"

"No".

"So how do you know he's a readhead?"

"You don't get me. What I was saying was that you were probably thinking of the joke about the bald man and the readhead".

"That's just what I said! About the baldie and the carpenter. Well, in a park, on a bench two men are sitting. A bald man and carpenter in fact. Suddenly baldie takes a sandwich out of the carpenter's briefcase. He unwraps it, has a good look at it, takes out the bacon and chucks it under the bench, then eats the bread on its own. After a while he takes out another sandwich, takes out the bacon, chucks it under the bench and eats the bread. When he does the same with the fifth sandwich, the carpenter can no longer restrain himself and asks: "Why are you throwing the bacon away?".

"Because I like it very much!" says baldie. "You like throwing bacon away?" "No", says baldie. "I like bacon! Like it?"

"Mmm... But I don't really get it... If the bald man liked bacon so much, why then did he throw it under the bench?"

"Because there probably wasn't a waste-paper basket, unfortunately. And then every-one litter everyti they p basket so di you ag "T bid hi waitin man s eyeing zemen don't no mal around one's Haven

МАРИЯ ЧУБАШЕК

ЭТО УЖ СЛИШКОМ, ДОРОГОЙ!

Моя красавица-жена делала маникюр, а я выл от боли. В какой-то момент она прекратила подпиливать свои длинные, миндалевидные ногти, подняла свои изумительные зеленые глаза и пытливо посмотрела на меня.

- Что, зубы болят?
- Ужасно! - промычал я. Я, наверное, с ума спячу.
- Не стоит, дорогой, - посоветовала она. - Потом жалеть будешь.
- Мое дело, - ответил я не очень вежливо и опять завыл от боли.

Моя красавица-жена пожала плечами и снова взялась за маникюр. От боли у меня разламывалось голова.

- Где щипцы?- заорал я не своим голосом.

Она подняла голову, и в ее изумительных зеленых глазах написалось удивление.

- Щипцы?
- Да, да. Неужели не понятно?
- Не понятно, - сказала она. Говоришь ты ужасно неразборчиво, дорогой. Видимо, из-за зубов.

Ее сообразительность взбесила меня.

Где они?! - рякнул я.

- В моей вечерней сумочке, - спокойно пояснила она. - В той, золотой.

А где она?

- У Ясика в ранце, - сказала жена, явно смутившись и потупив взгляд.

- Где?! - от удивления я даже забыл о боли.
- Мой сын ходит в школу с вечерней сумкой? Да к тому же с дамской?

- Наш сын, - тихо проговорила она, - уже неделю не был в школе.

- Его что, выгнали?! - встревожился я.

- Еще нет, - успокоила она меня. Но не надолго.

- Он болен?! - заволновался я еще пуще.

- Нет.

- Так почему же он не был в школе?

- А как ты думаешь? Неужели я разрешу своему сыну ходить в школу с вечерней сумкой! Я запретила!

- А ты не догадалась, - я снова взвыл от боли, - сказать ему, чтобы он просто-напросто выложил сумку из ранца?

- Догадалась, - сказала жена, опустив голову. — Но это безрезультатно. Сам знаешь какой он...

- Ясик? - я пытался это вспомнить, но боль мешала мне сосредоточиться.

- Ясик у нас, кажется, рыжий, да?

- Нет, рыжий Гжесик, - возразила она.

- Ах да! - обрадовался я. Ясик черный!

- Нет, дорогой, - ее изумительные зеленые глаза осуждающе взглянули на меня.

- Ясик блондин. А вот Кшиштоф брюнет.

- Кшиштоф?! - Я снова забыл о боли. Сколько же у нас сыновей?

- Двое, - сказала она не без гордости, — Ясик и Гжесик.

- Ну конечно! - облегченно вздохнул я. Но почти в тот же момент мной снова овладело беспокойство. - А что это за Кшиштоф?

- Я же тебе говорила... - тихо произнесла она, явно смущаясь.

И тут я вспомнил. Ну конечно! Кшиштоф - это жених моей красавицы-жены. Боль возобновилась с удвоенной силой.

- Ах да, прости, дорогая... - пробормотал я. - Я спросил, потому что сам испугался, что не знаю, сколько у нас детей... Ведь это было бы ужасно!...

- Ну что ты?! - возразила она, блеснув своими изумительными зелеными глазами. Она с нежностью положила свою прелестную ухоженную ручку на мою ладонь.

- Ты - прекрасный отец!

- Жаль только, что не столь же хороший муж! - вздохнул я.

Она резко отдернула руку и отвела глаза.

А когда я стукнул головой о стену, она спросила, низким, встревоженным голосом:

- Мне показалось, или же с тобой действительно что-то не так, дорогой?

Я без слов схватился за раздувшуюся, словно глобус, щеку.

- Не сердись! - простонала. - Хоть мы и договорились не затрагивать эту тему, но ведь и меня тоже можно понять. Если ты, прожив со мной 15 лет, вдруг решаешь разводиться, то имею же я право знать причину!

- Просто я влюбилась в Кшиштофа, - спокойно сказала она.

Я молчал.

- Если бы ты тогда приехал ко мне в Закопане, - продолжала моя красавица-жена, - этого бы наверняка не случилось...

- Ведь ты же знаешь, что я хотел приехать! - воскликнул я.

- Но. к сожалению, не приехал. И вот теперь...

Ее изумительные зеленые глаза заволокла грусть. А может, это мне только показалось.

- Но ведь ты знаешь, почему я не приехал?

Она пожала плечами и перевела взгляд на свои свеженакрашенные миндалевидные ногти.

- Не приехал, - я старался говорить спокойно - только потому, что в то время в Закопане почти не ходили поезда. А те, что выходили из Варшавы, тонули в сугробах. Ведь это было самое трудное время! Помнишь?

- Я знаю только одно, - сказала она, - Сейчас всё сваливают на тяжелую зиму. Я считаю, что это уж слишком, дорогой.

Я не стал возражать. Может, потому, что моя красавица-жена, к сожалению, права...

Перевела
ВЕРА ПШЕМЫСКАЯ

* * *

AA: Z waszej piwnicy. To jest pismo wydane na Międzynarodowe Targi Poznańskie.

WK: Na tej zasadzie to myśmy wszyscy zrobili światową karierę. Mówiłem wam przecież, jak to się jeździło za granicę na „tournée po klubach".

„BOKS NA PTAKU". Pojawiło się przed chwilą pojęcie „waszej piwnicy". „Wasza piwnica" jest w tej opowieści odpowiednikiem „tapczanu" z książki „Każdy szczyt ma swój Czubaszek". Wtedy Marysia twierdziła, że nie ma żadnych swoich tekstów, ale kiedyś użyła sformułowania „chyba że w tapczanie". Okazało się, że w tapczanie, na którym zazwyczaj wylegiwał się pies, znalazło się sporo tekstów. Tym razem, przy okazji którejś z rozmów przygotowawczych, Wojtek wspomniał, że „coś może być w piwnicy". Zacząłem nalegać, żeby sprawdzić. I zauważyłem, że kiedy tylko pojawia się wątek „piwnicy", robi się jakoś niezręcznie. Dopiero po jakimś czasie okazało się, że żadne z nich nie było w „piwnicy" przynajmniej od kilku lat. Powód? Marysia boi się myszy, Wojtek pająków. A podejrzewali, że jedno i drugie może się tam zjawić. W końcu zgodzili się, żebym to ja zszedł do „piwnicy" i sprawdził, czy rzeczywiście „coś może być". W dniu zejścia nastrój grozy narastał z każdą minutą. Marysia przygotowała mi czarne gumowe rękawice i zaoferowała, że będzie mnie ubezpieczać. Ubezpieczanie odbywało się w taki sposób, że została przy drzwiach prowadzących do piwnicznego korytarza w takiej odległości, żebyśmy mieli ze sobą kontakt głosowy. Uspokoiła mnie, że w razie czego, gdybym krzyknął, pobiegnie po portiera. Wojtek bohatersko czekał na nas w mieszkaniu. Nie krzyknąłem. W „piwnicy" panował wzorowy porządek. Wszystko poukładane w walizkach (na przykład mnóstwo światełek choinkowych), pozawieszane w szafach (kożuch męski i inne ubrania). Na podłodze leżało kilkanaście kołpaków do opla. Po powrocie z akcji zapytałem Wojtka, po co mu kilkanaście kołpaków do opla. Stwierdził, że to niemożliwe, żeby coś takiego tam było, bo on na pewno tego nie zbierał. Być może więc nieużywana piwnica państwa Karolaków stała się „dziuplą" przestępców kradnących oplom kołpaki?

Jednak najciekawsza była zawartość jednej z walizek. Kilkaset kartek maszynopisów. Teksty Marii Czubaszek! Te, o których opowiadała, że na pewno ich nie ma! Walizkę z tekstami wynieśliśmy do mieszkania. Poprosiłem Marysię, żeby w miarę szybko przejrzała teksty i dokonała wyboru tych, które miałyby się znaleźć w książce. Kiedy wychodziłem z tego spotkania, zauważyłem, że wystawia walizkę na ośnieżony balkon. Był początek zimy. Na wiosnę zabrałem walizkę z balkonu i sam zacząłem wybierać. Wszystkie teksty Marii Czubaszek, które znajdują się w tej książce, pochodzą z cudem odnalezionej w „piwnicy", wysmaganej wiatrem i wychłodzonej mrozem walizki leżącej wcześniej wśród kilkunastu kołpaków do opla.

AA: A jeśli chodzi o szanse niewykorzystane? Przypominacie sobie jakąś propozycję, której nie przyjęliście, a teraz tego żałujecie?

WK: Nic takiego mi się nigdy nie zdarzyło. Zawsze było dokładnie odwrotnie. Ilekroć pojawiała się szansa na zrobienie czegoś, z czym można było wiązać jakieś nadzieje, i stawałem na głowie, żeby to jak najlepiej zrobić, nic z tego nie wynikało. Nigdy. Ile razy się do czegoś przyłożyłem, okazywało się, że traciłem tylko czas. Na zasadzie „Franek, w dechę rypiesz". Na przykład kiedyś dowiedziałem się, że na Jazz Jamboree przyjeżdża największy europejski producent, który lubi muzykę określonego rodzaju, a mnie z tą muzyką akurat też było po drodze. Postanowiłem napisać utwór, o jakim dawno myślałem, na swoje trio i kwartet smyczkowy. Włożyłem w to trzy miesiące pracy. To była duża forma, poza tym musiałem się nauczyć pisać na kameralne smyczki, zaaranżować to, etc. Nie ukrywam, że przy moim lenistwie nigdy bym się za to nie zabrał, ale zmusiłem się do napisania tylko po to, żeby facet tego posłuchał. Mogłoby mi to otworzyć drogę do poważniejszych koncertów czy nagrań w Niemczech Zachodnich. No i niepotrzebnie się tak napracowałem, bo akurat na ten wieczór, kiedy grałem to na Jazz Jamboree, jeden z moich starszych kolegów zaprosił go na party do siebie do domu.

AA: Może zrobił to z premedytacją? Ten kolega jest w wytwórni tego pana?

WK: Nie. I chyba nigdy nie był. Zresztą to nie jego wina. Tak jest zawsze, ile razy się przyłożę, żeby zrobić porządnie coś, co wymaga ogromnej pracy. Przez pół roku pisałem musical dla pani Baduszkowej [Danuta Baduszkowa – reżyser, pedagog, twórczyni Teatru Muzycznego w Gdyni, któremu przez wiele lat dyrektorowała. Obecnie teatr nosi jej imię – przyp. AA]. To miał być spektakl na otwarcie nowej siedziby Teatru Muzycznego w Gdyni. Ale zanim ta nowa siedziba się otwarła, pani Baduszkowa wzięła i mi umarła. A nowy dyrektor otworzył teatr „Krakowiakami i góralami". Wszystkie moje próby zrobienia czegoś sensownego, popchnięcia spraw zawodowych do przodu, kończyły się w ten sposób. W związku z tym dałem sobie święty spokój. Nie ma sensu się męczyć.

AA: A nie wpadło ci do głowy, żeby ten skomponowany musical, którego nie wykorzystał Teatr Muzyczny, zaproponować komuś innemu?

WK: Oczywiście, że wpadło, ale taśmy z nagraniami gdzieś zaginęły, a partytury nie mogę od 25 lat wydobyć od jednego z moich kolegów…

AA: Tego, który niemieckiego agenta zaprosił na kolację?

WK: Nie. Od innego. To jest właśnie ktoś, komu zaproponowałem, jako pierwszemu, ten musical. Był wtedy dyrektorem teatru. Wziął partyturę i nie oddał. To była wielka, ponaddwustustronicowa księga w twardej oprawie. A teraz to już nie ma sensu do tego musicalu wracać, bo to były lata siedemdziesiąte. Zupełnie inna estetyka. Czyli można to wyrzucić. A raczej można by wyrzucić, gdyby się to miało. A ja nie mam, bo kolega nie oddał. Jak widzisz, wszystko się logicznie układa. Mówię ci, że skończymy z Marysią na Dworcu Centralnym.

MC: Tak, już słyszę, jak przez megafony zapowiadają, że Czubaszek z Karolakiem leżą na peronie trzecim. Już zaczyna wpadać w swój wrodzony optymizm.

AA: Spokojnie, zawsze ktoś ze znajomych podeśle wam papierosy przesyłką konduktorską...

WK: Bo naprawdę tak jest. I zawsze tak było. Do końca życia nie zapomnę, jak w szkole podstawowej poszedłem na zabawę szkolną. I tam była loteria. Okazało się, że fanty na tę loterię przynosili rodzice. I wiesz, co ja wygrałem?! Stare, używane kapcie męskie!

MC: A ja na mikołajkach w „Przekroju" wylosowałam męskie kapcie z uszami królika.

WK: No ale może nowe przynajmniej?

MC: Może, ale z uszami!

WK: I pewnie za małe.

MC: A właśnie, że za duże.

WK: Za duże jako nauszniki, a za małe jako kapcie?

AA: Dobrze, nie wdawajcie się w spór, czy lepsze „stare za duże bez uszu", czy „nowe za małe z uszami". Wracajmy do przegapionych zawodowych okazji. Marysiu...

MC: Ja też nie mam poczucia jakiejś straconej szansy. Może dlatego, że sama nigdy o nic nie zabiegałam. Taki mam charakter. A jak dostaję propozycje, to raczej przyjmuję. Czasem mam odwrotnie. Czuję, że niepotrzebnie wykorzystałam szansę, że na coś się zgodziłam. Bo jak zwykle wpuszczam się w bezpłatne albo nisko płatne tarapaty.

AA: Jeśli jesteśmy przy płatnościach. Gdybyś miał gwarancję, że za siedzenie w domu i komponowanie będziesz otrzymywał przyzwoite wynagrodzenie, zrezygnowałbyś z koncertów?

WK: To jest trudna sprawa. Dlatego że... Dlatego że... Och, jaki śliczny! Przestraszył się.

MC: To jest mopsik, nie?

WK: Nie! Lisek jakiś!

MC: Gdzie tam? Lisek jest rudy, a to było szare przecież.

WK: Ale wyraz twarzy lisa. Więc...

MC: Mnie się wydaje, że ty wolisz grać.

Zdjęcie z okresu odwiedzin u pani Danuty Baduszkowej, związanych z pisaniem musicalu „Dracula". „Na sopockim molo stał samotny fotograf. Widząc, że nie ma chętnych do zrobienia sobie pamiątkowych fotografii, poprosiłem o wszystkie akcesoria, jakie miał przy sobie, i zrobienie mi zdjęcia. Oto efekt"

WK: Generalnie rzecz biorąc, to ja bym… najchętniej nic nie robił. Nie lubię jeździć, bo mnie to męczy, więc byłoby dobrze siedzieć w domu. Ale pisać? Bo ja wiem? Chyba z dwojga złego wolę grać. Pisanie mnie strasznie nudzi i zasypiam przy tym. Jak w czasie pracy natrafiam na jakiś problem, to od razu chce mi się spać. Nie ma we mnie woli walki. To jest to samo, co podczas kłótni z Marysią. Im większa, tym bardziej mnie usypia. Ona krzyczy, a ja się zapadam w sobie, wycofuję się w nirwanę.

MC: Tego mi nie mówiłeś! To po co ja tak wrzeszczałam?!

AA: Wojtek przynajmniej ma jasność, co zrobić, kiedy ma kłopoty ze snem. Wystarczy pokłócić się z tobą.

MC: O, to leci teraz! To jest mysz?

WK: Jakaś dziurka.

MC: Biała i dziurka? Co ty mówisz?!

AA: Kuna!

MC: Powinieneś mieć albo bogatych rodziców, albo żonę.

WK: Nie cierpię pisać nut. A każdą chwilę spędzoną w podróży uważam za straconą w swoim życiu. I tak źle, i tak niedobrze.

AA: Poruszam ten wątek, bo w „Encyklopedii jazzu" znalazłem informację, że w latach 1979–1982 miałeś przerwę w koncertowaniu i zająłeś się działalnością kompozytorską. To z jakiegoś szczególnego powodu?

WK: Z takiego, że muzyka, którą ja najbardziej lubię i wtedy grywaliśmy z Ptaszynem Wróblewskim, była lekceważąco traktowana przez środowisko jazzowe, które zachłysnęło się tak zwanym free jazzem. Polegał on na tym, że podobno „każdy dźwięk jest muzyką", a ludzie bździli coś, co nie miało nic wspólnego z jazzem, i chodzili w glorii awangardzistów. Nigdy nie miałem serca do awangardy, ale ona ma zawsze dobrą prasę. A my z Ptaszynem graliśmy muzykę bardzo prostą, z dużą ilością bluesa, w Stanach to się nazywa „soul jazz". Wszyscy się na to wykrzywiali i mówili, że do tańca gramy. Jak tak, to bez łaski! Pocałujcie misia w dupę. Będę sobie siedział w domu i pisał. Zacząłem wtedy również wyjeżdżać na statki.

AA: Użyłeś sformułowania „środowisko jazzowe". Istnieje coś takiego? Muzycy jazzowi są ze sobą jakoś związani?

WK: Byli. Jak jest teraz, to nie wiem, bo się nie szwendam po klubach… Zresztą nie ma się gdzie szwendać, bo w Polsce już prawie nie ma klubów jazzowych. Wytrzebił je wolny rynek. Jest bardzo wielu muzyków, ale nie mam pojęcia, jak oni żyją. Kiedyś to było środowisko. I to dosyć określone. Na przykład jeśli chodzi o rodowód, który był typowo inteligencki. Ludzie, którzy zaczynali grać jazz w Polsce, mieli różne zawody, na przykład Komeda był lekarzem. Prawie wszyscy mieli ukończone jakieś studia. Uniwersyteckie albo artystyczne. A jeżeli artystyczne, to raczej niezwiązane z muzyką. Na przykład wielu wykształconych plastyków grało jazz.

AA: O wielu twoich kompozycjach państwo sobie doczytają w „encyklopediach muzyki w ogóle, a zwłaszcza jazzu", a ja chciałbym się przez chwilę zatrzymać przy jednej: „Uwertura makabryczna zamczysko w Otranto"…

WK: To jest utwór, który świetnie ilustruje różnicę pomiędzy traktowaniem kultury w PRL-u a tym, co jest teraz. Za komuny było czymś naturalnym, że Adam Kreczmar wymyślił sobie słuchowisko o duchach i, pewnie zainspirowany przez Marysię, która powiedziała mu, że ja się interesuję duchami i piszę muzykę, zamówił u mnie muzykę ilustracyjną. A ja, mając takie zamówienie, mogłem sobie pozwolić na komfort dysponowania wszelkimi dostępnymi w Polskim Radiu środkami – mogłem pisać na orkiestrę symfoniczną, eksperymentować z dźwiękiem, wymyślić co dusza zapragnie i nagrać to w najlepszych warunkach. To było wtedy normalne. I tak powstał ten bardzo nietypowy utwór. Trochę jazz, trochę muzyka ilustracyjna, potem wariacki fragment z wykorzystaniem amatorskiego magnetofonu, a to wszystko spięte brzmieniem współczesnej faktury symfonicznej. Jest tam moje, bardzo nietypowe solo fortepianowe i fenomenalne solo Tomka Szukalskiego na klarnecie basowym. Bo wiedziałem, że klarnet brzmi demonicznie i Szukalski tak demonicznie i drapieżnie zagra, że ciary pójdą po plecach. I poszły.

MC: Wyobrażasz sobie, że teraz ty w radiu wymyślasz słuchowisko i zatrudniasz orkiestrę symfoniczną?

AA: Wyobrażam sobie, ale na wyobrażeniu się kończy. Wojtek, a ty naprawdę interesujesz się duchami?

MC: Nawet wierzy w duchy.

AA: Ale pewnie tylko trochę.

WK: Trochę bardziej. Jak byłem mały, to robiłem coś takiego, że jak rodzice wychodzili z domu wieczorem... I wiedziałem, że nieprędko wrócą... To gasiłem światła... Zapalałem świeczkę... Wkładałem własnoręcznie zrobioną trupią czaszkę i owijałem się prześcieradłem. Przebierałem się za ducha... Wchodziłem do przedpokoju, gdzie było ogromne, stare lustro... Patrzyłem w nie i bałem się. Sam siebie. A może ten w lustrze to nie byłem ja? Nie interesowały mnie książki o Indianach, za to rozczytywałem się w rzeczach, które mi się kojarzyły z duchami lub podobnymi ponurościami. Uwielbiałem albumy ze zdjęciami architektury romańskiej i wczesnogotyckiej, fascynowali mnie średniowieczni rycerze w zbrojach... Nigdy nie zapomnę genialnego filmu Eisensteina „Aleksander Newski". Jest tam scena przedstawiająca zamarznięte jezioro i zbliżających się Krzyżaków. Wszystko trwa bardzo długo, a ci Krzyżacy są po prostu upiorni. Eisenstein miał fantastyczną wyobraźnię. Podobnie jak Murnau, który obsadził Maxa Schrecka w roli Nosferatu. Ten film niedługo będzie miał sto lat, a wszystkie późniejsze wcielenia Draculi bledną w porównaniu z Maxem Schreckiem. Skąd Murnau wytrzasnął takiego upiora? Chyba z piekła. Naprawdę można się go bać.

Druga połowa lat siedemdziesiątych, nagranie programu telewizyjnego
o muzyce filmowej. Od lewej: Jerzy Maksymiuk, Andrzej Wasylewski,
Wojciech Karolak

AA: Bardziej niż siebie w przedpokoju?

WK: Bardziej. W końcu Zając w prześcieradle to nic strasznego.

AA: Marysiu, ty wierzysz w duchy?

MC: Nie właśnie… Nie ma żywego ducha. Nieżywego tym bardziej.

AA: A gdyby ci się jakiś pojawił?

MC: To wiedziałabym, że to Wojtek przebrany za ducha. W przedpokoju.

AA: Bo zdaje się dla Wojtka to ważny temat. Skomponował też musical „Dracula".

WK: Ale to nie ja wymyśliłem. To Kazio Marianowicz i Marek Groński. To jest właśnie ten musical, który pisałem dla pani Baduszkowej, ale nie zdążyłem, bo umarła.

AA: Czyli coś jest na rzeczy z tymi duchami. Ale dajmy spokój. Jak komponujesz, opierasz się wyłącznie na własnej wyobraźni czy sięgasz do materiałów źródłowych? Podpierasz się pracami naukowymi?

WK: Nie sięgam i nie podpieram się, bo nie zapamiętuję. I nie potrafię z tego, co usłyszałem, wyłuskać potem czegoś, co będzie jakimś konkretem. Więcej czasu zabrałoby mi dogrzebywanie się do źródła niż samodzielne wymyślenie czegoś podobnego. Raz tylko, właśnie przy okazji komponowania „Draculi", biorąc pod uwagę fakt, że wszystko dzieje się w Transylwanii, musiałem nawiązać do muzyki cygańskiej. Za którą zresztą nie przepadam i może dlatego nie za bardzo ją znam. Jednak chciałem, żeby to miało w miarę autentyczny klimat. Poprosiłem Marysię, która akurat wyjeżdżała służbowo do Rumunii, żeby przywiozła mi parę płyt. Muzyka polskich Romów jest inna niż tamta. I zrobiłem coś, co było pastiszem muzyki Cyganów rumuńskich i węgierskich. Ale zazwyczaj tego typu inspiracji nie potrzebuję. Wolę sobie wyobrażać. Może dlatego z łatwością przychodzi mi pisanie takiej muzyki, jakiej właściwie nie lubię. Na przykład Marcin Kydryński zamówił u mnie kiedyś aranżacje do płyty, utrzymanej w typowo europejskim, komedowsko-skandynawskim klimacie. Smutek w szaroniebieskawym odcieniu. Zupełnie nie moja bajka. Wręcz antypody. Chciałem mu zrobić tę płytę tak, żeby miał to, o co mu chodzi, więc postanowiłem, że będę pisał jakby wbrew sobie. Okazało się, że to dużo ciekawsze, niż powtarzać po raz któryś z rzędu coś, co uważa się za swoje. Zacząłem dłubać w akordach z jakąś masochistyczną satysfakcją, żeby były tak odległe od tego, czego lubię słuchać, jak tylko możliwe. I sądząc po reakcji pana Marcina, udało mi się. Orkiestra smyczkowa była tak smętna, że nic, tylko sobie w łeb strzelić, a Kydryński wyglądał na zadowolonego. Nie było w tym ani grama oszustwa. Wszystko było według zasad sztuki.

MC: „Sztuki przez duże D", jak mówił Jurek Dobrowolski?

WK: W każdym razie pan Marcin się zachwycił. Bo to było strasznie ponure.

MC: A z takich dziwnych rzeczy – pamiętasz jak do ITR-u [„Ilustrowanego Tygodnika Rozrywkowego", audycji rozrywkowej Programu 3 Polskiego Radia – przyp. AA] napisałeś „Tango futuro"?

WK: To był żart. „Tango futuro" powstało z mojej niechęci do mody retro. Moda retro w siedemdziesiątych latach polegała na odrzuceniu fajnych, finezyjnych zdobyczy ówczesnego popu i zastąpieniu ich prymitywnym kiczem nawiązującym do lat dwudziestych, trzydziestych. Powód był prosty. Pop lat siedemdziesiątych był tak wyrafinowany, że mało kto w Polsce potrafił pisać tę muzykę, a kicz był łatwizną. To była po prostu knajpa. Stopień trudności – zero. Szansa powodzenia – bingo. Wojtek Młynarski zaśpiewał w Opolu „Tango retro" i wszyscy oszaleli. Uwielbiam Wojtka, ale wyrosła mi gula, bo taki wspaniały człowiek, z takiej wspaniałej rodziny, przyłożył rękę do propagowania muzycznej szmiry. Wprawdzie sam bym to zrobił na jego miejscu i w ogóle trzeba mieć trochę luzu, o poczuciu humoru nie mówiąc. Ale właśnie wtedy mi ono siadło. Wymyśliłem zemstę. Niestety była na miarę Mrożkowskiego „Lucusia" piszącego „generał Franco wam pokaże", ale musiało mi to wystarczyć. Marysia napisała tekst „Tango futuro" a ja wziąłem „Tango Milonga", które jest w tonacji durowej, i zmieniłem tylko jedną nutkę, tak że dalej było „Tangiem Milonga", tyle że z molową, a nie durową tercją. Przyniosłem do radia nuty, zagrałem na fortepianie, myśląc, że wszyscy pękną ze śmiechu, a tu... Nic! Zima. Nikt niczego nie zauważył. Nagrali, a po pewnym czasie Jurek Markuszewski, reżyser ITR-u, podchodzi do mnie i mówi: „A wiesz, że to mógłby być przebój?". Gdybym go nie kochał, tobym udusił!

AA: A muzyka do filmów? Na przykład do „Konopielki"? Była pisana „na wymiar"? Dokładnie tyle, ile zażyczył sobie reżyser? Czy oddawałeś dużo więcej, pozostawiając możliwość wyboru?

WK: Zwykle pisząc do filmu, starałem się precyzyjnie ustalić z reżyserem, co i gdzie ma być zagrane. Nie ze wszystkimi jest to możliwe i wcale mnie to nie dziwi, ale Witek Leszczyński był tak muzykalnym człowiekiem, że dokładnie wiedział, o co mu chodzi. Praca przy „Konopielce" była niesamowitą przyjemnością. Mieliśmy fantastyczne porozumienie. To było tak, jakby Witek sam skomponował tę muzykę, a ja mu ją tylko zmaterializowałem. Może było tak dlatego, że Witek był człowiekiem jazzu. Doskonale czuł tę muzykę, znał się na niej. Poznałem go jeszcze w Hybrydach na Mokotowskiej. Był trochę starszy od nas, a wyglądał na młodszego. Miałem wtedy może 20 lat, on pewnie ze 25...

AA: No to rzeczywiście aż dziwne, że mimo takiej różnicy wieku tak świetnie się trzymał! A „Przyłbice i kaptury"?

WK: Pamiętam, że muzykę do tego filmu pisałem w strasznym pośpiechu, bo było tego dużo do skomponowania, a ja już wyjeżdżałem grać na statki. Ale podjąłem się, więc musiałem. Poza tym chciałem, żeby to była muzyka nawiązująca klimatem do średniowiecza, a Marek Piestrak, reżyser, uparł się, że czołówka do serialu ma być westernowa, bo tam jadą faceci na koniach. Hasełko: „Bonanza". Jak się uparł, to proszę bardzo – powstało takie „średniowieczne country and western".

AA: To ja może już teraz przeproszę miłośników jazzu, którzy sięgnęli po tę książkę w celu uzupełnienia wiadomości. Ponownie odeślę do encyklopedii i fachowych opracowań. W tej rozmowie wywołamy tylko kilka haseł z twojego życia artystycznego. Na przykład wywołajmy Chałturnika.

WK: A dokładnie Stowarzyszenie Popierania Prawdziwej Twórczości „Chałturnik". To zespół założony przez Jana Ptaszyna Wróblewskiego. Świetna zabawa. To były pastisze muzyki z epoki charlestona. Niby łatwizna, jak ówczesna moda „retro", ale sposób, w jaki Ptak to aranżował i muzycy grający w tej grupie, to wszystko nadawało Chałturnikowi wielką klasę. Trochę humoru muzycznego w stylu Spike'a Jonesa, faceta, którego obaj z Ptaszynem uwielbialiśmy. Nazwa prowokacyjna. Nic z chałtury w tym nie było. Niby żart, ale w sensie muzycznym bardzo serio potraktowany. Nie było w tym nic przypadkowego, a Muniak grał takie solówki na saksofonie, że było w nich wszystko: i muzyka Armstronga, i „free", parodia „Warszawskiej Jesieni" i krzyk tego El kondora, który „pasa". Śmieszne i w słuchaniu, i w oglądaniu. A było to możliwe tylko dlatego, że Ptak to człowiek inteligentny, zdolny i dowcipny. I jak coś wymyśli, to boki zrywać.

MC: Baki chyba.

WK: ?!?

MC: No tak się mówi. Baki zrywać ze śmiechu, jak świeże wiśnie.

WK: I owszem. Pozrywaliśmy trochę tych baków z Ptakiem.

AA: O! Mam kolejny początek piosenki: „Życie nie jest byle jakie. Pozrywane baki z Ptakiem". Jakieś przykłady tych „zrywań"?

WK: Chociażby taki dowcip: po pierwszej części koncertu postanowiliśmy zamienić się saksofonami. Ja wziąłem tenor Ptaszyna, a on wziął mój alt. Byliśmy przekonani, że jak tylko wyjdziemy na scenę, to rozlegnie się straszny śmiech, a jak zaczniemy grać, to ludzie będą mdleć. A tu… Nic! Jak na jednym z rysunków Charlesa Addamsa: kino, cała sala przerażona, a w pierwszym rzędzie jeden facet pęka ze śmiechu. Jedyną różnicą było to, że ta reszta nie miała się czego przestraszyć.

AA: A ty myślisz, że tak dużo jest na świecie ludzi, którzy są w stanie odróżnić saksofon tenorowy od altowego?

WK: Myślałem, że na koncerty jazzowe chodzą tacy, którzy są w stanie.

AA: Marysiu, ty odróżnisz?

MC: Ja właściwie niczym innym się nie zajmuję. Wstaję rano i zaczynam odróżniać tenor od altu…

WK: Ona kiedyś, widząc puzon, zapytała mnie, czy to na tym gra Zbyszek Namysłowski.

AA: A na czym gra?

WK: Na saksofonie altowym.

MC: Ale to z wyglądu podobne, nie?

WK: Żeby zakończyć tę kłopotliwą dyskusję, przyjmijmy, że wszystko jest z wyglądu podobne do puzonu.

MC: Taka książka była, „Ten świat na imię ma puzon".

AA: Nie było takiej książki.

MC: To trzeba będzie napisać. Tytuł dobry.

WK: A jeszcze wracając do dobrych żartów, kiedyś przed ważnym koncertem wsadziłem Ptaszynowi szmatę do saksofonu. Zagrał tak cały koncert.

MC: Nie zorientował się?

WK: Zorientował. Gorzej mu się grało. Ale dał radę.

MC: Że ja na to wcześniej nie wpadłam! Zamiast latami pisać te moje głupoty, mogłam chodzić na koncerty i wsadzać szmaty w saksofony.

Ubaw po pachy! A może nawet wyżej – po baki, które się potem zrywa.

WK: Ale znając ciebie, przez pomyłkę wsadzałabyś szmaty w puzony, a to już nie ten ciężar gatunkowy. Poza tym w żarcie z puzonem powinien występować hydraulik.

AA: Kiedy zapytałem Marysię o najważniejszą część zawodowego życia, bez wahania wymieniła „Ilustrowany Tygodnik Rozrywkowy" w radiowej Trójce. A ty co byś wymienił?

WK: Najwspanialsze, co się wydarzyło w moim życiu zawodowym, to chyba możliwość grania z Tomaszem Szukalskim i współpraca z Jarkiem Śmietaną. Więc najpierw o Szukalskim. To był muzyk światowego formatu. Zaczęliśmy pogrywać ze sobą w drugiej połowie lat siedemdziesiątych i z przerwami, głównie spowodowanymi moimi wyjazdami na statki, graliśmy prawie trzydzieści pięć lat. Do chwili kiedy Tomek zaczął podupadać na zdrowiu. Najlepszy okres tej współpracy to były lata osiemdziesiąte. Na przykład taki spektakl Teatru Powszechnego w Warszawie „Muzyka Radwan". To były piosenki Staszka Radwana, mojego kolegi jeszcze ze szkoły muzycznej. W reżyserii Zygmunta Hübnera. Poetyckie teksty, m.in. Herberta, Staffa, Baczyńskiego, miały wtedy, w połowie lat osiemdziesiątych, wyraźną wymowę polityczną. Tłumy waliły do teatru głównie dla tych tekstów i kontekstu, w jakim zostały w spektaklu użyte. A my mieliśmy zagrać jazz. My, to znaczy Szukalski, Czesław Bartkowski i ja. Muzyka niezbyt dla nas wdzięczna, bo taka rodem z Piwnicy pod Baranami, trochę w stylu Zygmunta Koniecznego, a tutaj ma być jazz, czyli zupełne antypody. Ale zapaliłem się do pomysłu, bo pociągał mnie teatr. Ja się w kulisach wychowywałem dzięki dziadkowi aktorowi i babci inspicjentce. Kuszące było to, żeby znowu się otrzeć o te miejsca – o garderoby, kurtynę, zobaczyć halabardy… Hübner wymyślił coś ryzykownego, ale i zaszczytnego dla nas. Właściwie dostaliśmy role solistów. Nie akompaniowaliśmy aktorom w piosenkach – to robił Wojtek Głuch na fortepianie – mieliśmy komentować jazzowo muzykę Radwana. Graliśmy to przez trzy sezony. Strasznie się w to zaangażowałem. A miałem chyba wtedy jeden z lepszych okresów w życiu muzycznym, podobnie jak Szukalski. Ta muzyka się spodobała na tyle, że potem radiowa Trójka nagrała to i ukazała się płyta „Time Killers", która przez krytyków jazzowych została uznana za najlepszą płytę dekady lat osiemdziesiątych. Kiedy słucham teraz, co tam grał Szukalski, chodzą mi ciarki po plecach. Zawsze zresztą grając z nim, odczuwałem coś takiego. Ten człowiek nie żartował, kiedy grał.

MC: Taka czarna okładka i czerwony napis?

WK: Tak.

MC: No proszę, a ty twierdzisz, że ja się na muzyce nie znam.

WK: Ale nie mówiłem, że się nie znasz na okładkach. No więc bez wahania powtórzę, że granie z Szukalskim uważam za jedno z najważniejszych zdarzeń w moim artystycznym życiu.

MC: Yyyy…

WK: Wiem, co chcesz powiedzieć. Bo ty za nim nie przepadałaś. Ale to dlatego, że go nie znałaś dobrze. Był szorstki, trudny w obyciu, taki chłopak z Pragi, który nie starał się być kimś innym, niż jest naprawdę. Ale pod tą powłoką szorstkości, konfliktowości kryła się wielka wrażliwość. Mało kto wiedział, że ten pozorny macho, twardy, dla wielu nieprzyjemny i cyniczny typ, miał tylko jedną kobietę w życiu, którą bezgranicznie kochał. I to była jego żona. Gdyby chodziło o kogoś innego, w ogóle bym o tym nie mówił, ale jeśli chodzi o „Szakala", chciałbym, żeby ludzie wiedzieli, że ta jego agresja, to pogranicze chamstwa to była tylko powłoka.

MC: Ja, jak już wspominałam, zdecydowanie najbardziej polubiłam Zbyszka Namysłowskiego. A zdaje się, że Zbyszek za Szukalskim nie przepadał.

WK: Nienawidzili się. A ja byłem w tej idiotycznej sytuacji, że lubiłem obu. Ale muszę uczciwie powiedzieć, że w tym antagonizmie między nimi większa była wina Tomka. Zbyszek by to jakoś załagodził, Zbyszek jest normalnym człowiekiem, a tamten był straszna „zadziora".

Tomek

Z cyklu "Arcydzieła Malarstwa Polskiego"

(a tak naprawdę Szukalski
w nieogrzewanej „nysce" –
samochodzie, którym jeździło
się na ogólnopolskie tournée)

Jan Matejko. "Batory pod Pskowem"

Ale pozwólcie mi wreszcie powiedzieć coś o Jarku Śmietanie. To jest człowiek, z którym tak się zżyłem i tak się do siebie dopasowaliśmy, że po dwudziestu latach współpracy traktuję go po prostu jak brata. I to sieje po całym spektrum tego, co nas łączy. Mamy bardzo podobne upodobania muzyczne i podobny światopogląd, tak, że trudno znaleźć coś, o co moglibyśmy się pokłócić. Zresztą nawet gdyby to kiedyś nastąpiło, zawsze mamy w odwodzie podobne poczucie humoru, z cytowaniem Kabaretu Starszych Panów włącznie. W moim „życiorysie" napisanym na potrzeby tej książki wspominam np. sędziego Kocia, który pytał: „Kino! U was podstawowa rozrywka?", i zrobiłem to specjalnie dla Jarka, bo często mówimy tak do siebie i wiem, że się uśmieje, jak to przeczyta. Jeżeli ludzie lubią się, tak jak my, i jeszcze do tego kochają tę samą muzykę, granie staje się czymś więcej niż tylko przyjemnością. Jarek jest muzycznym gigantem, funkcjonującym w samym środku jazzu, bluesa, funku czy jak by tego nie nazwać, a jego granie to sama esencja tego, co w tym najważniejsze. Co więcej, uważa, podobnie jak ja, że nic nie brzmi tak pięknie, jak gitara z organami Hammonda! No i brzmi jak amerykańscy mistrzowie, a równocześnie jest rozpoznawalny od pierwszej nuty! Prawdziwe „panisko", o tubalnym głosie i budzącej respekt powierzchowności, pod którą kryje się wielkie serce i masa ciepła. Fantastyczny muzyk i wielki przyjaciel! A tak, już zupełnie na marginesie, dodam jeszcze, prawie szeptem, że lubi rozpieszczać swoich współpracowników nie zawsze zasłużonymi komplementami. Hi, hi.

[W czasie kiedy prowadziliśmy nasze rozmowy, Jarek Śmietana – wybitny gitarzysta jazzowy i przyjaciel Wojtka, walczył z ciężką chorobą. Niestety przegrał tę walkę, zmarł 2.09.2013. Postanowiliśmy jednak nie zmieniać niczego w tekście. Zwłaszcza formy „jest" na „był". Książka pozwala utrwalić moment, w którym człowiek „jest". I niech tak zostanie – przyp. AA.]

Jarek

AA: Porozmawiajmy o waszej publiczności.
MC: Ja nie mam publiczności.

AA: A kim są ci ludzie, którzy przychodzą na spotkania z tobą? Po co przychodzą?
MC: Żeby usłyszeć, co ta idiotka powie. I żeby zobaczyć, jakie mam zmarszczki, czy takie jak w telewizji, czy inne.

AA: A ty masz zmarszczki w telewizji?
MC: Wszędzie mam. Ale naprawdę czasem ludzie podchodzą i wprost mówią, że przyszli, żeby mnie z bliska zobaczyć... Albo na przykład w Krynicy przyszło parę osób, które słyszały, że w Nowym Sączu była pikieta przeciwko mnie, i byli ciekawi, czy tutaj też będzie.

AA: Byłem na paru twoich spotkaniach i mam wrażenie, że przychodzą też z innych powodów. Że jest sporo ludzi, którzy nie tylko są ciebie ciekawi, ale nawet cię lubią. Ale nie będę cię przekonywał. Wojtek, na twoje koncerty też przychodzą ludzie, którzy chcą zobaczyć zmarszczki? A może zobaczyć męża tej, która ma zmarszczki w telewizji?
WK: Myślę, że głównie przychodzą ci, którzy chcą zobaczyć męża tej od zmarszczek, a inni... Nie wiem. Oczywiście jest jeszcze niewielka grupa publiczności, która przychodzi posłuchać muzyki. Ale to już chyba długo nie potrwa. Wszyscy słuchają radia i oglądają telewizję, więc skoro po przemianie ustrojowej jazz został usunięty z tych mediów, to skąd ludzie mają wiedzieć, że w ogóle istnieje coś takiego jak jazz? Zwłaszcza młodsi? Powinniśmy się cieszyć, że w ogóle ktoś przychodzi jeszcze czasem na nasze koncerty.

AA: Kiedyś tych ludzi, którzy przychodzili na koncerty, bo rozumieli muzykę, było więcej?
WK: No jasne. Dużo więcej.

AA: To co, powymierali i nie przekazali dzieciom tego zainteresowania?

WK: Może i powymierali, a to, co ewentualnie przekazali dzieciom, nie ma większego znaczenia. Współczesne społeczeństwa są wychowywane przez media. I wkurza mnie, jak jacyś telewizyjni mądrale zrzucają odpowiedzialność za wszystkie nieszczęścia na rodzinę i szkołę. To media sprowadzają wszystko do parteru i odpowiadają za postępujące zidiocenie! Dla nich liczy się tylko kasa. W polskiej rzeczywistości trudno się dziwić, że coraz mniej ludzi chodzi do teatru czy na koncerty. Nasza publiczność to przeważnie ludzie albo w moim wieku, albo niewiele młodsi ode mnie.

AA: No ale dostajesz propozycje zagrania z hip-hopowcami, raperami, didżejami. Traktują cię jako ciekawostkę?

WK: Nikt w tych środowiskach nikogo tak nie traktuje. A grania z nimi są wyłącznie rezultatem działań artystycznych Jarka Śmietany. Jarek jest niebywale aktywny, bardzo twórczy i prowokuje masę zdarzeń, które same z siebie nigdy by się nie odbyły. Kiedyś zamówiłoby je radio albo telewizja. A teraz odbywają się tylko dlatego, że zabrał się za nie Jarek. Ale i on nie ma lekko. Sposób, w jaki media traktują kulturę, najlepiej ilustruje odpowiedź, jaką usłyszał, proponując jednej telewizji koncert z orkiestrą. Pani reprezentująca tę instytucję powiedziała mu: „Drogi Jarku, nawet gdyby to było za darmo, to i tak byłoby za drogo".

AA: Ci raperzy i didżeje wiedzieli, kim jesteś?

WK: Wiedzieli. Znamy się. A z nowohuckimi raperami, Bzykiem i Guzikiem, jesteśmy wręcz zaprzyjaźnieni. Fantastyczni ludzie.

AA: To dlaczego mówisz, że interesują się tobą tylko tacy w twoim wieku albo trochę młodsi? No chyba że to są raperzy i didżeje rocznik 1939?

WK: Bo to jest prawda. Tyle że ten problem dotyczy nie tylko jazzmanów. Hip-hopowcy, raperzy i didżeje mają podobnie pod górkę jak my. Czy bluesmani. Żyjemy w kraju i systemie nieprzyjaznym dla artystów. Wszyscy muszą strasznie, wręcz desperacko walczyć o swoje, a nie każdy z nas ma twarde łokcie, spryt, menedżerski talent i nadludzką siłę. Jedziemy na tym samym wózku.

AA: Ogólnie nie masz nic przeciwko młodym?
WK: Przeciwko? Wręcz przeciwnie. Podziwiam ich, bo nie zważając na to, co się wokół dzieje, uczą się grać i są coraz lepsi! Uważam, że teraz jest tylu młodych ludzi tak świetnie grających, że…
MC: Aż żal słuchać?
WK: Dokładnie! Podobno nie powinno się używać tego słowa w tym znaczeniu, ale guzik mnie to obchodzi. Podobnie jak idiotyczne zwalczanie zwrotu „w międzyczasie".

AA: W tym, co mówisz o sprawach zawodowych, wyczuwa się trochę żalu do nowych czasów.
WK: Tylko trochę?! To znaczy, że dobrze się staram panować nad sobą.

AA: Ale jest paru twoich kolegów, którzy świetnie sobie w nich radzą. Tomasz Stańko na przykład.
WK: Mówiąc dokładnie: dwóch sobie świetnie radzi. Trochę mało jak na trzydziestoośmiomilionowy kraj. Tym bardziej że ci dwaj zrobili kariery za granicą, a to nie ma nic wspólnego z tym, jak żyją muzycy w Polsce. Podobnie jest w innych dziedzinach sztuki. Każdy ci to powie. Jedno, dwa wielkie nazwiska, co sprawia wrażenie, że jest pysznie, a cała reszta… szkoda słów. Jeśli chodzi o Stańkę, to można się tylko cieszyć z jego sukcesu, bo jest w pełni zasłużony. Złożyło się na to wiele spraw. Po pierwsze talent, po drugie konsekwencja w graniu przez całe życie swojej muzyki – Tomek jest urodzonym awangardzistą. I wreszcie sprzyjające okoliczności losowe. Stańko był od zawsze związany z poważną firmą niemiecką, która objęła niedawno zasięgiem cały świat.

1973. CO DALEJ SZARY CZŁOWIEKU?
(HANS FALLADA)

MICHAŁ URBANIAK W SZWAJCARII, ZANIM
STAŁ SIĘ SŁAWNY I BOGATY

To najlepsze, co się może wydarzyć. Ale nie każdy może na to liczyć. Oprócz talentu i pracowitości trzeba mieć jeszcze bardzo, bardzo dużo szczęścia. I być gotowym na wiele poświęceń.

MC: Słyszałam telewizyjną rozmowę ze Stańką i muszę dorzucić do tego, co powiedział Wojtek, że Stańko ma jeszcze jedną umiejętność, której Wojtek nie ma. Też wychwalał czasy komuny, mówiąc, że jazzmanom żyło się wtedy łatwo, miło, wygodnie i mogli tworzyć bez skrępowania, ale nie narzekał na nowe czasy. Potrafi się do nich dopasować i wykorzystywać nadarzające się sytuacje. Wojtek nie potrafi.

WK: No cóż. Inny gatunek zoologiczny. Zając.

AA: Domyślam się, że ten drugi to Michał Urbaniak?

WK: Michał zrobił w Ameryce autentyczną karierę. Teraz, w Polsce, jest traktowany jak amerykańska gwiazda. I słusznie. Oprócz wielkiego talentu muzycznego ma jeszcze wyczucie tego, co powinno się zrobić w odpowiednim momencie. Do tego jest typem pracoholika, całkowicie pochłoniętego muzyką. A jeszcze w genach ma umiejętność robienia pieniędzy. Po matce, która zajmowała się produkcją rękawiczek i potrafiła nawet w PRL-owskiej rzeczywistości zrobić z tego coś na kształt dobrze prosperującego small businessu. Michał wstaje o ósmej, wykonuje dwadzieścia telefonów, załatwia, negocjuje, ma niebywały zmysł organizacyjny…

AA: Jeśli wiesz, że ty nie masz smykałki do zarabiania pieniędzy, a Urbaniak ma, to może lepiej było się go trzymać? W swojej książce „Ja, Urbanator" tonem pretensji pisze o końcu waszej amerykańskiej współpracy po sukcesie płyty „Atma". Zacytuję: „Mogliśmy iść za ciosem i nagrać dla Columbii kolejną płytę. Niestety, zespół się rozpadł. Karolak był zakochany i chciał czym prędzej wracać do Warszawy, gdzie czekała na niego narzeczona – Maria Czubaszek. Z kolei Bartkowski oświadczył, że ma ważną trasę w Zielonej Górze…".

WK: Wylatując wtedy do Nowego Jorku, nie miałem pojęcia, że Michał miał aż tak daleko idące plany. Nie było to dla mnie jasne nawet

wtedy, kiedy mówiłem mu, że wracam do Warszawy. Teraz już wiem.
Przykro mi, że go zawiodłem, ale to się musiało wtedy tak skończyć.
Z dwóch powodów. Po pierwsze, sprawy zawodowe nigdy nie były
i nie będą dla mnie tak ważne jak życie prywatne, a właśnie zakochałem się w Marysi, po drugie, ja się zupełnie nie nadaję do bycia czyjąś
prawą ręką. Jestem typowym kotem, który chodzi swoimi drogami.
Mam swoje pomysły na muzykę, co udowodniłem potem kilka razy po
powrocie do Polski. Nie lubię nikim rządzić, ale również nie znoszę,
kiedy mi się coś narzuca. Traktowanie muzyki jako firmy, która zapew-
niłaby mi utrzymanie w zamian za zajmowanie się czyjąś twórczością,
jest dla mnie w ogóle nie do przyjęcia. I taka postawa sprawdzała mi
się przez całe życie, mimo że nigdy nie ruszyłem palcem, żeby sobie
coś załatwić. Nie mam żadnych cech przywódczych ani zdolności
organizacyjnych, o biznesowych nawet nie wspominając, i nic nie jest
w stanie tego zmienić. Jednak nie zamierzam zwijać sklepiku. Zbyt sobie cenię swoją niezależność i mam nadzieję, że będzie mi się ona dalej
opłacać. Mimo że przyszłość rysuje się raczej „cięższa niż lżejsza".

AA: Może po prostu artysta?

Stańko. Kraków.
Początek lat sześćdziesiątych

Historia jazzu wg Karolaka

Maria Czubaszek
WIRTUOZ I NIEZNAJOMA

U stóp wzniesienia, na które ulica wspina się stromo, stała zmęczona kobieta, dysząc ciężko. Właśnie po tym oddechu jej ciężkim, głębokim, poznałem, że ta kobieta jest wyczerpana. No i może – po pochyleniu ramion, charakterystycznym dla osób zmęczonych, kiedy to w utrudzeniu swoim oprą się o ścianę domu, drzewo czy latarnię... Latarnie zresztą świeciły tu słabo /ulicy ze względu na jej zabytkowy charakter pozostawiono gazowe oświetlenie/ – blaskiem, zmąconym w dodatku przez resztki gasnącej poświaty dnia. Tak, że nie widziałem dobrze twarzy tej zmęczonej kobiety ani podczas naszej krótkiej rozmowy, ani później, kiedy wspinaliśmy się wspólnie pod górę, ani przy rozstaniu. Ale niech ja nie uprzedzam faktów. Otóż kiedy zobaczyłem tę kobietę, zbliżywszy się do niej, spytałem odruchowo niejako – czy nie potrzebuje pomocy?

– O, tak – odpowiedziała. – Pomoc bardzo by mi się przydała. Jestem nad wyraz zmęczona, a teraz w dodatku będę miała pod górę...

Głos jej brzmiał cicho i słabo, ale dźwięcznie i młodo.

– Nie widzę jednak – powiedziałem – w jaki sposób pani dopomóc? Nie posiada pani nic takiego do dźwigania, w czym mógłbym pani ulżyć.

– Pan się myli. Mam bardzo ciężkie ciało...

Nuta bolesnej skargi w tym wyznaniu sprawiła, że ogarnęła mnie fala współczucia. Jednocześnie wszakże słowa te zaskoczyły mnie, ponieważ na oko była to osoba raczej szczupła, tyle że nad wyraz kobiecej budowy. Jakby czytając w moich myślach, dorzuciła:

– Jeżeli pan mi nie wierzy, to proszę sprawdzić...

Istotnie, było to ciało nadspodziewanie ciężkie, zawiesiste niejako – zapewne wskutek trudnej do uchwycenia gołym okiem bujności swojej. Począłem też żałować, żem tak pochopnie zadeklarował moją pomoc. Śpieszyłem na recital, więc wszelki fizyczny wysiłek nie był dla mnie wskazany. No a po drugie, niosłem skrzypce. Te skrzypce mam notabene po dziadku. To są bardzo cenne skrzypce, Amatiego. Zapisując mi je w spadku, jako małemu jeszcze chłopcu, dziadek przesądził o mojej karierze. Musiałem zostać skrzypkiem, bo to był jedyny sposób zainwestowania odziedziczonego kapitału. O sprzedaniu skrzypiec nie mogło być mowy ze względu na kult dziadka w mojej rodzinie. Z dużą przykrością przystąpiłem do uczenia się gry na tym instrumencie i, rad nie rad, robiłem szybkie postępy, bo okazałem się nader uzdolniony. Toteż w końcu, wbrew niechęci do skrzypiec, zostałem wirtuozem o międzynarodowym rozgłosie. Trudno, nie każdy może pracować w zawodzie, który by lubił. Mój zresztą zaczął mi z czasem przynosić znaczne korzyści materialne i uprzywilejowaną pozycję, więc nie warto było zmieniać go na inny. Jakże więc teraz, niosąc skrzypce, mogłem śpieszyć z pomocą proszącej o nią, zmęczonej kobiecie?

Nieznajoma wyczuła snadź moje wątpliwości, bo wyszła im naprzeciw słowami:

– Skrzypce są lekkie. Ja, mając ręce wolne, mogę je trzymać, gdy pan dopomoże mi wnieść ciało moje na to wzniesienie.

Cóż było robić? Dopomogłem. Otóż, ku zaskoczeniu mojemu, zadanie, które wydało mi się zrazu żmudnym obowiązkiem dżentelmena, w praktyce okazało się przeżyciem pełnym nieoczekiwanego uroku. Nie, nie czułem znużenia, kiedy, świadcząc mą pomoc Nieznajomej, wspinałem się stromą, pustą uliczką po liściach, które mi strącał pod nogi zmierzch jesiennego dnia. Kiedy osiągnęliśmy szczyt wzniesienia, powiedziała:

– Dziękuję panu. To było naprawdę ładne z pana strony. Dalej, po równym, pójdę już sama. Nie ma pan pojęcia, jak często ciąży mi nieznośne ciało moje. Jak chętnie bym się go niejednokrotnie pozbyła lub przynajmniej – pewnej części jego...

– Tego proszę nie robić nigdy! – zaprotestowałem żywo. – Zawsze ilekroć przyjdzie pani do głowy myśl, proszę pamiętać, że jest człowiek, któremu z całym zaufaniem powierzyć może pani swoje ciało. Mam notabene łatwy do zapamiętania numer telefonu...

– Istotnie – łatwy... – przyznała cicho, już jakby nieco pojednana z losem. Oddała mi futerał ze skrzypcami i odeszła, pochylona lekko pod tym swoim, zbyt dla niej jednej ciężkim, brzemieniem. A ja ruszyłem w moją stronę, na koncert.

Tu nie od rzeczy będzie wspomnieć, że szedłem na ten koncert pełen poważnych obaw. Nie, nie była to zwykła w takich razach trema przed występem. Ostatnio przeżywałem niebezpieczny kryzys w mojej karierze wirtuoza. Przyczyny jego nie leżały ani w słabnącej sprawności technicznej /bo ta bynajmniej u mnie nie słabła/, ani – w braku natchnienia /bo tego nigdy nie doznawałem, czyniąc mimo to zawsze wrażenie skrzypka niezwykle natchnionego/. Kryzys ten powodowało rosnące u mnie, w miarę upływu lat, znudzenie wykonywanymi utworami. Wystarczyło, bym jakąś kompozycję opanował pamięciowo, wiedziałem, co po czym w niej następuje i – jaki będzie finał, a już wprawiała mnie ona podczas występu w senność, która nie odbijała się jeszcze na jakości interpretacji, ale groziła mi zaśnięciem na stojąco podczas jakiegoś andante maestoso, adagia czy nawet – allegra vivace. Zdarzała mi się już nawet kilkakrotnie króciutka, ostrzegawcza drzemka, przelotnie spływająca na mnie na tej czy innej estradzie, ale zawsze po ocknięciu się stwierdzałem, że palce moje wykonały bezbłędnie, mechanicznie niejako to, co do nich należało, a zasłuchane audytorium nie dostrzegło niczego niewłaściwego w moim zachowaniu. Może więc i przez sen głębszy grałbym równie bezbłędnie, a moje przymknięte oczy publiczność poczytałaby za wyraz natchnionego skupienia. Ale gdybym na przykład zachrapał? Myśl taka przyprawiała mnie o lęk przed skandalem, który mógł przecież przekreślić moją karierę. A mimo to znudzenie i senność nie ustępowały, atakując mnie bezlitośnie, gdy tylko po powitalnej owacji publiczności przykładałem smyczek do strun.

I oto owego wieczoru zagrałem, jak nigdy dotąd! Muzyka porwała mnie tym razem, i to do tego stopnia, że poczułem skrzydła u ramion. Grałem, unosząc się na nich /skrzydłach/ nad zachwyconą salą. Rozentuzjazmowana publiczność długo nie dawała mi zejść z estrady, zmuszając do długotrwałych bisów. A więc wystarczyło owo spotkanie z Nieznajomą, wystarczyło, że wyciągnąłem ku niej pomocną dłoń, by spłynęło na mnie duchowe, artystyczne ożywienie, które jak rzeźwiąca kąpiel spłukało ze mnie niebezpieczną senność! Czy jednak ta sama przysługa, wyświadczona innej nieznajomej, sprowadziłaby taki sam zbawienny dla mnie skutek? Wątpię...

Zaiste, niezbadane są ścieżki, którymi los wiedzie artystę, przez czas i przestrzeń, na niespodziewane spotkanie z Muzą.

AA: Marysia swoje warszawskie towarzystwo opisała w pierwszej naszej rozmowie, w książce „Każdy szczyt ma swój Czubaszek". To może ty opowiedz o krakowskim.

WK: Będzie trudno. Bo musiałbym wymienić pół miasta. Tamten czas, lata 1958–1966, czyli do chwili kiedy wyjechałem do Szwecji, pamiętam jako nieustający krakowski karnawał towarzyski. W każdej kawiarni, do której wszedłem, miałem mnóstwo znajomych – plastyków, muzyków, aktorów. Dodatkowo to był okres snobowania się na jazz. Wszystkim się wydawało, że kochają tę muzykę, a co za tym idzie, nawet taki początkujący muzyk jazzowy, jak ja w 1958 roku, był atrakcją towarzyską.

MC: To zawęź.

WK: Do ilu? Do kilkuset?

MC: Jeszcze bardziej. Do kilku.

WK: No to z tych najbliższych: Rysiek Horowitz – dzisiaj jeden z najwybitniejszych fotografików świata mieszkający w Nowym Jorku, Staszek Raczyński – obecnie na uniwersytecie w Mexico City, specjalista od jakichś abstrakcyjnych symulacji komputerowych, zupełnie odjechany fizyk. No i Gucio Dyląg, o którym już opowiadałem. Staszek jest tak zapalonym amatorem muzyki, że całe życie konstruuje sobie coraz to lepsze organy elektroniczne. Znakomicie działające. I Horowitz, i Raczyński grali na klarnetach. Kiedyś będąc na wakacjach w Krościenku nad Dunajcem, zrobiliśmy sobie orkiestrę na trzy klarnety. Jechaliśmy główną ulicą miasta na rowerach, bez trzymanki,

Portret findesieclowy. Wojciech Karolak (1957)

Podwójny portret findesieclowy. Ryszard Horowitz,
Wojciech Karolak (1957)

i graliśmy na trzech klarnetach marsz powitalny na cześć naszego przyjaciela Andrzeja Śmiałowskiego, który miał właśnie przyjechać autobusem. Chciano nas za to potem wyrzucić z miasta. Andrzej jest lekarzem. Nie wiem gdzie.

Osobnym, bardzo ważnym rozdziałem moich krakowskich kontaktów towarzyskich jest Piwnica pod Baranami. O Piotrze Skrzyneckim nie trzeba opowiadać, bo to wspaniała, niepowtarzalna postać z innego świata, którą wszyscy znali i kochali. Piwnica to był Piotr. A ci pozostali to dla mnie przede wszystkim Wiesiek Dymny, z którym byłem tak zaprzyjaźniony, że któregoś lata wprowadziłem się do niego na dziesięć dni, żebyśmy sobie mogli robić różne śmieszne rzeczy…

MC: Jakie?!? Co wyście sobie robili?!?

WK: Oczywiście nie czytałaś książki o krakowskim Jazz Klubie, w której pisałem między innymi o Wieśku. A jest tam również o tym, co wtedy robiliśmy. Więc żebyś miała jasność, idę po książkę, znajdę ten fragment i ci zacytuję. [Poszedł, znalazł, zacytował – przyp. AA.] „Wprowadziłem się do niego w celu przeprowadzenia wspólnych testów. Chcieliśmy zbadać, do czego może doprowadzić zastosowanie w porze letniej magnetofonu jako urządzenia nagrywającego". Przyznasz, że to nic zdrożnego. Nawet nie ma słowa o używaniu magnetofonu w innych celach. Było piękne lato, piliśmy sobie wódeczkę i nagrywaliśmy na mój magnetofon perkusję, którą Wiesio sam sobie zrobił. Kochał muzykę, a zwłaszcza bębny. Był zupełnie niemuzykalny, ale uwielbiał grać na bębnach. I akompaniować sobie na kontrabasie, kiedy śpiewał piosenkę „Jack Długonogi".

Kiedyś poszliśmy razem na emaus. Radosny festyn, święto, które odbywa się w Krakowie, nigdy nie pamiętałem, czy przed Wielkanocą, czy po. Jarmarki, parady. I wypatrzyliśmy strasznie smutny duet – mały chłopczyk z większym od siebie akordeonem i starszy facet, trzymający między kolanami półotwartą walizkę, w której z jednej strony był bęben, a z drugiej czynel. Ten jegomość miał w ręku pałkę, którą machał, uderzając „prawo, lewo, prawo, lewo" raz w jedno, raz w drugie. Wieśka zamurowało. Stał zafascynowany i patrzył w zestaw perkusyjny. Chłopczykiem w ogóle się nie interesował. Fascynowała go technika gry na tym zestawie. W końcu podszedł do faceta i zapytał go: „Jak to... jak pan tak na tym gra?", a tamten na to: „Z rozumu".

Na drzwiach wejściowych do mieszkania Dymnego wisiała piękna tabliczka z informacją, że tutaj mieści się redakcja czasopisma „Radło". I Wiesiek rzeczywiście wydawał taki periodyk. Raz na jakiś czas, w jednym egzemplarzu. Pisanym ręcznie. Więcej tam było rysunków niż tekstu.

Z piwnicznego towarzystwa muszę jeszcze wspomnieć Krystynę Zachwatowicz, Barbarę Nawratowicz, Krzysztofa Litwina, Tadeusza Kwintę, Mietka Święcickiego, Mikiego Obłońskiego, panią Janinę Garycką, w której mieszkaniu na Placu na Groblach odbywały się spotkania kończące się późnym popołudniem...

MC: A zaczynały się?

WK: Poprzedniej nocy. Po kabarecie. Chwileczkę. Zapomniałem o słynnej pani Szaszkiewiczowej, bez której Piwnica z tamtych lat byłaby niekompletna. Szaszkiewiczowa istniała wprawdzie głównie towarzysko, ale była tak nietuzinkową indywidualnością, że rozsławił ją nawet „Przekrój".

AA: A zagrałeś kiedyś w Piwnicy pod Baranami? W jakimś wieczorze kabaretowym?

WK: W kabarecie nie. Ale grywałem tam na jam sessions i przedziwnych koncertach jazzowych organizowanych przez Zosię Komedową. To był zespół The Jazz Believers, w którym na fortepianie grał Komeda i ci, których wymieniłem, opowiadając o nagraniu płyty dla RCA Victor. Pierwszy zespół, w którym wystąpiłem jako już rzekomo zawodowy muzyk. Na tym saksofonie altowym z ustnikiem od klarnetu. W 1958 roku nawet to wystarczało, żeby grać. Piotr Skrzynecki nie przepadał za jazzem i nie krył tego. Ale w związku z tym, że jazz był wtedy taki modny, pozwalał nam występować. A miał kto, bo wtedy prawie wszyscy grający jazz mieszkali w Krakowie. Tam było, oprócz Warszawy, centrum tej muzyki.

Piotr Skrzynecki, lata sześćdziesiąte

AA: I to ty zaprowadziłeś Marysię do Piwnicy?

MC: Przecież ja nigdy w Piwnicy nie byłam! Dymnego i innych poznawałam poza Piwnicą, a jeżeli chodzi o to, co tam powstawało na scenie, to mnie to nie zachwycało…

AA: Ale może dlatego cię nie zachwyciło, że nigdy nie byłaś?

MC: Nigdy nie byłam, bo mnie nie zachwycało. Wiedziałam mniej więcej, co tam robią, bo przysyłali nam nagrania do ITR-u. Wierzę, że tam mogła być fajna, artystyczna atmosfera. Inaczej tego się słuchało. W radiu słyszałam, że chłopcy się bawią. W oparach dymu i alkoholu…

AA: Masz dobry węch, jeśli nawet z taśmy radiowej jesteś w stanie coś takiego wyczuć…

WK: Bo tak było…

MC: Zabawę się słyszało. Ale nie słyszało się na przykład zbyt dużo dobrze napisanych tekstów…

WK: I zgadza się. Bo tam tekstów było mało, a jeżeli były, to głównie po to, żeby je zmieniać. Słuchało się np. „Rozmówek chłopskich" Litwina z Dymnym i czekało się tylko na to, co też oni z tym dzisiaj zrobią. Ty dostawałaś nagrania już z późniejszego okresu, a ja mówię o innej Piwnicy. O tej pierwszej, z czasów, kiedy to było szaleństwo, niepretendujące do miana zawodowego kabaretu. Im w ogóle wtedy o to nie chodziło. Początki Piwnicy to była zabawa. Szalona, rozbuchana i mimo że w formie kabaretu, to jednak głównie zabawa. W dodatku wspólna, bo występujący bawili się razem z publicznością. Ty masz prawo tego nie znać. Mało tego, znając twój gust i wiedząc mniej więcej, jaki był warszawski STS, który uwielbiałaś, jestem pewien, że gdybyś poznała tę Piwnicę, którą ja się tak zachwycam, znielubiłabyś ją jeszcze bardziej. Bo to nie jest w twoim guście. Natomiast myśmy ryczeli ze śmiechu, czołgali się… Nie w dosłownym sensie, bo tam był zawsze taki ścisk, że nie można się było czołgać. Nie było miejsca do czołgania, ale czasem było miejsce przy barze, co było dla mnie bardzo ważne. Stamtąd się słyszało, co się dzieje w środku, i można było popijać winko.

AA: A co z tego, co pokazywali na scenie, uważasz za najśmieszniejsze? Może genialne?

WK: „Rozmówki chłopskie" Wieśka Dymnego z Krzysiem Litwinem, solowe występy Dymnego, na przykład piosenkę „Jack Długonogi", gdzie akompaniował sobie, grając na basie, i fenomenalne dialogi Basi Nawratowicz z Krysią Zachwatowicz. Ale nie tylko śmieszne rzeczy w Piwnicy mnie zachwycały. Bardzo mnie wzruszał monolog wygłaszany przez Piotra Skrzyneckiego „Wyprzedaż teatru". Fundamentalnie smutny i prawdziwy. Niestety teraz wydaje mi się jeszcze smutniejszy i jeszcze prawdziwszy. To jest o nas.

WYPRZEDAŻ TEATRU
(autor nieznany, autentyczny tekst opublikowany w gazecie, wykonywany przez Piotra Skrzyneckiego)

Dyrektor teatru w sławnym mieście N. ma zaszczyt donieść, że po długich trudach i pracach ma zamiar odpocząć i w tym to celu chce sprzedać pyszne swe zamki, ogrody wygodne i obronne twierdze, piękny i cienisty las, kilka łąk usianych kwiatami i znaczną ilość rozkosznych domów wiejskich w czarujących okolicach. Przedane także będą przez publiczną licytację wyborne sprzęty jego pałaców i inna ruchomość, a mianowicie: morze z dwunastu wielkich wałów złożone, z których dziesiąty na nieszczęście cokolwiek jest uszkodzony, półtora tuzina obłoków dobrze zachowanych, nadto jedna chmura przeszyta piorunem, śnieg doskonałej białości, z najlepszego pocztowego papieru. Prócz tego dwa rodzaje śniegu cokolwiek ciemniejszego, z papieru ordynaryjnego. Trzy butelki błyskawicy. Słońce zachodzące, cokolwiek przetarte, księżyc, cokolwiek stary. Wóz tryumfalny złocony, prawie nowy, dwoma smokami zaprzężony. Płaszcz purpurowy, dla Semiramidy zrobiony, a który służył później Agamemnonowi, Menelausowi i innym bohatyrom. Cały ubiór dla Widma, to jest: koszula okrwawiona, poszarpany płaszcz z dwoma łatami czerwonymi, wystawującymi rany śmiertelne. Pióro zrobione do hełmu Dziewicy Orleańskiej, ale tylko raz używane. Chustka do kieszeni Otella i kilka par wąsów baszów wschodnich. Wóz Kleopatry. Flaszeczka z winnym spirytusem, przydatna do wprowadzania duchów, wydaje bowiem wyborny płomień błękitny. Róż do użytku aktorów i aktorek. Trzy urwiska skał dobrze wypchane włosiem końskim i dwa darniowe stołki z drzewa sosnowego. Wielki stos ze wszech stron podpalony i kilka lat już palący się. Piękny niedźwiedź obciągnięty nowym futrem farbowanym i dwie owce wypchane wiórem. Cały obiad złożony z ciast z papieru klejonego, z kury także papierowej. Do tego należy kilka butelek z drzewa dębowego i owoce z wosku na wety. Pięć łokci łańcuchów z blachy, wydających brzęk straszny i łatwo przerażający. Zupełna kolekcja masek, drzwi zapadających, drabin z powrozów, stołów sędziowskich z długimi kobiercami. Głowa lwa, który jeszcze ryczeć potrafi, sztylet, na którego ostrzu zastygła kropla krwi, i flaszeczka, na której dnie została jeszcze odrobina laudanum.

AA: Ciekawe, że mówiąc o swoim krakowskim towarzystwie, nie wymieniasz kolegów muzyków.

WK: Bo to oczywiste, bo jeszcze nie raz będę ich wymieniał. Ale tak naprawdę w tamtym czasie bardziej się kolegowałem z ludźmi z innych kręgów. Na przykład Bogdan Hussakowski – aktor, późniejszy dyrektor kilku teatrów, plastycy: Mściwój Olewicz… „Ninek" Szyszko. Z muzyków to tak naprawdę przyjaźniłem się wtedy tylko z Andrzejem Dąbrowskim. Ale on w ogóle nie istniał towarzysko, ponieważ nie miał żadnych skłonności do bankietów, rautów i popijania, czyli tego, czym ja wówczas żyłem…

MC: Ale miał skłonności do oszczędzania.

WK: I do tego, żeby przykrywać szmatką magnetofon. Ale wyrósł na normalnego człowieka. No i jeszcze jeden mój wielki przyjaciel: Gucio, czyli Roman Dyląg! Mój brat duchowy.

AA: Utrzymujecie ze sobą kontakt?

WK: Mailowy. Gucio mieszka w Bazylei. Simone zmarła półtora roku temu. Gucio został sam. Może gdyby był tutaj, w Polsce, nie byłby tak samotny? Ale jak po przeżyciu pięćdziesięciu lat za granicą nagle wrócić? Do kogo? Do czego? Myślę, że gdyby chciał gdzieś wracać, pojechałby do Szwecji, bo tam przeżył swoje najpiękniejsze lata. Dziwne uczucie – mieć takiego przyjaciela, który w dodatku mówi po polsku, jakby nigdy stąd nie wyjeżdżał, i jednocześnie wiedzieć, że nic go z Polską nie łączy…

Jeszcze dwóch Andrzejów z czasów krakowskich muszę wymienić. Kurylewicza i Trzaskowskiego. Pierwszy może szerzej znany,

Andrzej Trzaskowski, Wojciech Karolak w studiu telewizyjnym
(lata siedemdziesiąte)

chociażby jako kompozytor muzyki filmowej. Chyba najpopularniej-
sza stała się jego muzyka do serialu „Polskie drogi". Trzaskowski był
jakoś mniej aktywny w zabieganiu o sławę i nie miał szczęścia do ludzi,
którzy rozsławiliby jego nazwisko. Dwóch pianistów, wówczas jedni
z najważniejszych facetów w polskim jazzie. Inni muzycy nie byli wtedy
tak widoczni. Polski jazz opierał się na pianistach. Gdyby ktoś miał
wymienić najważniejszych z tego czasu, na pewno byliby to: Komeda,
Trzaskowski – arystokrata, muzykolog, mistrz pogodnego sarkazmu,
Kurylewicz – elegancja, urok, fenomenalny dowcip. Kurylewicz wy-
myślał na poczekaniu fantastycznie śmieszne wierszyki. Nie wszystkie
są do publicznego zacytowania, ale ten o Guciu Dylągu można:
  „Ach, któż nie widział nigdy Gucia,
  Co gra na basie pełnym dziur, .
  Rymuje z gumą się do żucia,
  Nos ma jak tapir, brzuch jak wór?".
  Kurylewicz był eleganckim, kulturalnym panem, który miał w so-
bie jakiś błysk lwowskiego luzu i takiego „batiarskiego" łobuzerstwa.
Nagrywaliśmy muzykę do bajki dla dzieci w teatrze. Kurylewicz za-
aranżował coś na cza-czę i od razu miał gotowy wierszyk...
  [Uwaga! Utwór, mimo że złagodzony w druku, i tak jest tylko dla
czytelników dorosłych. Inni niech opuszczą ten fragment i wrócą
do czytania, jak się skończy – ostrzegał AA.]
  „Tańczą dzieci czaczu, czaczu,
  Aż zleciała deska w sraczu,
  Woda się spuściła sama,
  Płacze tata, płacze mama,
  Ciocia też, a tylko wuj
  Rzecze: – Głupstwo, to jest ch...j,
  Deskę da się w mig naprawić,
  Znów się będzie można bawić.
  Podniósł deskę, wąs nasrożył
  I na sedes ją położył,
  Potem podniósł dumnie głowę

I powiedział: O! Gotowe!

Tańczą dzieci czaczu – czaczu

Już się można bawić w sraczu".

MC: Ja osobiście poznałam tylko Trzaskowskiego. Świetny facet. Chociaż na początku jakoś, w sytuacji wódczanej, nie zrobił na mnie dobrego wrażenia. Szybko jednak go polubiłam. Jeśli chodzi o kolegów Wojtka, wielką sympatię poczułam od razu do Zbyszka Namysłowskiego. Innych polubiłam bez przepychu. Odniosłam wrażenie, że Karolak jest nietypowym jazzmanem.

WK: Warto pamiętać, że ten czas, o którym opowiadałem przed chwilą, czyli końcówka lat pięćdziesiątych i sześćdziesiąte, a ten, kiedy ty poznawałaś to środowisko, to dwie różne epoki. Mówiłem już o tym, że jazz zaczynali grać w Polsce inteligenci, którzy przeważnie byli muzykami amatorami. Kiedy uspokoiło się szaleństwo na punkcie jazzu, większość z nich wróciła do swoich prawdziwych zawodów, tym bardziej że zaczęło się pojawiać coraz więcej profesjonalnych muzyków, dużo lepiej grających, ale jako że coś za coś – często mniej ciekawych jako ludzie. Całkowicie zmienił się przekrój socjologiczny tego środowiska. Inteligenci odpłynęli. Ale na szczęście kilku poznałaś. Z Kurylewiczem rozmawiałaś tylko przez telefon.

MC: Wystarczyło, żeby go polubić. Zakończyliśmy rozmowę tradycyjnym „Musimy się spotkać". Niestety, jakoś nie wyszło, czego bardzo żałuję. Poznałam jedynie jego żonę, Wandę Warską.

WK: Kurylewicz był dla mnie naprawdę dużym autorytetem. I przyjacielem.

AA: Opowiedzcie o gurach.

MC: Ja nie lubię.

WK: Ja jeździłem w dzieciństwie.

AA: Ale o gurach przez „u" otwarte. Może się tego nie odmienia. Chodzi o liczbę mnogą rzeczownika „guru".

MC: Ja chyba wszystko powiedziałam w tamtej książce. [„Każdy

szczyt ma swój Czubaszek" – przyp. AA.] I podtrzymuję. Janusz Min-
kiewicz był moim guru, Jerzy Dobrowolski, Jeremi Przybora, Jerzy
Wasowski… W ogóle zawsze imponowali mi raczej starsi panowie.
Towarzysko też wolałam starszych od rówieśników.

WK: Mam podobnie. Ja z rówieśnikami bawiłem się, na przykład
w Piwnicy pod Baranami, ale uczyłem się od starszych. Nie było w tym
niczego dziwnego. To dopiero od niedawna jest tak, że starsi próbują
naśladować młodszych.

MC: Niektórzy tak mają. A ja co roku jestem starsza. Jak tak dalej
pójdzie, strach pomyśleć.

AA: To nie myśl. Wracajmy do guru.

WK: Człowiekiem, którego uwielbiałem do tego stopnia, że mia-
nowałem go sobie, po cichutku, na mojego pierwszego guru, był
Leopold Tyrmand. Oczywiście nie wiedział o tym, ale widocznie to
uwielbienie tak ze mnie promieniowało, że zauważywszy coś, wykonał w stosunku do mnie gest, który mnie uszczęśliwił. W Stodole, tej
pierwszej, na Emilii Plater jeszcze, zagrałem na fortepianie z Dudusiem
Matuszkiewiczem boogie-woogie. Nie wiem, jak to się stało, bo nigdy
nie byłem członkiem zespołu Dudusia, ale zagrałem. Boogie-woogie
– kwintesencja romantycznej Ameryki. Podszedł do mnie Tyrmand
i powiedział: „Ja pana usynawiam". Nie zapomnę tego do końca życia.
Kolorowy, piękny ptak, który nie wiadomo skąd się wziął w tej szarej
rzeczywistości. I ubarwiał ją samym swoim byciem. Leopold Tyrmand
patronował jazzowi w Warszawie trochę na podobnej zasadzie, jak
Marian Eile w Krakowie. Wprawdzie dla obu było to tylko jednym
z wielu zajęć, ale Tyrmand prowadził również koncerty jazzowe. Był
fenomenalnym konferansjerem. Miał taką magnetyczną osobowość,
że już sama jego obecność na estradzie nobilitowała wydarzenie, czy-
niła koncert bardziej jazzowym! Zarówno Eile, jak i Tyrmand znali
się świetnie na tej muzyce. Kupowali płyty, byli autentycznymi fana-
mi. Mieli ogromną wiedzę. Podobnie jak profesor Jerzy Skarżyński,
fantastyczny scenograf i bon vivant, którego krakowska doba liczyła

z pewnością więcej niż 24 godziny. Ale to byli wyjątkowi ludzie. Spora część środowiska artystycznego, która interesowała się jazzem, kiedy był modny, wkrótce potem wyparowała. Kiedy wróciłem ze Szwecji w roku 1974, zauważyłem, że nie ma już tych jazzfanów ze SPATiF--u czy „Klubu Literatów" przy Starym Rynku. Zniknęli.

AA: Tyrmand też zniknął.
WK: Nie bardzo miałem możliwość śledzenia jego losów. Niestety z tego, co do mnie dotarło, wynikało, że życie Leopolda Tyrmanda nie ułożyło się tak dobrze, jak mógł się spodziewać i na co na pewno zasługiwał. Tyrmand nienawidził komunizmu, z jego praśnością i szykanami, którym był poddawany. Bardzo chciał wyjechać z Polski, ale moment, w którym stało się to wreszcie możliwe, okazał się bardzo niefortunny. Chciał żyć w cywilizowanym otoczeniu i przyjaznym systemie tej Ameryki, którą wtedy znaliśmy, a przyleciał do niej dokładnie wtedy, kiedy to się zaczynało kończyć. On, konserwatysta, z wyhodowanym w Polsce antykomunizmem, wylądował w Stanach akurat wtedy, kiedy zaczęły tam narastać lewicowe nastroje. Wojna w Wietnamie wchodziła w kryzysową fazę, a hipisi zaczęli demolować kulturę amerykańskiego establishmentu, którą tak ceniliśmy. Jeśli dodać jeszcze do tego, że środowiska intelektualne USA okazały się bardzo podatne na nowy, często lewacki światopogląd, można sobie wyobrazić, jakie było jego rozczarowanie. Do jakiej grupy intelektualistów by trafił, wszędzie spotykał lewaków. To bardzo okrutny los. Pełno w tym paradoksów. Choćby to, że Tyrmand był równocześnie konserwatystą i buntownikiem. Miał w sobie jakąś dumę i buńczuczność, które wykluczały kompromis w sprawach, które nie były tego godne. Tak go przynajmniej postrzegałem. I raptem taki wspaniały człowiek znalazł się w takim położeniu, że nie miał szans na porozumienie się ze środowiskami, na których mogło mu zależeć. Jego amerykańskie publikacje spotykały się z krytyką lewicowo nastawionej większości. Nie doczekał się szerszej akceptacji swoich konserwatywnych poglądów. Podobno zmarł jako człowiek skonfliktowany ze swoim naturalnym

otoczeniem. Tak przynajmniej wynikało z tego, co o tym mówiono. Chciałbym dowiedzieć się kiedyś, że to nieprawda.

AA: Przeczytałem, że Tyrmand, jeszcze przed emigracją z Polski, porzucił jazz. Bo jazz przestał być muzyką sprzeciwu, kontestacji, Tyrmand wspominał, że nie interesują go jazzmani w garniturach grający w filharmonii. Odszedł w stronę rock'n'rolla.

WK: Ja nigdzie nie odszedłem, ale miałem do tego zawsze podobny stosunek. Tyrmand kochał ten sam jazz, który kochałem ja. Czyli jazz, który jest... jazzowy. To była muzyka z ogromną siłą rytmu. I wydawało się, że tak zawsze będzie. Pierwsze wątpliwości pojawiły się u mnie wtedy, kiedy zauważyłem, że jazz staje się przemądrzały i zaczyna flirtować z filharmonią. Być może Tyrmand przeczuwał, że ten jazz, który lubimy, już się skończył, i dlatego odwrócił się w ogóle od tej muzyki. Jeśli tak było, to absolutnie go rozumiem.

AA: Tyrmand twierdził, że jazz stał się muzyką dworską.

WK: Może miał na myśli to, że stał się wszechobecny i przez wszystkich akceptowany, a tego przecież buntownicy nie lubią. Wystarczy przejrzeć polskie filmy z lat sześćdziesiątych, żeby zobaczyć, w jak wielu pojawia się muzyka jazzowa. Często zupełnie bez sensu, bo powinna tam być normalna muzyka ilustracyjna pisana przez kompozytorów muzyki poważnej. A był jazz. Najlepszym przykładem, jak to wtedy wyglądało, może być historia z filmem „Pociąg" Kawalerowicza. My, czołówka polskich jazzmanów, zostaliśmy zaproszeni do Łodzi, wpuszczono nas do studia i powiedziano, żebyśmy grali cokolwiek, a oni sobie potem coś z tego wybiorą. Zrobiła się z tego afera, bo Kawalerowicz wybrał m.in. wokalizę śpiewaną przez Wandę Warską, która była po prostu amerykańskim standardem, „Moonray" Artie Shawa, a z racji tego, że kierownikiem muzycznym tego przedsięwzięcia był Andrzej Trzaskowski, w napisach podano informację „muzyka Andrzej Trzaskowski". I pojawiły się od razu oskarżenia o plagiat. Nieważne. Sposób, w jaki powstała ilustracja muzyczna

do tego filmu, czyli „grajcie, co chcecie, a my coś z tego wybierze-
my", pokazuje, jakie to były czasy. Odreagowanie stalinizmu. Parę
lat przedtem za granie jazzu można było wylądować na UB, a potem
jazz był wszędzie.

AA: Marysiu, ty kiedykolwiek spotkałaś Tyrmanda?
MC: Nigdy. Wiedziałam, kto to jest, bo oczywiście czytałam „Złego", ale Tyrmanda nie poznałam, nie spotkałam…
WK: To aż niesamowite, bo przecież kiedy ja przyjeżdżałem
do Warszawy, to Tyrmand był wszędzie i zawsze można było na niego trafić. Poza tym rzucał się w oczy, nie sposób było nie zauważyć
kogoś tak kolorowego.

**AA: Podobno był stałym bywalcem SPATiF-u, tam też na niego
nigdy nie trafiłaś?**
MC: Nigdy. To widocznie w innych czasach.

**AA: Wyjechał z Polski w 1965 roku, a ty zdaje się wtedy dopiero
zaczynałaś swoje SPATiF-owe życie, więc może rzeczywiście się
rozminęliście. Czy w grupie guru Wojciecha Karolaka znalazłby
się też Komeda?**
WK: Oczywiście. Miał niesamowitą wyobraźnię. Poza tym był cu-
downym człowiekiem.

AA: To od początku. Gdzie się poznaliście?
WK: Chyba na II Festiwalu Jazzowym w Sopocie w roku 1957.
Z tym że ja byłem wtedy chłopcem z publiczności, a on już znanym,
bardzo popularnym artystą.

AA: Na pierwszym, tym w roku 1956, też byłeś?
WK: Nie, mama mnie nie puściła, bo uważała, że jestem za młody.
A na drugi pojechała ze mną jako przyzwoitka.

AA: Byłeś na Festiwalu Jazzowym z mamą?!

WK: Mieszkaliśmy w trójkę w jednym pokoju. Ja, Rysiek Horowitz i mama. Miała zamiar nas pilnować. Ale nie upilnowała. Zakochałem się w Elce, pięknej warszawiance. Tak się zakochałem, że chodziłem na piechotę z Jelitkowa do Grand Hotelu w Sopocie, gdzie był klub Żegnaj Smutku, żeby po prostu siedzieć, wpatrywać się w nią i omdlewać z miłości. Elka była piękna. Zdaje się, że jeszcze paru się w nią wpatrywało, i to takich nielubiących konkurencji, bo w końcu podeszły do mnie jakieś typki i powiedziały: „Ty, jak tu jeszcze raz przyjdziesz, to cię potniemy żyletkami". Horowitz się przestraszył i następnego dnia został w domu z moją matką. A ja doszedłem do wniosku, że mogą mnie pociąć, dla Elki warto! I poszedłem. Nawet słowa z nią nie zamieniłem, tylko później pisałem do niej listy.

AA: Skąd miałeś adres, jeśli nie zamieniłeś z nią słowa?

WK: Jakoś tam sobie załatwiłem.

AA: Szkoda, że nie byłeś na pierwszym festiwalu jazzowym. Bo gdybyś był, tobym zapytał, czy w pierwszym dniu festiwalu szedłeś w tym tłumie po sopockim „Monciaku" i niosłeś transparent z napisem „Dupa"?

WK: Nie szedłem, bo mnie tam nie było, ale gdybym dzisiaj miał pójść w jakiejś demonstracji, to też niósłbym transparent z napisem „Dupa". To byłby wyraz mojego stosunku do otaczającej nas współcześnie rzeczywistości.

AA: Poszliśmy w zbyt dalekie dygresje. Od poznania Komedy, przez miłość do Elki, cięcie żyletkami, aż do... Wróćmy do Komedy. Poznaliście się na Festiwalu Jazzowym w Sopocie w 1957 roku i...

WK: Rok później już z nim grałem. Stało się tak dzięki Andrzejowi Trzaskowskiemu, który usłyszał, jak próbuję swoich sił na saksofonie, uznał, że coś może ze mnie być, i ściągnął mnie do zespołu, w którym był również Komeda. Dziwny zespół z dwoma pianistami, wymieniającymi się w trakcie występu. Część utworów grał Trzaskowski, a część Komeda.

AA: I co? Jak jeden grał, to drugi siedział na stołku obok fortepianu?

WK: Nie, siedział w garderobie, coś tam może popijał i ćmił papieroska. Graliśmy wszędzie. W filharmoniach, w Piwnicy pod Baranami, w różnych klubach, nagrywaliśmy w radiu. Krzysio był człowiekiem o niebywale lirycznej i romantycznej naturze. Wielki urok. Zero głowy do interesu. Interesami zajmowała się Zośka, jego żona. Ona miała głowę do spraw organizacyjnych.

MC: Odwrotnie niż u nas. Ja nie mam głowy, ale ty masz.

WK: Ktoś musi mieć. Opowiem historyjkę, która może zilustrować, jakiego rodzaju to był facet. Jesteśmy w Jugosławii. Komeda niedawno wrócił ze Skandynawii, gdzie kupił sobie volkswagena garbusa. Marzenie każdego Polaka w tamtych czasach! Siedzimy z Ptaszynem Wróblewskim i Andrzejem Dąbrowskim tuż nad morzem w Jugosławii, raptem dostajemy wiadomość, że przyjeżdża do nas Komeda. Że wpadnie swoim świeżo kupionym volkswagenem. Rzeczywiście, zajeżdża. Dużo miejsc do parkowania, a co jakiś czas, pomiędzy tymi miejscami, jakieś drzewo. Komeda manewruje volkswagenem... I jebut! Przywalił. Podchodzimy zmartwieni do tego, jeszcze przed chwilą pięknego, wozu... Otwierają się powoli drzwi, wychodzi Krzysio, rozgląda się powoli... W ogóle nie patrzy na auto, tylko podchodzi do drzewa, w które przed momentem stuknął... Do takiej odłupanej kory... Przejeżdża palcem po tym odłupanym kawałku, palec podnosi do nosa, wącha... „Żywica... Świeżutka...". I to nie był dowcip. To była jego naturalna pierwsza reakcja.

AA: A w pracy?

WK: Był rzeczywiście zanurzony w muzyce. Siedział przy fortepianie i ciągle coś tam dłubał. Ale nie był jakimś pracusiem. Może stał się pracowity w Ameryce, bo tam nie ma litości i trzeba zasuwać.

Kochany Wojtuniu,

Połółów pare sprawy wspo-
mnienie.

Wspomnij o sprudnie której
wloczenia próbuję dokonać od
paru chwil.

Jest to imbę typu BALDWIN.

Który wloczcolz Abret'OWSki

How to do it?

How are you – ? Adelbert! I'm Your good
friend George Abretowski, now really American
and I hope that you are really Norway... Why not?!
here is the smile...!

Stary, dłużej mi mogę, pisz me Krzysztofa, On mi
pomie wszystko – wiem, że wszyscy dziś co do organów

i jestem nie tylko skłonny, ale w stanie zrobić wiele co do tych spraw - jeśli Cię to dalej interesuje. Ja przecież dla Baldwina - poleciem 48HR myślę, że i Ty byłbyś zadowolony z tego modelu. Ciotkę fizjomordiś FF Jerzy

Jerzy G. Abratowski   c/o Marek Niziński
11685 Darlington Ave, Apt 5   tel 478 9502
Los Angeles, Calif. 90049   U.S.A.

Brzerek lewy (drugi print) i wyprzodkujące we wyoszucie, i powoli, cieniutko zaczynasz. Pamiętaj o lewym frezie. Oczywiście we wyoszucie. Nie przyciskaj zanadto, ale za miękko możesz chybić.

Wierzę, że wykonasz

Twój Komediant

ever

LOS ANGELES
c/o POLAŃSKI
napisz hryjie na adres: PARAMOUNTH PICTURES INC.

Nie wiem. Oczywiście najbardziej znany stał się dzięki muzyce, jaką skomponował do filmów. W tamtych czasach filmowcy często wykorzystywali jazz zamiast typowej muzyki ilustracyjnej, a jazz był tym, co Krzysio robił najlepiej. Do tego miał fantastyczne wyczucie klimatu i dramaturgii, a poza tym ten jego jazz miał w sobie jakiś bardzo słowiańsko-skandynawski charakter, więc i pewnie dlatego zrobił takie wrażenie w Ameryce. Skomponował mnóstwo rzeczy, które są naprawdę perełkami. Czasem się je wyławia, ale odnoszę wrażenie, że i tak gra się może pięć procent tego, co z jego twórczości grania jest warte. I czasem sobie myślę, że nawet ci, którzy mówią o nim, że był wielki, nie doceniają go. Bo był chyba większy, niż większość z nas przypuszcza.

Mam po nim pamiątkę, którą przechowuję jak relikwię. List. Wysłany z Ameryki do mnie, mieszkającego wówczas w Szwecji. List ma dwóch autorów, jednym jest Komeda, drugim Jerzy Abratowski [pianista, kompozytor, autor takich przebojów jak „Gdy mi ciebie zabraknie" czy „Szeptem" – przyp. AA]. To była odpowiedź na mój, napisany po pijaku list, w którym poruszałem ważne kwestie dotyczące rozmontowywania kranów, przykręcania śrub itp.

MC: Skąd ci to wpadło do głowy?

WK: Jak siedzisz w drewnianym pokoju przy świetle wiszącej na druciku żarówki i czytasz „Mistrza i Małgorzatę", popijając różowe wino Mateus, to wszystko ci może wpaść do głowy. Wtedy człowiek ma potrzebę wypowiedzenia się nawet na temat kranu i śruby. Napisałem, wymyślając fachowe określenia ślusarskie, Abratowski i Komeda też próbowali się w tej tematyce odnaleźć.

AA: Wątpię, czy jest na świecie ktoś jeszcze, kto z kompozytorem muzyki do filmu „Dziecko Rosemary" korespondował na tematy hydrauliczne. Gratuluję.

[Próbowałem odczytać list od Komedy. Oto fragment: „Bierzesz lewy (drugi gwint), wypośrodkowując na wyczucie, i powoli znienacka zaczynasz. Pamiętaj o lewym frezie. Oczywiście na wyczucie.

Nie przyciskaj zanadto, ale za miękko możesz chybić. Wierzę, że wykonasz. Ucałuj kochanych Dąbrowskich La, La, La, Bardzo! Twój Komediant".

Poniżej znajduje się jeszcze krótka zachęta do podtrzymania korespondencji i adres, pod który należy pisać:

Paramount Pictures Inc.

Los Angeles

c/o Polanski

– przyp. AA.]

AA: Marysia zdaje się nie bardzo weszła w twoje towarzystwo. Ty w jej – bardziej.

MC: Ale wejście miał niezbyt efektowne. Rozmawiał z kurwą.

WK: A z kim jazzman ma rozmawiać?

AA: ?!?

MC: Zaprosiłam znajomych na koncert, żeby się Wojtkiem pochwalić. Baśka Wrzesińska, Adam Kreczmar, Jacek Janczarski, Jurek Markuszewski… A co robi Karolak?

AA: Gra.

MC: A w przerwach? Zamiast siedzieć z nami, rozmawia z jakąś panienką. Żeby nie powiedzieć…

WK: Powiedziałaś już wcześniej. Ale co miałem zrobić, kiedy mnie zagadnęła?

MC: Przeprosić, nawet grzecznie, bo jesteś przecież kulturalny, i usiąść przy naszym stoliku. Ale ty wolałeś konwersować ze wspomnianą panienką. Myślałam, że się ze wstydu spalę!

WK: A ja nie myślałem, że tak cię to poruszy. Zagadnęła mnie pani, znajoma moich kolegów…

MC: Czyli znajoma twoich kolegów była ważniejsza od moich znajomych, tak?

AA: W takim razie zostawmy znajomą kolegów i wróćmy do towarzystwa Marysi. Kogo najbardziej polubiłeś?

WK: Jurka Dobrowolskiego pokochałem od pierwszego wejrzenia. Mam jego zdjęcie na honorowym miejscu. Kiedy siedzę przy komputerze, to bez przerwy zerkam w lewo na „biednego misia". Bardzo mi pomagał w czasie mojej pierwszej wymuszonej abstynencji.

MC: Wymuszonej przez Urbaniaka.

WK: Nie, wymuszonej przez ciebie. Urbaniak mnie zmusił do abstynencji tylko na chwilę. A poza tym jego trochę okłamywałem. A ciebie nie. To była potworna męka. Nie wie nikt, kto tego nie przeżył. I wtedy Jurek Dobrowolski często do mnie dzwonił i prowadziliśmy techniczne rozmowy na temat tego, co zrobić, żeby rzucić. Bardzo mi pomagał. Poświęcał mi masę czasu. Godzinami rozmawialiśmy.

AA: Ale z tego co wiem, sam sobie z tym problemem nie radził.

WK: Radził mi, żebym zrobił to, czego sam potem nie zrobił. To bardzo smutne. Często o nim myślę i żałuję, że go nie ma. Brak mi go. Ale rzucanie picia nie jest łatwe. Dla alkoholika picie jest rzeczą cudowną. Rzucić można tylko dlatego, że się zrozumie, ile to krzywdy wyrządza otoczeniu. Nie rzuci się dla siebie samego. Rację ma Tomek Stańko, który mówi, że nałogi są dlatego tak niebezpieczne, że są takie wspaniałe. Po pijaku, po narkotykach osiąga się taki stan szczęścia, którego nie da się osiągnąć na trzeźwo czy na czysto. Tworzą się takie klimaty, których inaczej się nie osiągnie. I jak człowiek się do tego przyzwyczai, to potem bardzo chętnie do tego ucieka. Nie dlatego, żeby uciekać przed rzeczywistością. Rzeczywistość może być nawet całkiem fajna. Ale tamta jest jeszcze fajniejsza. I jak się nagle od niej ucieka, chce się zerwać z tym uzależnieniem, najpierw pojawia się potworne cierpienie fizyczne. A potem psychiczna nicość. W czasach kiedy ja podejmowałem walkę z nałogiem, na tę nicość podawano lekarstwo, które tę nicość jeszcze pogłębiało – prozac.

MC: Ty wyjątkowo źle na prozac reagowałeś.

WK: Czułem się jak wałach. Koń któremu nie tylko wszystko wisi, ale już mu się nawet nie chce, żeby mu nie wisiało. Roślinka po prostu.

MC: Pamiętam, że pani doktor od prozacu była zaskoczona taką reakcją...

WK: Zacząłem szukać zamienników. Pomyślałem, że może zamiast wódki marihuana albo haszysz. Ale to działało na mnie koszmarnie. Stałem z papierosem w ręku i wiedziałem, że trzymam go tylko dlatego, że na niego patrzę. A jak przestanę patrzeć, to mi wypadnie na ziemię. W dodatku nie wiem, czy stoję tak dwie minuty, czy już osiem godzin. Strasznie to na mnie działało. Tylko alkohol sprawiał mi przyjemność.

AA: A miał jakiś wpływ na granie?

WK: Jak startowałem do ostrego picia, to przez pierwsze dwa dni grałem coraz lepiej, trzeciego dnia jeszcze było w miarę dobrze, a czwartego zaczynało się już rozjeżdżać. W graniu bardzo ważna jest kondycja fizyczna. Wiadomo było, że w czwartym dniu muszę już „wycienkować". Natomiast, o dziwo, nie przeszkadzało mi to w pisaniu nut. O dziwo, bo to przecież wymaga olbrzymiej precyzji i przytomności. Ostatnie trzy lata picia to były gigantyczne ilości piwa. Upijałem się piwem głównie w nocy, podczas pracy. A to są czasy mojej wzmożonej działalności kompozytorskiej. I, jeszcze raz powiem, że o dziwo – w tych nutach nie ma ani jednej pomyłki. Natomiast na pewno alkohol nie dawał żadnej inspiracji.

AA: Masz poczucie, że przez wódkę straciłeś coś w życiu?

WK: Nie. Niczego nie straciłem. Ale mam świadomość, że zrobiłem krzywdę. Marysi. Że się paru kolegów poobrażało, to mam gdzieś. Ale że jej zrobiłem krzywdę...

AA: Marysiu, a ty kiedy zrozumiałaś, że picie Wojtka to jest problem?

MC: Nieszybko. Nawet na początku dziwiło mnie, że on nie pije. Niepokoiło mnie to, bo kojarzyło mi się z Czubaszkiem, który w ogóle nie pił. Chyba od dziecka. A ja lubiłam sobie pójść do SPATiF-u i coś wypić w fajnym towarzystwie.

WK: Wtedy nie piłem, bo to była ta abstynencja wymuszona przez Michała Urbaniaka. Razem piliśmy dość dużo w Skandynawii. On potem się stamtąd wyniósł, wytrzeźwiał...

MC: A mnie to śmieszyło, że on nawet dwóch kieliszków nie wypije. Dotarło do mnie dopiero jakieś półtora roku później, kiedy zaczęło się wzywanie lekarzy na odtruwanie, jak przychodziłam do domu, a on leżał w kuchni na podłodze, nie wiadomo, czy żywy, czy nie... Zawalał jakieś występy, nagrania. Kiedyś przyjechał po niego Tomek Szukalski, bo mieli koncert, a Wojtek leżał nieprzytomny. Szukalski tak się wściekł, że sam chciał go zawieźć na izbę wytrzeźwień na Kolską. Przed moją mamą bardzo długo ukrywaliśmy, że Wojtek pije. Szliśmy do niej na wigilię, a on jeszcze przed wejściem do bloku musiał się napić. Zdałam sobie sprawę, że to ciężko chory człowiek.

AA: Zawiózł cię Szukalski na Kolską?

WK: Odpuścił. Ale pamiętam, że kiedyś, jeszcze przed poznaniem Marysi, trafiłem tam. W niezwykły sposób. Przyjechałem do Warszawy i ostro popłynąłem. Rano budzę się na jakiejś ławce. Świeci słońce. Wokół pełno ludzi, a ja w ręku trzymam pół półlitrówki wódki. Której nie potrzebuję, bo nawet mnie jeszcze nie chwycił kac. Pomyślałem: „Ale wstyd! Ci wszyscy ludzie na mnie patrzą! Tak nie może być! Idę na izbę wytrzeźwień!". Zapytałem kogoś, gdzie jest Kolska, i okazało się, że siedzę tuż obok, na Żelaznej. Poszedłem, trzymając butelkę w ręku, i zadzwoniłem do drzwi. Otworzyła mi taka typowa „pani cieć" z miotłą w ręku i pyta, o co chodzi. Mówię, że jestem pijany i chciałbym, żeby mnie państwo wyleczyli. A ona na to: „A idź pan w cholerę!". Ja na to, że ja naprawdę i poważnie. „Panie, idź pan, bo zawołam milicję!" i trzasnęła drzwiami. No to poszedłem.

MC: A mogłeś się poawanturować. Jakby wezwała milicję, toby cię milicja zawiozła na Kolską.

WK: Hi, hi!

AA: W pracy na wsparcie w rzucaniu alkoholu raczej liczyć nie mogłeś?

WK: Kiedy zaczynałem grać, picie było w Polsce naturalnie wpisane w jazz. Mieliśmy wtedy po osiemnaście, dziewiętnaście lat. Ci, których podziwialiśmy, mieli o pięć, sześć więcej. Wszyscy pili, a publiczność nie miała zaufania do muzyków, po których nie było widać, że są lekko trąceni. Nie wypadało wyjść na trzeźwo na estradę. Jazz miał być przecież muzyką buntu, a alkohol pasował ludziom do wizerunku buntownika. Wyzwolony nonkonformista nie może być przecież trzeźwy jak urzędnik bankowy! Trzeźwy jazzman nie podobał się publiczności.

AA: To chyba trudno było powiedzieć kolegom, że się rzuca picie?

WK: I tu cię zaskoczę. Właśnie że nie było z tym problemu. Wręcz odwrotnie, bo wszyscy znali to zjawisko. Wiedzieli, że są tacy, którzy mogą pić, i tacy, którzy nie powinni. I jak mniej więcej w 1975 roku po raz pierwszy powiedziałem, że ja nie piję, to wszyscy odetchnęli. Bo wiedzieli, że moje picie do dobrych nie należy.

AA: A może to jest konieczność w tym zawodzie? Znasz kogoś, kto byłby wybitnym jazzmanem i nie pił?

WK: Znam. Andrzej Dąbrowski. Albo Ptaszyn. Czyli alkohol nie jest warunkiem koniecznym dla grania jazzu.

Maria Czubaszek
ANTYHUMORESKA ANTYALKOHOLOWA
pt. „GOŚĆ Z ZAŚWIATÓW"

Osoby:
K – Irena Kwiatkowska
P – Wojciech Pokora
N (Narzeczony) – Jerzy Dobrowolski

P – Moja znajomość z Alicją zaczęła się najbanalniej w świecie. Otóż onegdaj obudził mnie w nocy zgrzyt klucza w zamku. Pewnie żona! – pomyślałem w pierwszej chwili. Ale już w następnej odrzuciłem tę możliwość. Bo po pierwsze jestem kawalerem /od urodzenia zresztą/, a po drugie mam do mieszkania tylko jeden klucz, który znajdował się w tej chwili w kieszeni mojego płaszcza, w przedpokoju. Zacząłem więc nadsłuchiwać. Ktoś otworzył cicho drzwi wejściowe i wyraźnie skradał się w kierunku mojej sypialni. Jednym susem wyskoczyłem z łóżka i ukryłem się za zasłoną. Drzwi otworzyły się. Ostrożnie wyjrzałem ze swej kryjówki. Postać, którą zobaczyłem, była tak niepozorna, że gdyby nie to, że miała koło 2 metrów wzrostu, spowita była od stóp do głów w prześcieradło i w ręku trzymała rewolwer... gdyby nie to, pewnie w ogóle bym jej nie zauważył. W tym momencie ta niepozorna postać zaczęła na palcach prawej ręki skradać się w kierunku mego łóżka.

Ponieważ nie lubię niejasnych sytuacji, opuściłem swą kryjówkę i zawołałem: Hop, hop! Jestem tutaj!

K – Karol?!?

P – Nie. Wojciech. A mogę wiedzieć, z kim mam przyjemność?

K – Moje nazwisko powie panu wszystko. Holmes.

P – Ooo!!!

K – Niestety. Moje imię nic panu nie powie. Alicja.

P – Alicja Holmes?!

K – Tak! Był to największy błąd moich rodziców!

P – Dlaczego?

K – Przecież gdyby dali mi na imię Sherlock, byłabym sławna!

P – Sherlock Holmes jest tylko jeden...

K – Niestety! A czemu to zawdzięcza?!

P – Swemu geniuszowi.

K – To też! Ale przede wszystkim niedopatrzeniu moich rodziców! Gdyby dali mi imię Sherlock, to z moim nazwiskiem...

P – Samo nazwisko nie wystarczy...

K – Ja wiem! Potrzebne jest również imię!!! No ale niestety! Jak już wspomniałam, dano mi imię Alicja... „Alicja w krainie barów"... jak mawiał mój narzeczony.

P – Pan Karol?

K – Tak! Inżynier alkoholik. Był szalenie zdolny! Niestety! Na uczelni miał pecha do wykładowców! Zawsze trafiał na takich, którzy niczego nie wiedzieli i o byle głupstwo jego pytali!

A to na czym polega technologia syntezy czterometyloołowiu, a to, jakie jest oddziaływanie złożonych pól akustycznych na cząstki aerozoli... Przecież profesor powinien takie rzeczy wiedzieć, nieprawdaż?

P – I na pewno wiedział!

K – Gdyby wiedział, toby nie pytał studentów!

P – Pytał, żeby sprawdzić ich wiadomości.

K – Ludzi nie powinno się stale sprawdzać! Trzeba im okazać odrobinę zaufania.

P – Ale...

K – Przekonałam się o tym na własnej skórze. Mój narzeczony

na przykład nigdy mi nie wierzył! Wracam onegdaj do domu i jeszcze nie zdążyłam go zbesztać...

P – Za co?

K – Za byle co! Na wszelki wypadek! No więc jeszcze nie zdążyłam go zbesztać, a on woła:

N – Alicjo! Jeżeli jeszcze raz wrócisz tak późno do domu...

K – Późno? Przecież nie ma jeszcze trzeciej rano!

N – Gdzie byłaś?

K – Na czereśniach.

N – Na czereśniach?! Przecież teraz zima!!!

K – No to co? Ubrałam się ciepło i...

N – I co z tego?!

K – To, że się nie przeziębię!

N – Ale kto chodzi w zimie, w dodatku w nocy, na czereśnie?!?

K – Ja. Przecież mówię!

I myśli pan, że mi uwierzył? Skądże! Zaczął mnie sprawdzać. I kiedyś... wychodzę rano od znajomego, a w bramie stoi mój narzeczony.

N – Alicjo! Tym razem już mnie nie okłamiesz!!! Wiem wszystko!!!

K – Nic nie wiesz!

N – Wiem wszystko!!!

K – Czyżby?!

N – Szedłem za tobą cały czas! Stałem tu do tej pory i powtarzam, że wiem wszystko!

K – Tak? Powiedz mi w takim razie, jakie są wyniki ostatnich badań nad polimeryzacją etylenu wobec kompleksów katalitycznych? No... skoro wiesz wszystko... słucham cię!

N – Tego akurat nie wiem, ale...

K – A widzisz!!! A powiedziałeś, że wiesz wszystko! Czyli skłamałeś! A jeżeli już teraz mnie okłamujesz, to co będzie potem?! O, nie! Nigdy za ciebie nie wyjdę! Nigdy!

P – I dotrzymała pani słowa?

K – Oczywiście! Nigdy nie zostałam żoną Karola! Ani razu!!!

P – Tylko dlatego, że nie wiedział, jakie są wyniki ostatnich badań nad polimeryzacją etylenu...?

K – Tylko dlatego! Zresztą... był jeszcze drugi powód, dla którego nie wyszłam za niego...

P – ???

K – Nigdy nie zaproponował mi małżeństwa. Ani razu. Ale tak czy inaczej, słowa dotrzymałam, nieprawdaż?

P – Prawdaż, ale...

K – Ale szczerze mówiąc, był to mój najrozsądniejszy krok w życiu. Bo Karol wpadł w złe towarzystwo, a następnie w alkoholizm.

P – Aha! Stąd inżynier alkoholik!

K – No właśnie! Próbowałam go odzwyczaić. Powiedziałam kiedyś wybieraj! Albo alkohol, albo ja!

P – I wybrał...

K – Mnie!

P – A jednak!!!

K – A jednak nie zrezygnował, niestety, z alkoholizmu. Mówiłam, że przypłaci to zdrowiem... No i tydzień temu przypłacił! Nie tylko zresztą zdrowiem, ale i życiem!

P – Jak to?

K – Onegdaj skoczył na wódkę... I skoczył tak niefortunnie, że butelka się stłukła i szyjka przecięła mu tętnicę... Lekarz przyjechał, niestety, za późno. A tyle razy mu mówiłam, że alkoholicy żyją krócej! A ponieważ Karol nigdy mnie nie słuchał, postanowiłam go ukarać... I nastraszyć go... Przychodząc do niego po śmierci.

P – Jak to? To pani też... nie żyje?!?

K – Skąd panu to przyszło do głowy?!?

P – Bo powiedziała pani, że postanowiła odwiedzić narzeczonego po śmierci...

K – Ale po jego śmierci.

P – Aha! Nie rozumiem...

K – Ponieważ nie wierzę w duchy i on na pewno mnie nie odwiedzi, postanowiłam sama przebrać się za ducha i j e g o nastraszyć! Nie przyszedł Mahomet do góry...

P – I dlatego przyszła pani w tym przebraniu tutaj?!?

K – Tak! To znaczy do pana przyszłam przez pomyłkę... Pomyliłam piętra... Karol mieszkał piętro wyżej... A tak go chciałam przestraszyć!

P – Chwileczkę... Bo jeśli on już nie żyje...

K – To jest na tamtym świecie! Czyli ja będę dla niego kimś z zaświatów, nieprawdaż? A Karol zawsze bał się duchów!!!

1.

2.

3.

4.

5.

Dzień automobilisty

AA: Wiem, że Marysia jest nieufna w stosunku do ludzi. Nie przekonuje się zbyt łatwo…

MC: Ale też bez przesady, nie jest tak, że od razu skreślam przy pierwszym spotkaniu. Po prostu na początek znajomości każdy u mnie ma zero z tendencją do minusa.

WK: U mnie podobnie, z tym że ze wskazaniem na plus. Raczej ufam ludziom i zupełnie nie jestem podejrzliwy.

AA: I nigdy się na tym nie sparzyłeś?

MC: Ja się sparzyłam.

AA: Na jego braku podejrzliwości?

MC: Nie, na swoim. Ale też parę razy pozytywnie mnie ludzie zaskoczyli.

WK: A ja się na swoim braku podejrzliwości i wstępnym zaufaniu do ludzi nigdy nie zawiodłem. Miałem kiedyś fantastyczne potwierdzenie tego, że ludzie są w porządku. Będąc w Bombaju, szukałem pewnego bardzo rzadkiego instrumentu hinduskiego. Taksówkarz przez cały dzień obwoził mnie po pchlich targach. Ale nie znaleźliśmy. Musiałem wracać na statek. Już na pożegnanie taksówkarz powiedział mi: „Słuchaj, jest jeszcze jedno miejsce, w którym taki instrument może udałoby się kupić. Gdybyś mi dał dwadzieścia dolarów, to pojechałbym sam i sprawdził". Dałem mu te pieniądze i uprzedziłem, że ostatnia łódka na statek odpływa o godzinie 20.00, „Jeżeli nie zdążysz, to koniec. My odpływamy". Wracam na statek, opowiadam kolegom tę historię z taksówkarzem, wszyscy w śmiech, zaczynają się wymownie pukać w czoło, „Kretyn!". Parę godzin później siedzimy, pijemy sobie kawę, wpada zdyszany pierwszy oficer i wręcza mi kopertę. W środku jest dwadzieścia dolarów i krótki list: „Przepraszam cię, ale nie udało się tego znaleźć. Miło było spędzić razem dzień, serdeczne pozdrowienia. Zawsze do usług". Jeśli kogoś spotykają tego typu przypadki w życiu, to nie można być podejrzliwym. Przekonałem cię?

MC: Tak. Będę ufniejsza w stosunku do taksówkarzy z Bombaju.

AA: Z waszych opowieści wynika, że Wojtek musiał popracować nad Marysią, żeby zaakceptowała jego kolegów. A w drugą stronę?

WK: Ja od razu polubiłem tych ludzi. Mieli w sobie wszystko to, czego mi było cały czas brak na emigracji. Choćby to, że można było z nimi gadać, nie tłumacząc, dlaczego coś jest śmieszne, co bywa koniecznością w rozmowie z kimś mającym inne korzenie kulturowe niż my. Poza tym zachwyciło mnie to, co robili. Zresztą to, że poznałem przedtem Marysię, a potem ich – Jurka Dobrowolskiego, Jonasza Koftę, Adama Kreczmara i Jacka Janczarskiego, sprawiło, że kiedy zaczął mi się w Szwajcarii usuwać grunt pod nogami, z radością zdecydowałem się na ucieczkę z kapitalizmu do komuny. Wsiadłem do auta i ogarnęła mnie jakaś euforia. To była najlepsza decyzja, jaką podjąłem w życiu. A wszystko dzięki Marysi i w dużej mierze jej kolegom z ITR. Czasem trudno żyć wśród ludzi, z którymi się nie przeżyło razem Kabaretu Starszych Panów.

AA: Nie zdarzyły ci się tam prawdziwe przyjaźnie?

WK: Zdarzyły się. Ale czy to nie dziwne, że będąc przedtem w Szwecji, zaprzyjaźniłem się najbardziej z Norwegiem i czarnym Amerykaninem? Norweg miał fenomenalne poczucie humoru i takie same głupoty mu przychodziły do głowy, jak mnie. Wymyślił sobie na przykład, że jak się kończy podróż, to trzeba podziękować samochodowi za jazdę, pogłaskać go po główce i powiedzieć coś miłego.

A on się za to odwdzięczy. Namówił mnie, żebym robił tak samo. I robię. Świetny facet. To był perkusista, z którym miałem fantastyczne porozumienie ludzkie…

MC: Czyli człowiek perkusista?

WK: No właśnie. Ludzki chłop. Prawie jak zając. Amerykanin też był perkusistą i znakomitym człowiekiem. Jednak te kontakty wydawały się czasem trochę powierzchowne w porównaniu z tym, do czego przyzwyczaiłem się w Polsce. Bardzo lubiłem obu tych facetów i ucałowałbym ich, gdybyśmy się znów zobaczyli, ale bez wspólnych korzeni kulturowych katalog tematów, o których można rozmawiać, nawet z dobrym kumplem, jest, przynajmniej na początku, trochę zawężony. A czasem chciałoby się, ot tak po prostu, porozmawiać o życiu.

AA: Z samochodem też rozmawiasz o życiu? Przepraszam, to było niegrzeczne pytanie, ale po prostu wyobraziłem sobie ciebie głaszczącego samochody…

WK: Cudze nie. Tylko swoje. Zawsze to robię. Jeśli nie wierzysz, możesz zapytać.

AA: Dobrze, jak będę wychodził, pogadam chwilę z twoim samochodem. Skoro jesteśmy już przy różnych ludzkich przypadłościach. Wtedy, kiedy jedna z gazet informowała, że Marysia (73 l.) trafi pod nóż chirurga plastycznego, podano również wiadomość, że Tom Cruise (50 l.) przeżywa kryzys wieku średniego. Ty przechodziłeś przez coś takiego?

WK: Świadczy to może o jakimś zapóźnieniu umysłowym, ale ja przechodziłem kryzys wieku średniego, mając lat sześćdziesiąt pięć, sześćdziesiąt sześć. Poczułem się jak mężczyzna czterdziestoletni. Tak staro. Poczułem, że spsiałem. Przytyłem, ubyło mi energii, której i tak nigdy nie miałem.

AA: To samo pytanie skierujmy do siedzącej obok Marii Czubaszek.

MC: Czy czułam się kiedyś jak czterdziestoletni mężczyzna? Chyba nie. A kryzys wieku średniego przechodziłam po ukończeniu trzydziestu lat. Bo uważałam to za wiek graniczny. Pomyślałam, że starość zaczęła mi w tym momencie w oczy zaglądać, że już się trzeba rozglądać za jakimś miejscem na cmentarzu.

WK: Ta znowu swoje! Ona uwielbia o śmierci opowiadać!

MC: No co?! Jeden lubi pierożki z mięsem, a drugi o śmierci opowiadać.

AA: A o pierożkach macie coś do powiedzenia?

MC: Nie wiem dlaczego, ale w czasie naszych nagrań z Jurkiem Dobrowolskim pierożki były bardzo ważne. Kiedy na przykład spóźniał się Boguś Łazuka, a pani Irena Kwiatkowska groziła, że jeśli nie zjawi się za 5 minut, to ona wychodzi, i mijało 5 minut, a Bogusia nie było, na pytanie Jurka: „To co robimy?", odpowiadaliśmy chórem: „Pierożki". Nawet pani Irenie przechodziła cała złość. W moich słuchowiskach i dialożkach pierożki też były wyjściem z każdej sytuacji. Bez sensu…

AA: Ale z mięsem.

„BOKS NA PTAKU". Zastanawiam się tylko, czy rozmowa na tematy kulinarne ma jakikolwiek sens? Wspominałem o fenomenalnych wprost umiejętnościach Marysi w dziedzinie podgrzewania potraw i dosypywania koperku do wszystkiego, o polewaniu truskawek sosem truskawkowym, ale odnoszę wrażenie, że bohaterowie tej opowieści często nie wiedzą, co jedzą (przepraszam za rym). Któregoś dnia Maria Czubaszek przyniosła swojemu mężowi kurczaka. To znaczy tak się obojgu wydawało do chwili włożenia okularów i przeczytania nadruku na opakowaniu. Właściwie prawie się zgadzało, tylko zamiast „kurczak" było tam napisane „karczek". Marysia próbowała przekonać Wojtka, że to może być karczek z drobiu.

AA: Porozmawiajmy o światowym życiu w Warszawie. Waszym wspólnym. O salonach.

MC: No to na przykład w „Szpilkach" odbywały się wernisaże. I był też catering...

WK: W tamtych czasach to mogła być najwyżej „dostawa żywności"

MC: Niech będzie. I podstawą tych bankietów były tak zwane serówy. Kawałki sera pokrojone w kostkę i nabite na zapałkę.

WK: Wykałaczkę chyba.

MC: A jaka różnica?

WK: Z siarką były?

MC: Raz tego spróbowałam i smakowało, jakby z siarką były te „serówy". Tym się na przykład żywił Janusz Atlas [dziennikarz sportowy, kronikarz życia towarzyskiego, jedna z bardziej znanych i kontrowersyjnych postaci życia towarzyskiego Warszawy – przyp. AA]. Parę razy specjalnie obserwowałam – Filler [redaktor naczelny „Szpilek" – przyp. AA] przemawiał, a Janusz się skradał coraz bliżej stołu i zawsze pierwszy zaczynał podjadać. A i do kieszeni coś sobie schował na później. Chociaż nie wiadomo, czy doniósł do domu, bo po drodze jeszcze z kimś się poszarpał i mogły mu się rozgnieść w kieszeniach.

AA: Atlas się szarpał?

MC: Oj, był zaczepny. Parę razy to się ze Zbyszkiem Lengrenem [rysownikiem, autorem m.in. słynnego cyklu o profesorze Filutku w „Przekroju" – przyp. AA] na tych wernisażach mało nie pobił, bo to się na parterze odbywało...

WK: Dlatego się pobili, że to się na parterze odbywało?

MC: Nie! Ale pamiętam, że przez okno ludzie zaczęli na tę szarpaninę patrzeć...

WK: Po tym Marysia poznaje, że coś się dzieje na parterze. Jak dwóch facetów się szarpie, a ludzie przez okno patrzą. Bo na pierwsze piętro ludzie z ulicy już nie sięgną.

AA: To ciekawa forma życia towarzyskiego. A opowiedzcie coś o bywaniu na salonach.

WK: Ja się tym nie będę chwalił, bo to by było nadużycie.

AA: W jakim sensie?

WK: Bo jak powiem, że na przykład byłem po imieniu z Dygatem, to wyjdzie na to, że chcę przyszpanować, a do tego jestem durny i źle wychowany.

MC: Ale teraz nikt by tego nie sprawdził, a czasy są takie, że trzeba się chwalić. Jak ty byś się pochwalił, że byłeś po imieniu z Dygatem, to ja bym się pochwaliła, że kupiłam czarne dżinsy od wielkiej polskiej aktorki Zofii Mrozowskiej. A dokładnie od jej syna...

AA: Tu już zaczyna nadawać słynne Radio Erewań. Nie od Zofii Mrozowskiej, tylko od jej syna, nie dżinsy, tylko zapalniczkę, nie kupiłaś, tylko pożyczyłaś?

MC: Naprawdę kupiłam. Pani Zofia pojawiała się w radiu na Myśliwieckiej, nagrywała słuchowiska. I kiedyś okazało się, że jej syn dostał z zagranicy czarne dżinsy, a że miał figurkę taką jak ja i chciał sprzedać, odkupiłam od niego.

AA: Wydaje mi się, że można by już było narysować „Szlak dżinsowy im. Marii Czubaszek", na którym zaznaczałoby się, od kogo kupiłaś dżinsy. Janusz Minkiewicz przywiózł ci z Ameryki. Teraz okazuje się, że Zofia Mrozowska. Ciekawe, na kogo jeszcze trafimy?

MC: Od Dymszy dżinsów nie kupowałam.

WK: Ona niech się chwali nawet Dymszą, którego nie znała, ja prawdziwą znajomością z Dygatem nie będę. Bo nie wypada. To zwracanie się po imieniu imponowało mi, ale wiedziałem, że nie będziemy się przecież z Dygatem poklepywać po plecach. Kiedy bywałem na warszawskich salonach, miałem dwadzieścia, dwadzieścia jeden lat. Byłem głupolem, niemającym nic ciekawego do powiedzenia. I jeśli pojawiałem się w domu, dajmy na to, Dygata, to tylko jako towarzyszący Kurylewiczom czy Komedom. Oni byli ode mnie starsi o siedem, osiem lat, a w tym wieku to zasadnicza różnica. Więc niewiele się w czasie takich spotkań odzywałem. Na szczęście znałem swoje miejsce w szeregu i nie rwałem się do dyskusji. Słuchałem, co mówią mądrzy ludzie, i byłem szczęśliwy, że się znalazłem w ich towarzystwie. A to, że Dygat zaproponował mi po którejś wódeczce bruderszaft, wynikało pewnie z jego zamiłowania do rozczulania się nad niektórymi ludźmi. Niekoniecznie najmądrzejszymi. W tym przypadku nade mną. I gdybym teraz chwalił się tym, że do Dygata mówiłem „Stasiu", naprawdę byłbym bufonem. A nie jestem. W ogóle się nie nadymam.

MC: Ale jak Suzin powiedział o tobie „Czubaszek", to się wkurzyłeś.

AA: W telewizji powiedział?

MC: Nie, byliśmy na jakimś przyjęciu i tam przyszedł pan Suzin [Jan, słynny spiker telewizyjny – przyp. AA]. Wszedł, przywitał się i powiedział coś w stylu „O, i pan Czubaszek jest". A w Wojtku aż się zagotowało.

WK: W każdym razie nie poczułem się zaszczycony. Teraz już mi to nie przeszkadza.

MC: Bo teraz nikt cię za Czubaszka nie bierze.

WK: Ale mój przyjaciel Marek Karewicz [fotograf specjalizujący się w zdjęciach muzyków jazzowych – przyp. AA], który lubi czasem prowokować, cały czas mówi na mnie „pan Czubaszek".

MC: A na mnie mówił Grodzieńska. Kiedy, oczywiście, Stefania jeszcze żyła. Ale już była ode mnie starsza. I w ogóle mi to nie przeszkadzało.

AA: Że Stefania była od ciebie starsza?

MC: Że Karewicz mówił na mnie Grodzieńska. Nie tylko mi nie przeszkadzało, ale czułam się zaszczycona.

WK: Chcesz powiedzieć, że ja powinienem czuć się zaszczycony, kiedy pan Suzin powiedział o mnie Czubaszek?

MC: Wiesz, co ci powiem?
WK: Moja osoba posiada taką wiedzę.

AA: Koniec rundy.
MC: Przerwa na papierosa?

AA: Przecież cały czas palisz.
MC: Jeśli nie robimy przerwy, muszę palić bez przerwy. Nie ma innej opcji.
WK: Jest. Jeśli nie robimy przerwy, możemy zrobić pierożki.

AA: A jest koperek?
WK: Pierożki lepsze są z mięsem.

AA: Osobiście najbardziej lubię z jagodami.
MC: To po co pytałeś o koperek?

AA: A jak myślicie? Pierwszy Wojtek. Po co pytałem o koperek?
WK: Mogę prosić inne pytanie?

AA: Oczywiście. Jakie zajęcia mógłbyś w życiu wykonywać?
WK: Powiedzmy, że mógłbym być królem. Ale takim bez obowiązków. Żebym nie musiał odsłaniać, otwierać, zaszczycać. Żebym się mógł zamknąć w pokoju i nie wychodzić przez tydzień.

AA: Królem jakiegoś konkretnego kraju?
WK: Najlepiej Stanów Zjednoczonych.

AA: Raczej byś nie uniknął spotkań na wysokich szczeblach. A właśnie, braliście w takich udział?
MC: Chyba jedyne, co można za takie uznać, to kolacja u wicepremiera Jagielskiego [Mieczysława – polityka, który jako reprezentant rządu PRL podpisał 31 sierpnia 1980 roku w Gdańsku porozumienie

Król Stanów Zjednoczonych z prezydentem Stanów Zjednoczonych

Bankiet w Belwederze z okazji wizyty prezydenta Czech Vaclava Klausa

z Międzyzakładowym Komitetem Strajkowym, na którego czele stał Lech Wałęsa – przyp. AA]. Znaliśmy jego synów. Ale nie ukrywam, że mieliśmy przed tym spotkaniem dużą tremę, bo wcześniej rzadko jadaliśmy kolacje z wicepremierami.

WK: A nawet mówmy wprost, że w ogóle. Nie ukrywam, że onieśmielała mnie pozycja gospodarza. Dużo się o nim mówiło, to był okres podpisywania Porozumień Sierpniowych tym słynnym wielkim długopisem z papieżem. O Jagielskim mówiło się, że załagodził konflikt. No ważny człowiek. A tutaj my przy jego stole. I na tym spotkaniu oczywiście Marysia musiała coś chlapnąć. W pewnym momencie, mówiąc nie wiem o czym, użyła sformułowania: „Jak pszczoła użre...". Pan wicepremier, który był też pszczelarzem, poprawił ją delikatnie: „Pszczoła nie żre, pszczoła żądli".

„BOKS NA PTAKU". Marysia powoli uczy się świata owadów. Zdobywana przez nią wiedza przynosi pewne efekty, które mogą się przydać całej ludzkości. Na przykład wie, jak walczyć z komarami. Przed jednym z plenerowych spotkań z publicznością odbywających się w pobliżu jeziora okazało się, że strasznie tną (lub jak woli Marysia – żrą). Ktoś powiedział Marii Czubaszek, że odstraszająco na komary działa zapach wanilii. I dalszy ciąg opowieści brzmiał tak:

– I słuchaj, ja miałam akurat ze sobą taki balsam waniliowy. Cała się wysmarowałam. I rzeczywiście komary nie gryzły, ale zaczęły się do mnie pszczoły zlatywać.

MC: Ja się bałam, że będzie sztywno.

WK: Znając ciebie, mogłabyś wejść i powiedzieć: „A co tu tak sztywno? Odprężmy się!". Ale nie zrobiłaś tak. Tylko o „żarciu pszczoły" było. Ja zresztą też dałem plamę. Znacznie większą. Zmrużyłem oczy po zjedzeniu kolacji. Myślałem, że się nikt nie zorientuje, bo mam ciemne okulary, a tu nagle słyszę, jak Janek Jagielski [jeden z synów wicepremiera – przyp. AA] mówi do mnie: „A dlaczego ty śpisz, jak ja do ciebie mówię?". A potem, jakby tego było mało, zahaczyłem jeszcze, kretyn, o politykę. Nie wiedziałem wtedy, co to jest kapitalizm, więc chyba musiałem palnąć coś bez sensu na komunę. Nie byłoby to zbyt taktowne, nawet gdybym miał rację, a chyba jej nie miałem. Sądząc po minie pana Jagielskiego, nie był zachwycony moimi wypowiedziami, ale był prawdziwym dżentelmenem, więc zachował się tak, jakby się nic nie stało.

AA: Nie poszczuł cię pszczołą?
WK: Odpuścił. Ładna zbitka: „poszczuł pszczołą". Rewelacja!

AA: A z ludźmi nowej władzy się spotykaliście?
MC: Wojtek z Buzkiem.
WK: Co z Buzkiem? Aha. W Harendzie. Grałem na potańcówce, na której byli politycy. I tyle tylko że wyszło ze mnie, jaki mam paskudny charakter. To było w okresie, kiedy o premierze Buzku mówiło się… różnie. Miał wtedy opinię człowieka, który robi wszystko, czego życzy sobie Krzaklewski. A tutaj nagle jesteśmy w jednym pomieszczeniu. Ja siedzę i gram. W pewnym momencie widzę, że podtańcowuje pod scenę uśmiechnięty pan premier Buzek, no to ja też się uśmiecham. Po graniu podszedł do mnie, powiedział kilka ciepłych słów, bo to były czasy, kiedy jazzmani byli jeszcze trochę znani, a ja… W pełnym skłonie! Z przymilnym uśmiechem! Wyszła ze mnie koszmarna natura fałszywego prokurenta z syberyjskiej guberni… Jak z Gogola. Ja bym mu się w usta wpił! Oj, oj, oj… Pan premier do mnie podszedł… Mój Boże… A panie premierze… Ojej, a pan premier… A ja dla pana premiera… Ależ wychodzi z człowieka charakter!

AA: No to jestem zawiedziony. Myślałem, że podejdziesz do premiera Buzka i też ponarzekasz na komunę.
MC: Odwagi mu zabrakło. Zając.
WK: Zając czy królik, ale grał jeszcze dwa razy dla dwóch prezydentów. A że dwa razy dwa jest cztery, więc „zaliczyłem" po dwóch prezydentów na każdym gigu! Za pierwszym razem z Heniem

Miśkiewiczem, na prawie prywatnym przyjęciu dla prezydenta Clinto-
na, wydanym przez prezydenta Kwaśniewskiego, a za drugim, z Michałem Urbaniakiem, na zaproszenie prezydenta Komorowskiego
podczas wizyty w Polsce prezydenta Czech Vaclava Klausa. Z tego
drugiego koncertu mam zdjęcia, na których widać, że nic się nie zmie-
niło mimo upływu czasu. Dalej ten sam paskudny charakter, co wtedy
z premierem Buzkiem.

AA: MC: ???
WK: Po prostu obaj z Michałem jesteśmy w takich ukłonach i z takimi uśmiechami, że tylko nam dorysować dymki z tekstem: „Oj, panie
prezydencie… Ojej… Ja bym się niżej zgiął, ale nie dam rady… Pan
prezydent wybaczy… Poćwiczę i się jednak zegnę…". Szlag może człowieka trafić, bo to był w tej sytuacji odruch autentycznego szacunku
i sympatii, a wygląda, jakbyśmy sobie jaja robili. Zobaczyłem to dopiero na tych zdjęciach. Całe szczęście, że pan prezydent trzyma głowę
na odpowiedniej wysokości, bo gdyby miał ją niżej, mogłoby być „bęc".
Ochroniarze powinni zwracać uwagę na takich miłych ludzi jak my.

**AA: Gdybyś był królem Stanów Zjednoczonych, tobie by się
tak kłaniali.**
MC: Do roboty byś miał prezydenta…

AA: Jaka by była twoja pierwsza decyzja?
WK: Po pierwsze wydałbym polecenie, żeby mi głowy nie zawra-
cali. I żadnych telefonów. Druga decyzja dotyczyłaby wybudowania
zamku gotyckiego. Trzecia: zmiana konstytucji, tak żebym miał prawo
wydawania decyzji nie do zakwestionowania w niektórych bardzo
ważnych sprawach.

AA: Jakich?
WK: Nie wiem, w tej chwili mi nic nie przychodzi do głowy. Jak
będę królem, to będę wiedział. Zarządziłbym powołanie ministerstwa

kultury, którego zadaniem byłoby pilnowanie, żeby artyści byli traktowani tak jak w Polsce w połowie XX wieku. Żeby artysta miał jakąś pozycję. Niedawno w Internecie trafiłem na dyskusję dwóch amerykańskich muzyków. Jeden pyta o jakiś wzmacniacz, a drugi mu doradza, jaki powinien kupić. Ale ten szukający pisze, że nie może kupić tego modelu, bo jest za duży. A on, oprócz ceny oczywiście, musi zwracać uwagę na rozmiar, bo musi ten sprzęt wozić po całym Bostonie na wózeczku. Rewelacja!

AA: I ty narzekasz na Polskę?! Przecież ty nie wozisz swoich instrumentów na wózeczku. Masz samochód.
MC: Nawet kilka. W tym jeden amerykański.

AA: A ty jaką decyzję byś podjęła, gdybyś była żoną króla Ameryki?
WK: Ja wiem, ona by zarządziła, że psy mają mieć swoją reprezentację w Kongresie.
MC: I żeby powstało wielkie schronisko dla bezdomnych psów. A potem bym rozkazała… A czy żona króla może rozkazywać?
WK: Jak król ją kocha, to tak.
MC: No to bym rozkazała, że w związku z tym, że w naszym przypadku monarchia nie będzie dziedziczna, mam prawo wyznaczyć naszego następcę. I wyznaczyłabym Artura.

AA; Ale ja angielskiego nie znam.
WK: To wydałbyś dekret, że Amerykanie muszą się nauczyć polskiego. Miałbyś murowane poparcie tysięcy obywateli amerykańskich, w tym polskiego pochodzenia, którzy chełpią się tym, że mieszkając w Stanach, nie znają angielskiego, tak jak ich dziadowie i ojcowie.

AA: Przekonaliście mnie. Wprowadziłbym obowiązek dziedzicznej nieznajomości angielskiego.

Maria Czubaszek
/HISTORIE NIE Z TEJ ZIEMI/
ELITARNA KSIĘŻNA

Któż z nas nie marzył, żeby choć raz w życiu nie znaleźć się na cudownych, owianych tajemniczą legendą, Wyspach Hula-Gula? No więc ja akurat nie marzyłem. Ale rzeczywistość często wykracza ponad marzenie. Tak właśnie było w moim przypadku. Mówiąc krótko, pewnego dnia otrzymałem polecenie od kierownika redakcji przeprowadzenia wywiadu z żywą lub martwą Księżną Hula-Gula. Na temat jej twórczości literackiej, a konkretnie – jej ostatniej książki, uznanej za najbardziej elitarną powieść roku.

Pierwszym człowiekiem człekokształtnym spotkanym na Wyspach był miejscowy jodler. Kiedy spytałem go, gdzie mógłbym znaleźć księżną, przestał na moment jodłować i w sobie tylko zrozumiałym narzeczu poinformował mnie, że Księżna Pani przebywa teraz na dworze. W kwadrans później stałem przed obliczem Księżny Hula-Gula. Była to kobieta drobnej, ale dokładnej budowy, trzydziestoletnia, która z pewnością nie przekroczyła jeszcze pięćdziesiątki, nordycka blondyna o włosach czarnych jak biały kruk. Na kolanach trzymała małego słonia.

– Witam pana na Wyspach! – powiedziała, nie wymawiając „r".

– Proszę wybaczyć, że przyjmuję pana na dworze, ale w pałacu jest teraz okropnie duszno. Duszą akurat moje ulubione grzyby. Czym mogę służyć?

– Przyjechałem w sprawie wywiadu... – zacząłem, szukając po kieszeniach kartki z pytaniami.

– Jeśli nie może pan znaleźć pytań, sir – uśmiechnęła się – proszę się nie trudzić. Mam gotowe odpowiedzi. Później dopisze pan pytania...

Co mówiąc, włożyła dwa palce lewej nogi do ust i zagwizdała na nich. Jak spod ziemi wyrósł jakiś mężczyzna z kartką papieru.

– Panowie pozwolą... – przedstawiła nas... – Sir Camembert Brie... Pan redaktor...

Księżna zerknęła w kartkę sir Camemberta i zaczęła udzielać mi odpowiedzi na pytania, które miałem później dopisać...

– Z przyjemnością! – wyrwałem się jak filip z konopi. – Uwielbiam ser, a od wczoraj nic nie miałem w ustach!

Księżna Pani, z kamienną twarzą pokerzysty, ponownie gwizdnęła na palcach lewej nogi i w tym momencie młoda dziewczyna przytulała żółty ser. Kiedy po posiłku podziękowałem za skromne przyjęcie, księżna zerknęła w kartkę sir Camemberta i zaczęła udzielać mi odpowiedzi na pytania, które miałem później dopisać...

– Jako dziecko chodziłam do szkoły. Chodziłam, ponieważ była tak blisko, że nie było sensu, żeby szofer mnie odwoził. Na studiach zetknęłam się z grupą niemłodych, ale za to niezdolnych poetów. To zadecydowało, że nigdy nie pisałam wierszy. Tylko prozę. Pierwszą książkę napisałam w tym roku i, jak było do przewidzenia, zupełnie nieoczekiwanie dostałam za nią specjalną nagrodę. Książkę uznano za najbardziej elitarną powieść roku.

– Czy dlatego – przerwałem jej wreszcie – że z racji swego urodzenia należy pani do elity?

– Nie – zaprzeczyła żywo, zerkając uprzednio w kartkę. – Moja powieść jest niezrozumiała dla szerokiej rzeszy czytelników, ponieważ napisałam ją w sobie tylko zrozumiałym narzeczu Hula-Gula. Nawet moi podwładni nie rozumieją większości słów w tym narzeczu!

– Dlaczego?! – zadziwiłem się.

– Tajemnica państwowa – wyjaśniła zwięźle i dała mi do zrozumienia, że wywiad uważa za skończony.

– Pan wybaczy, sir, ale więcej odpowiedzi nie mam...

Co mówiąc, podała mi do pocałowania usta. Jak za kiwnięciem czarodziejskiej różdżki podjechała czarna limuzyna białego koloru i jakiś mężczyzna, prawdopodobnie szofer /jako że jedyny trzeźwy/ otworzył przede mną drzwiczki. Kiedy przekraczałem już granice Księstwa Hula-Gula, uświadomiłem sobie, że miała rację moja mama, która twierdziła, że należy się uczyć języków obcych! Jest to jedna szansa napisania teraz elitarnej książki... niezrozumiałej dla wszystkich... Zamierzam pójść na p o l o n i s t y k ę. I czuję, że napiszę powieść e l i t a r n ą!

„Zdjęcie, którego nie mogłem sobie nie zrobić podczas pobytu w Stambule"

AA: Gdzie się uczyliście języków?

MC: Ja angielskiego w szkołach. W liceum, na studiach, u Metodystów przez dwa semestry i pół roku prywatnych lekcji u Alicji Resich--Modlińskiej. I nic nie umiem.

AA: Zupełnie nic?

MC: No nie tak zupełnie. Na przykład pamiętam coś takiego: „Joseph Stalin is dead. He was a great lider and teacher". Jak umarł Stalin, to stojąc na baczność, coś takiego musieliśmy powtarzać na lekcji angielskiego.

AA: Dzisiaj, przy poszukiwaniu hotelu w Londynie, mogłoby się nie przydać, ale można by dostać skierowanie na badania i jakąś zapomogę.

WK: A ja miałem taką korzyść ze śmierci Stalina, że wtedy w radiu zaczęli nadawać bardzo dużo muzyki poważnej, jak zwykle, kiedy ktoś ważny kopnie w wiadro. Nadawali na przykład piękną symfonię „Patetyczną" Czajkowskiego, której partyturę miałem w domu, ale nie można było zdobyć płyt. A tu, z okazji śmierci Stalina, można posłuchać w radiu i patrząc w nuty, zachwycać się, jak to się wszystko pięknie zgadza.

A co do języków, to trochę znam, ale niekoniecznie ze szkoły. Angielskiego nauczył mnie jazz. To jest naturalny język jazzu. Wszystko, co się kręciło wokół jazzu, było zawsze po angielsku. Cała wschodnia Europa wychowała się muzycznie na audycjach Głosu

Ameryki prowadzonych w pięćdziesiątych, sześćdziesiątych latach przez wspaniałego faceta, który się nazywał Willis Conover. Wszyscy tego słuchaliśmy. A Conover wymyślił coś genialnego. Nazwał to „Special English". Mówił bardzo powoli, bardzo prostym językiem i z tak nienaganną dykcją, że myśmy się z tego uczyli mówić. Po dwóch latach słuchania jego audycji wszystko się rozumiało. Bez dodatkowych kursów.

AA: A szwedzkiego?

WK: Szwedzkiego nauczyłem się właściwie z telewizora. Jak osiadłem w Sztokholmie na dwa lata, to zacząłem oglądać telewizję. Filmy w Szwecji nie były wtedy dubbingowane, tylko miały podpisy. I to było genialne, bo oglądałem amerykańskie filmy z oryginalnym głosem, który rozumiałem i kojarzyłem ze szwedzkimi napisami. Samo jakoś wchodziło do głowy. Ale jak już zacząłem trochę mówić po szwedzku, to stamtąd wyjechałem.

MC: Wojtek jeszcze po niemiecku mówi…

WK: Gdzie tam?! Po niemiecku to ja mówię tak jak każdy. Porozumiewam się w najprostszych sprawach, na podstawowym poziomie. Niemiecki ma średnio trudną gramatykę i bardzo pokręcony szyk zdania. Angielski jest najprostszym językiem świata, bo tam właściwie w ogóle nie ma gramatyki.

AA: To może teraz jakieś uzupełniające kursy? Marysia z angielskiego, Wojtek z niemieckiego?

MC: Na Uniwersytecie Trzeciego Wieku? Jakoś się nie bardzo garnę. Chociaż uważam, że to dobrze, że ludzie w naszym wieku czegoś się uczą. Ostatnio w jednym z programów telewizyjnych prowadzący zapytał mnie, jak aktywizować starszych ludzi. Jak na przykład naszych rówieśników namawiać do chodzenia do teatru. Odpowiedziałam, że trzeba rozpropagować takie statystyki, które gdzieś naprawdę przeczytałam, mówiące o tym, że najwięcej wypadków śmierci jest w domu, a najmniej w teatrze. To powinno starszych ludzi zachęcić

do wychodzenia z domu i chodzenia do teatru. Wojtek powinien chodzić do teatru, bo tak się śmierci boi!

WK: Przy moim poziomie strachu właściwie powinienem z niego
nie wychodzić.

*"BOKS NA PTAKU". Myślę, że jeszcze parę teorii Marii Czubaszek
dotyczących przemijania godnych jest popularyzacji. Na przykład to, jak
Marysia rozumie hasło "Palenie papierosów skraca życie". Otóż doszła
do wniosku, że jeżeli naprawdę jest tak, że każdy papieros skraca życie
palacza o trzy minuty, to ona żyje znacznie krócej od swoich niepalących
rówieśników. Czyli że jest dużo młodsza. Nie liczyłem tego dokładnie,
ale tak na oko, sądząc po liczbie wypalonych papierosów, powinna w tym
roku zaczynać naukę w gimnazjum.*

**AA: W naszej pierwszej rozmowie, w książce "Każdy szczyt ma
swój Czubaszek", Marysia opowiadała o maskotce, której używałeś,
kiedy chciałeś ją udobruchać.**

WK: Małpka uderzająca w czynele. Ale wyrzuciła ją, bo wkurzała
się, że tak łatwo ją obłaskawić taką głupotą. Teraz mam w odwodzie
goryla grającego na gitarze hawajskiej.

MC: Gdzie go masz?

WK: Nie powiem, bo też wyrzucisz. Na razie nie jest mi potrzebny,
bo jakoś ostatnio nie dochodzi do ostrych kłótni, ale jak trzeba będzie…

MC: Ale jest w twoim pokoju?

WK: Niech cię to nie interesuje. Schowałem.

MC: Pewnie tak schowałeś, że sam nie możesz znaleźć.

WK: Kochana! Gdzie są nuty, kable od transformatora, gdzie jest
twardy dysk czy nawet gdzie jest taki a taki instrument, tego mogę
nie wiedzieć… Ale gdzie jest goryl grający na gitarze hawajskiej?! To
wiem bardzo dobrze!

AA: Jesteście przesądni?
MC: Ja nie.

WK: Ja też nie za bardzo. Nie wierzę w żadne znaki zodiaku, numerologię. Właściwie jedyny, jaki u siebie zauważam, to przesąd...

MC: Że trzeba zęby myć?

WK: To też, ale naprawdę jedyny to taki, że ja się boję mówić o tym, czego się boję. Powiedzenie tego na głos spowoduje, że to się na pewno stanie.

AA: A czego się boisz?

WK: Nie ma mowy! Dopóki ja sobie tylko o tym myślę, ale nie mówię, jest szansa, że to nie nastąpi. Ale jeszcze jeśli chodzi o dziwactwa – jak wychodzę z domu i muszę po coś wrócić, to siadam i liczę do dziesięciu. Z tym że takie proste liczenie do dziesięciu to było dawno. Ten świr się rozwinął, bo doszedłem do wniosku, że muszę usiąść i policzyć do dziesięciu i z powrotem. A potem, że muszę policzyć z drzewem...

AA: Jak to?!?

WK: No, że odliczanie ma wyglądać tak: „drzewo, jeden, dwa, trzy...". A potem doszedł wymóg, że trzeba odliczać, siedząc na taborecie w kuchni. A potem, że to trzeba powiedzieć na jednym oddechu i musi być powiedziane głośno... Ten świr cały czas eskaluje. Albo jak chcę zaparzyć herbatę. Włączam czajnik i wychodzę z kuchni. Po chwili wpadam w panikę: „Rany boskie! Przecież ten czajnik się zaraz wyłączy, a ja nie zdążyłem włożyć dwóch torebek żółtego liptona i jednego earl greya do kubka!!!". I lecę na złamanie karku, bo przecież jak nie zdążę włożyć herbaty przed wyłączeniem się czajnika, to jakieś nieszczęście będzie! Albo to, że jak zauważę na chodniku jakiś porzucony spinacz biurowy, natychmiast go podnoszę i wkładam do kieszeni. Zwłaszcza taki zardzewiały od deszczu i błota. To już może nie przesąd, ale myślę, że sprawa jest poważna...

MC: Tym odliczaniem do dziesięciu to on mnie zaraził. Też odliczam. Ale czasem oszukuję. Nie wymieniam wszystkich cyfr. Dojdę

Pierwszy Sekretarz Komitetu Centralnego Polskiego Stronnictwa
Teinistów! (PST!) podczas przerwy w obradach kongresu
„Herbata Jest Najważniejsza"

od dziesięciu do siedmiu, potem „jeden" i już lecę. I nie muszę na taborecie i „od drzewa". Tylko tak normalnie...

AA: Normalnie?!? Niech wam będzie, że to jest „normalnie". Macie jakieś domowe rytuały?
MC: Takie jak konklawe?
WK: No to mamy. Dym się u nas ciągle unosi. Taki szarosiwy.

AA: Coś takiego domowego, co od lat jest niezmienne.
MC: No to na przykład to, że jak ja wstaję rano, to on zawsze siedzi przy komputerze.
WK: A u mnie odwrotnie. Jak ja siedzę przy komputerze, to ona wstaje rano. I jeszcze jedno. Jak ja się budzę [czyli koło 17.00, 18.00 – przyp. AA] i wchodzę do kuchni, robię sobie herbatę, staję oparty półdupkiem o blat i popijam ją, to po jakimś czasie pojawia się Marysia i mówi: „O, stoisz tak".
MC: No bo on tak stoi. Koło pół godziny. Wyjmuje dwadzieścia tabletek i zażywa.

AA: Dwadzieścia?
WK: Więcej. I żadne nie szkodzą. Doszedłem do wniosku, że lekarze nie mogą się mylić. A większość z tych tabletek przepisali mi lekarze.
MC: E tam, dużo sam sobie wymyśliłeś i kupujesz.
WK: To te na energię.

AA: I tak ci pomagają, że „O, stoisz tak" pół godziny bez ruchu?
WK: A co? Mam złapać kastaniety i odtańczyć pasodoble? À propos „O, stoisz tak", to w pewnym sensie również rytualnym powiedzeniem Marysi jest: „A ty znowu siedzisz przy komputerze". I to jest coś, co zastąpiło, na szczęście, używane dawniej: „Znowu piłeś". Tego już nie ma.
MC: I czasem, jak widzę, że jest cały w Internecie, że świat

komputera całkowicie go pochłonął i na pewno nie pamięta, że ja tu obok siedzę, rzucam prowokacyjne pytanie : „A kochasz mnie?".

WK: A ja w takiej sytuacji mogę odpowiedzieć tylko tak, jak w starym żydowskim dowcipie: „A co cię mam nie kochać?".

AA: A jak długo siedzisz przy komputerze?

MC: Ooo!

WK: Rzeczywiście długo, co najmniej sześć godzin dziennie. Ale muszę się wytłumaczyć, dlaczego tyle siedzę…

MC: Bo jakbyś stał, tobyś klawiatury nie widział?

WK: Siedząc, wytrzymuję dłużej, niż stojąc. A poza tym, na skutek zagracania mojego pokoju miejsce przed komputerem stało się jedynym wygodnym, w którym można posiedzieć i porobić różne rzeczy. To siedzę. Większość czasu zajmuje mi oglądanie, głównie na YouTube, takich rzeczy, o których istnieniu nawet nie miałem pojęcia. Na przykład znalazłem nagranie koncertu Milesa Davisa z 1963 roku. Perełka. Ale zabiera trochę czasu.

AA: Spędzasz też czas na portalach społecznościowych?

WK: Nigdy! W ogóle dla mnie nie istnieją. One dają tyle samo, co słynny proszek pomidorowy Konstantego Ildefonsa Gałczyńskiego. Trzeba wysuszyć pomidory, zetrzeć je na drobno i posypywać tym różne przedmioty. „Jest bezwonny i całkowicie dla organizmu nieszkodliwy. Zmiata się i ściera z łatwością…". I tyle samo dają te portale. Bo cóż ja takiego mogę dzięki nim robić? Otóż mogę, uwaga, cytuję: „Wymieniać się myślami, zdjęciami i muzyką z przyjaciółmi". Czyli co? Robić to wszystko, co i tak mogę robić. Bez obecności na jakichś portalach. W ogóle jak słyszę słowo „portale", to widzę spodnie, tylko źle skrojone.

AA: Marysia przynajmniej pisze bloga.

WK: Tak, i ludziom się wydaje, że czyta, co napisała, że śledzi swoje wirtualne losy i zagryza paznokcie. Niedawno znajomy powiedział mi, że koresponduje z Marysią na Facebooku. Powiedziałem mu, że to bardzo miło, tylko że jej tam nie ma, bo nie potrafiłaby nawet wejść na takie coś.

AA: To może przynajmniej masz stronę internetową?
WK: Też nie mam. Doszedłem do wniosku, że ani mi to nie zaszkodzi, ani nie pomoże, a jest z tym trochę roboty. Bez sensu. Był taki moment, kiedy pomyślałem, że może jednak wypada mieć. I wtedy obejrzałem sobie strony moich kolegów. Czegoś tak nudnego dawno nie widziałem. Na każdej takie samo zdjęcie – facet z instrumentem sfotografowany w klubie. Potem informacja, kiedy, gdzie się urodził i z kim grał. Fascynujące wiadomości! Tylko kogo to obchodzi, że założył ze Stasiem Bernickim trio Bernicki, Kupściak, Jarząbek i zdobyli trzecią nagrodę na Konkursie Młodych Talentów w Chrząszczówku Niżnym? A potem odrobina wielkiego świata: z kim grał. Tu już bywa lepiej, bo pojawiają się nazwiska angielskie. „Tu mnie mają", pomyślałem, bo jako człowiek niezabiegający, niedbający i niechętny, raczej z nikim za bardzo nie grałem. Chociaż… mógłbym sobie stworzyć zakładkę: „Nie grał z…" i niech sobie wypełniają. Tylko po co? No i następna rubryka – płyty. Każdy nagrał dwieście osiemdziesiąt i wszystkie są wymienione. Ja nagrałem znacznie mniej, z tego ważne dwie. Nie ma sensu tak pisać, bo nikt nie uwierzy. Moja strona internetowa byłaby beznadziejna. No to lepiej, żeby jej nie było.

AA: A trafiłeś w Internecie na coś swojego? Coś, co cię zaskoczyło, że jest?
WK: Przede wszystkim trafiłem na swoją stronę internetową. Ale nieoficjalną. Okazało się, że ktoś mi życzliwy założył, pospisywał różne informacje, zebrał zdjęcia.

AA: Niech zgadnę – jesteś sfotografowany z instrumentem?
WK: Bingo! I jest informacja, z kim grałem. Wszystko się zgadza.

Przeglądając to, przypomniałem sobie kilka rzeczy, o których nie pamiętałem.

MC: Wojtek prędzej znajdzie coś w Internecie niż w swoim pokoju. Niedawno zapytałam go, czy mamy gdzieś płytę z piosenką „Wyszłam za mąż, zaraz wracam". Bo potrzebuję spisać sobie tekst. Płyty nie znalazł, ale w Internecie znalazł mi tekst… Patrz! Patrz! Patrz, co robi ptaszek! Chciał ją za szyjkę złapać!

WK: À propos ptaków. To jest jedna z dwóch rzeczy, których mi najbardziej brakuje w Warszawie. Ćwierkających rano ptaków. A drugą jest bicie dzwonów. W Krakowie to zawsze było. Człowiek wiedział, że trzeba się powolutku zbierać do domu, bo zaczynają ćwierkać ptaki i dzwony biją…

AA: Dzwon na ptaku?
WK: ?!?

AA: Nie, nic…

Uwaga! Zaskoczenie! To koniec rozmowy! Ale że gdzie?! Ale że przecież… Że jak tak można?! A można, bo takie rozmowy nie kończą się kropką. Tylko wielokropkiem. Koniec wymusić mogą jedynie: termin wydania książki, stan baterii w dyktafonie albo koniec kasety. Bo nagrywam jeszcze na taki archaiczny dyktafon z małymi kasetami magnetofonowymi (niech starsi czytelnicy wytłumaczą młodszym, co to takiego „kaseta magnetofonowa"). Baterie były jeszcze w porządku, ale ostatnia kaseta się skończyła. A takich małych nie można już nigdzie dostać. I termin gonił.

Ale że to nie w porządku?! Ale że jak?! Ale że przecież jeszcze nie wszystko… A co z tajemnicą paczki od Romana Polańskiego, której rozwiązanie obiecane było na końcu książki „Każdy szczyt ma swój Czubaszek"? Niestety nic. Przez chwilę powiało wielkim światem, a okazuje się, że najprawdopodobniej był to jakiś żart. Do asystentki słynnego reżysera wysłałem taki list:

Szanowna Pani Małgorzato,

namiar do Pani otrzymałem, jako taki, który umożliwia skontaktowanie się z Romanem Polańskim. Dlatego pozwolę sobie też skierować osobiście do głównego adresata, licząc na to, że uda Mu się przedstawić tę sprawę.

Szanowny Panie,

nazywam się Artur Andrus, na co dzień jestem dziennikarzem w radiowej Trójce, ale nie w sprawie radiowej do Pana piszę. Jestem współautorem wywiadu z Marią Czubaszek, który ukazał się w formie książki pod tytułem „Każdy szczyt ma swój Czubaszek". Okazało się, że jeden z wątków tej książki ma związek z Panem. Mianowicie kiedy zaczynaliśmy rozmowę, Maria Czubaszek opowiedziała o „przesyłce od Romana Polańskiego". Chodziło o to, że zadzwonił do Niej jakiś człowiek (pewnie się przedstawił, ale Marysia nie ma pamięci ani do nazwisk, ani do twarzy, ani do niczego:)) i powiedział, że ma dla Niej przesyłkę od Romana Polańskiego. Że to jest mniej więcej pięciokilowa paczka. Próbował się umówić, ale to spotkanie, w związku z wyjazdami Marysi, nie było możliwe od razu. Obiecał skontaktować się później. Na potwierdzenie swoich słów, jako niejako „wstęp do paczki", przesłał pocztą zdjęcie z autografem. Zdjęcie Barbry Streisand. Autograf też. Pani Barbra podobno była u Pana z wizytą i taką niespodziankę postanowiliście Państwo zrobić Marii Czubaszek.

I tutaj ten trop zanika. Pan „kurier" już się nigdy później nie odezwał, paczka nie dotarła. Nie piszę do Pana, żeby zmobilizować do odnalezienia tamtej czy wysłania nowej paczki:) Marysia nawet nie wie o tym liście, ale pomyślałem sobie, że ciekawe (również dla czytelników, którzy losy paczki śledzili w pierwszej części rozmowy, a teraz powstaje druga) byłoby rozwiązanie tej zagadki. Czy rzeczywiście taka paczka kiedyś była? Czy to tylko czyjś żart? Jeśli była, a nie dotarła, to może uda się zdradzić, co było w środku? Marysia podejrzewała, że jakieś produkty żywnościowe typu makaron, kawa, cukier, bo przecież takie paczki zawsze się w Polsce dostawało z zagranicy.

Wiem, że to wszystko, co napisałem wyżej, może brzmieć jak jakiś żart. I w pewnym sensie jest żartobliwe, chociażby przez osobę bohaterki, której ta sprawa dotyczy, ale zdarzyło się naprawdę. I bardzo mnie korci, żeby sprawę „tajemniczej paczki od Romana Polańskiego" wyjaśnić. Chociażby dla kolejnego żartu.

Licząc na odpowiedź, serdecznie pozdrawiam.

Artur Andrus

Szybko dostałem od pani asystentki miłą odpowiedź, z której wynika, że w czasie, o który pytałem, ktoś się podszywał pod przedstawiciela Romana Polańskiego, dzwoniąc do różnych ludzi. Czyli to raczej żart. Nie używam sformułowania „głupi", bo wydaje mi się zabawne, że ktoś chciał Marii Czubaszek wysłać paczkę żywnościową od Romana Polańskiego, nie oczekując niczego w zamian. Ale używam słowa „raczej", bo zastanawia mnie ten autograf Barbry Streisand. Wygląda na prawdziwy (porównałem z innymi autografami tej artystki widocznymi w Internecie), charakter pisma podobny, dedykacja „for Maria Czubaszek"... Więc może jakiś trop jeszcze się odkryje? Może to Barbra Streisand jest autorką tego żartu? Tylko wynajęła kogoś do telefonowania i rozmowy w języku polskim? Albo po latach okaże się, że wszystko wymyślili, nudząc się w Szwecji, Karolak z Urbaniakiem? Na razie, żeby tak banalnie nie zakończyć tego atrakcyjnego wątku, przygotowuję listy do paru innych wybitnych reżyserów z prośbą o wysłanie Marii Czubaszek jakiejś paczki i czyjegoś autografu. Mam już namiary do asystentów Martina Scorsese, Davida Lyncha i Quentina Tarantino. Gdyby ktoś z Państwa miał jakiś kontakt do Woody'ego Allena i Pedro Almódovara, byłbym bardzo wdzięczny za pomoc.

A rozmowa z Marią Czubaszek i Wojciechem Karolakiem kończy się tylko dlatego, że kiedyś skończyć się musi. Chętnie poruszyłbym jeszcze wiele banalnych tematów, dopytał o parę szczegółów. Na przykład, którym półdupkiem Wojciech Karolak opiera się o blat, kiedy wchodzi do kuchni Maria Czubaszek i mówi „O, stoisz tak"? Ale to już innym razem. Ale że dlaczego?! Że tak się nie robi?! Że się urywa w pół zdania? A w pół czego ma się urwać rozmowa? W pół drogi między Sochaczewem a Sieradzem?

Z CYKLU "PRACA NAD TĄ KSIĄŻKĄ"
ARTUR NIE MOŻE SIĘ DO NAS DODZWONIĆ

Karolakowie mają cichy dzwonek u drzwi, ale za to głośny telewizor wewnątrz. Nieraz musiałem się nastać, żeby się dostać do środka. Później przyjąłem inną taktykę: po kilkukrotnym bezskutecznym dzwonieniu sam sobie otwierałem drzwi i wchodząc, wołałem: „Zając!". Żeby się nie przestraszyli, żeby wiedzieli, że swój przyszedł. AA

Maria Czubaszek
SIERADZ

(K – kobieta, M – mężczyzna)

K – Jerzy... wolałbyś mieszkać w Sieradzu czy w Sochaczewie?

M – Wolę mieszkać w Warszawie.

K – Ja wiem! Pamiętam ze szkoły. Ale gdybyś musiał się przenieść... wolałbyś do Sieradza czy do Sochaczewa?

M – Wszystko jedno!

K – Ale zdecyduj się!

M – Mario!!! Przestań mnie męczyć!

K – A co ci szkodzi powiedzieć?!

M – Dobrze, w Sieradzu!

K – Odpowiedz pełnym zdaniem.

M – Wolałbym mieszkać w Sieradzu.

K – Dlaczego?

M – Bo... nie wiem!

K – Jak to nie wiesz?! Musisz przecież mieć jakiś powód, dla którego wolisz Sieradz!

M – Nie mam żadnego powodu!!! Pytasz, więc odpowiadam! Równie dobrze mógłbym powiedzieć, że wolałbym mieszkać w Sochaczewie!

K – Ale powiedziałeś, że wolałbyś w Sieradzu. Niestety. A pierwsza odpowiedź się liczy. No więc dlaczego wolałbyś w Sieradzu?

M – Nie wiem!!! Nigdy tam nie byłem!

K – A w Sochaczewie byłeś?

M – Też nie!

K – Czyli to żaden powód.

M – Mario!! Błagam!!! Ja już naprawdę nie mogę!!!

K – Bo widocznie nie chcesz!

M – Czego nie chcę?

K – Nie wiem. Ale skoro twierdzisz, że nie możesz, to znaczy, że nie chcesz. Bo chcieć to móc. Czyli – nie móc to nie chcieć. Logiczne!

M – Twoja logika jest czasami zaskakująca!

K – Ale logiczna, niestety! No więc... czego nie chcesz? Tylko nie kręć!

M – Słuchaj... ja już naprawdę nie wiem, o co ci chodzi.

K – A ja wiem wszystko! A nawet więcej!

M – To znaczy?

K – Wiem, że nie chcesz się ze mną spotykać!

M – Skąd ci to przyszło do głowy?!

K – Stąd że chciałbyś przenieść się do Sieradza!

M – Po pierwsze nie chcę nigdzie się przenosić...

K – Nie kręć! Powiedziałeś wyraźnie, że wolałbyś mieszkać w Sieradzu! Sama słyszałam!

M – Ale dlaczego tak powiedziałem?

K – Bo widocznie wolałbyś mieszkać w Sieradzu! I ja wiem dlaczego!

M – Powiedziałem tak tylko dlatego, że mnie do tego zmusiłaś!

K – Dałam ci prawo wyboru. Albo Sieradz, albo Sochaczew! A ty sam, dobrowolnie, wybrałeś Sieradz! Bo dalej!

M – Ale zrozum...

K – Teraz już wszystko zrozumiałam!!! Nie jestem taka głupia, jak myślisz. Swój rozumek mam, niestety!

M – Nigdy w to nie wątpiłem, ale tym razem...

K – Tym razem wyszło szydło bokiem! Z worka zresztą! Nie chcesz się ze mną spotykać!

M – Skąd ci to przyszło do głowy?!?

K – Mówiłam już! Stąd że chcesz się przenieść do Sieradza!

M – Ale...

K – Cicho! Jeżeli chcesz się przenieść do Sieradza, to znaczy, że nie chcesz się ze mną spotykać! Cicho! Nie myślisz chyba, że będę przyjeżdżać do Sieradza! A jeżeli tak myślisz, to jesteś zarozumiały! Cicho! Jeśli wolisz mieszkać w Sieradzu – twoja sprawa! Ale mnie tam nie ściągniesz! Na pewno nie!

M – Ale ja wcale nie chcę!!!

K – A widzisz!!! Już po raz drugi wyszło szydło bokiem! Nawet nie chcesz, żebym przyjechała czasem do ciebie!!!

M – Przecież mieszkam w Warszawie!!!

K – Ale wolałbyś w Sieradzu! Nie kręć! Sam się przyznałeś!

M – Ja naprawdę oszaleję!!!

K – A mnie to naprawdę przestaje interesować! Chcesz, to szalej, nie chcesz, to nie szalej... twoja sprawa. Aha! Chciałam ci jeszcze tylko powiedzieć, że jeśli nie chcesz się ze mną spotykać, to nie musisz ukrywać się przede mną aż w Sieradzu! Po pierwsze i tak cię znajdę, a po drugie nie będę cię w ogóle szukać! Nie chcesz, to nie!!!

M – Ale ja chcę!!!

K – Sam nie wiesz, czego chcesz!

M – Wiem!

K – Co ty tam wiesz?!!

M – Wszystko!

K – Tak? To powiedz mi, ile waży kilogram brzoskwiń bez pestek? Tylko nie kręć!

M – Chwileczkę... ile waży kilogram brzoskwiń bez pestek...

K – Tak! Tylko nie kręć!

M – Kilogram zawsze waży kilogram!

K – No, udało ci się! W jaki sposób ukryć, że np. koń, którego chcesz sprzedać, utyka na lewą nogę? Tylko nie kręć!

M – Zrobić mu wyższą podkowę.

K – Nie właśnie! Trzeba mu kazać, żeby utykał również na prawą nogę. A w ogóle... to skąd masz konia? Tylko nie kręć!

M – Jakiego konia?!?

K – A skąd ja mam wiedzieć! Przecież to twój koń, a nie mój!

M – Skąd ci znowu przyszło do głowy, że mam konia?!?

K – Stąd że go sprzedajesz. A jeśli chcesz sprzedać, to znaczy, że masz.

M – Ależ...

K – Tylko nie kręć! Powiedziałeś nawet, że chcesz mu zrobić wyższą podkowę, żeby ukryć, że utyka! Dlaczego?

M – Żeby pojechać na nim do Sieradza!!!

K – No, proszę! A jednakowoż wyszło szydło bokiem z worka! I to już trzeci raz, niestety! I po co było się tak zapierać?! No – po co?

INDEKS

Abratowski, Jerzy 248, 249
Addams, Charles 210
Allen, Woody 15, 49, 120, 145, 289
Almodóvar, Pedro 289
Andropow, Jurij 137
Armstrong, Louis 209
Atlas, Janusz 265

Baczyński, Krzysztof Kamil 211
Baduszkowa, Danuta 199, 201, 206
Bandura, Jerzy 117
Bartkowski, Czesław 211, 220
Bem, Ewa 43, 44
Benjamin, Ben 188
Białostocki, Włodzimierz 161
Biel, Jessica 168
Bińczycki, Jerzy 24, 115
Bodo, Eugeniusz 109
Bogart, Humphrey 118, 121
Borysewicz, Jan 161, 162
Brando, Marlon 118
Brown, James 133, 137
Buzek, Jerzy 272, 273

Chaplin, Charlie 120
Chopin, Fryderyk 21, 22, 37, 38, 41,
    45, 46
Clinton, Bill 273
Cohen, Leonard 42
Conover, Willis 280
Cooper, Gary 21

Cruise, Tom 168, 263
Curson, Ted 10
Cyrille, Andrew 10
Czajkowski, Piotr 38, 279

Dąbrowska, Małgorzata 69, 79
Dąbrowski, Andrzej 41, 57, 69, 72, 78,
    79, 118, 171, 187, 188, 189, 192,
    237, 246, 254
Dąbrowski, Piotr 20
Davis, Miles 121, 133, 134, 137, 138,
    285
Davis, Sammy jr. 158
Debussy, Claude 38
Dobrowolski, Jerzy 32, 122, 126, 131,
    207, 241, 251, 255, 262, 264
Dudziak, Urszula 79, 81
Dygat, Stanisław 266, 267
Dylan, Bob 42
Dyląg, Roman „Gucio" 79, 134, 135,
    187, 188, 189, 227, 237, 239
Dymny, Wiesław 26, 116, 172, 229, 230,
    232, 233
Dymsza, Adolf 266

Eile, Marian 26, 241
Eisenstein, Siergiej 204
Evans, Gil 134

Fagen, Donald 42
Falski, Marian 123

Fedorowicz, Jerzy 34
Figiel, Piotr 79
Filler, Witold 265
Fitelberg, Grzegorz 38
Fitzgerald, Ella 170
Fogg, Mieczysław 135
Franciszek, Jose Mario Bergoglio 164
Franco, Francisco 208

Gable, Clark 119
Gałczyński, Konstanty Ildefons 144, 285
Garycka, Janina 230
Gaudí, Antoni 50
Gershwin, George 44
Giuffre, Jimmy 135
Głuch, Wojciech 211
Gogol, Nikołaj W. 146, 272
Gombrowicz, Witold 144
Gordon, Dexter 191
Griffin, Johnny 188, 191
Grodzieńska, Stefania 267
Groński, Marek 206
Grzegrzółka, Tadeusz 133, 162

Hammond, Laurens 18
Herbert, Zbigniew 211
Horowitz, Ryszard 129, 156, 227, 228, 245
Hübner, Zygmunt 211
Hussakowski, Bogdan 237

Jagielski, Jan 271
Jagielski, Mieczysław 268, 271, 272
Jagodziński, Andrzej 41
Janczarski, Jacek 72, 250, 262
Jones, Quincy 73
Jones, Spike 209
Joplin, Janis 44

Karewicz, Marek 267
Karolak, Jerzy 123, 124
Karolak, Stanisław 110
Karłowicz, Mieczysław 38
Kawalerowicz, Jerzy 243

Kawasaki, Ryo 10
Kennedy, John Fitzgerald 148
Kirschbaum, Simone 78, 188
Klaus, Vaclav 270, 273
Kobiela, Bogumił 86
Kobuszewski, Jan 122
Kofta, Jonasz 72, 262
Komeda, Krzysztof 120, 134, 135, 188, 203, 230, 239, 244, 245, 246, 248, 249
Komedowa, Zofia 230
Komorowski, Bronisław 273
Koniarz, Robert 79
Konieczny, Zygmunt 211
Koniew, Iwan 112
Kreczmar, Adam 72, 175, 203, 250, 262
Krzaklewski, Marian 272
Kurylewicz, Andrzej 32, 148, 10, 171, 237, 239, 240, 267
Kwaśniewski, Aleksander 273
Kwiatkowska, Irena 32, 255, 264
Kwinta, Tadeusz 230
Kydryński, Marcin 207

Lengren, Zbigniew 110, 265
Lennon, John 10
Leszczyński, Witold 208
Litwin, Krzysztof 230, 232, 233
Lynch, David 120, 289

Łazuka, Bohdan 264

Makowiecki, Andrzej 10
Maksymiuk, Jerzy 205
Malinowski, Bronisław 145
Marek, Jerzy Andrzej 43
Marianowicz, Kazimierz 206
Markuszewski, Jerzy 88, 208, 250
Martin, Dean 158
Marx, bracia 120, 121
Matuszkiewicz, Jerzy „Duduś" 241
Michnikowski, Wiesław 103, 122
Milian, Jerzy 41, 135
Miller, Glenn 116
Minkiewicz, Janusz 241, 266

Miśkiewicz, Henryk 273
Młynarski, Wojciech 207
Montand, Yves 119
Mrozowska, Zofia 266
Mrożek, Sławomir 144, 145, 146
Mulligan, Gerry 32
Muniak, Janusz 209
Murnau, Friedrich Wilhelm 121, 204
Mussolini, Benito 112

Namysłowski, Zbigniew 210, 212
Nawratowicz, Barbara 230, 233
Nikifor (Epifaniusz Drowniak) 147

Obłoński, Mirosław „Miki" 230
Okudżawa, Bułat 42
Olewicz, Mściwój 237
Ono, Yoko 10
Orwid, Józef 101, 103, 105, 108, 109
Orwid, Waleria 110
Osiecka, Agnieszka 20, 122

Parker, Charlie 188
Passent, Daniel 176
Patachou (Henriette Ragon) 32, 33
Peszek, Maria 44, 45
Petrović, Boško 74
Piaf, Édith 32
Piestrak, Marek 208
Pokora, Wojciech 255
Polański, Roman 287, 288
Poniedzielski, Andrzej 192
Potemkowski, Anatol 175, 193
Powell, Bud 188, 191
Prohaska, Miljenko 74
Prus, Bolesław 110
Przybora, Jeremi 42, 129, 143, 144, 145, 241
Pszoniak, Wojciech 33
Ptaszyn Wróblewski, Jan 73, 74, 134,
    135, 151, 171, 187, 188, 189, 193,
    202, 209, 210, 246, 254

Rachmaninow, Siergiej 38
Raczyński, Stanisław 129, 227

Radwan, Stanisław 211
Ravel, Maurice 38
Rek, Hanna 185
Resich-Modlińska, Alicja 279
Rieger, Adam 143
Rousseau, Jean-Jacques 147

Sandecki, Juliusz 171
Schreck, Max 204
Scorsese, Martin 289
Seniuk, Anna 87
Shaw, Artie 243
Sidorenko, Janusz 117
Sienkiewicz, Krystyna 44, 65, 129
Sinatra, Frank 44, 45, 138, 158
Skarżyński, Jerzy 241
Skriabin, Aleksandr N. 38
Skrzynecki, Piotr 32, 229, 230, 231, 233,
    235
Smith, Jefferson Randolph „Soapy" 53
Sokołowski, Leszek 26
Staff, Leopold 211
Stalin, Józef 279
Stańko, Tomasz 218, 220, 251
Streisand, Barbra 288, 289
Suzin, Jan 267
Szaszkiewiczowa, Irena „Kika" 230
Szczyt, Marek 168, 169
Szlachtycz, Stefan 70
Szpilman, Andrzej 43
Szpilman, Władysław 43
Sztyc, Stanisław 32, 33
Szukalski, Tomasz 152, 253, 204, 211,
    212
Szymanowski, Karol 38
Szyszko, Feliks „Niuniek" 237

Ścierański, Krzysztof 75
Śmiałowski, Andrzej 229
Śmietana, Jarosław 136, 211, 214, 217
Święcicki, Mieczysław 230

Tarantino, Quentin 289
Tati, Jacques 121

Tavernier, Bertrand 191
Taylor, Arthur 188
Taylor, Elisabeth 120
Timberlake, Justin 168
Toscanini, Arturo 21
Tristano, Lennie 135
Trzaskowski, Andrzej 26, 134, 237, 238,
    239, 240, 243, 245, 246
Trystan, Leon 108
Turnau, Grzegorz 42
Twain, Mark 146
Tyrmand, Leopold 241, 242, 243, 244

Urbaniak, Michał 10, 46, 70, 72, 77, 79,
    86, 90, 186, 220, 251, 253, 273, 289

Waldorff, Jerzy 41, 181
Wałęsa, Lech 271
Walter, Władysław 101, 129
Warska, Wanda 155, 170, 171, 240, 243
Wasowski, Jerzy 42, 241
Wasylewski, Andrzej 205
Widelski, Gwidon 77
Woods, Phil 188
Wrzesińska, Barbara 157, 250
Wysocki, Włodzimierz 42

Zachwatowicz, Krystyna 230, 233
Zapasiewicz, Zbigniew 87
Zwierzchowski, Stanisław 135
Zylber, Jan 134, 135, 193

Redaktor prowadzący
Konrad Nowacki

Redakcja i korekta
Małgorzata Denys

Łamanie
btl REVOLUTION
Creative Agency

Projekt okładki
Zbyszek Larwa

Zdjęcie na okładce
Agnieszka K. Jurek

Zdjęcia
Wojciech Karolak
i Fototeka Filmoteki Narodowej (s. 108), Wojciech Plewiński (s. 155–156),
Kacper Pempel / Reporter / East News (s. 166),
nikamo / Shutterstock.com (s. 166),
Andrzej Dąbrowski / Fotonova / East News (s. 171),
Zbigniew Lagocki / Reporter / East News (s. 231).

Wydawnictwo dołożyło wszelkich starań, by odszukać właścicieli praw autorskich
do zamieszczonych w książce zdjęć. Jeśli kogoś pominęliśmy, prosimy o kontakt.

ISBN 978-83-7839-625-3

Warszawa 2013

Wydawca
Prószyński Media Sp. z o.o.
02-697 Warszawa, ul. Rzymowskiego 28
www.proszynski.pl

Druk i oprawa
OZGraf S.A.
10-417 Olsztyn, ul. Towarowa 2